Wolfgang Greive

Der Grund des Glaubens

WOLFGANG GREIVE

Der Grund des Glaubens

Die Christologie Wilhelm Herrmanns

VANDENHOECK & RUPRECHT
IN GÖTTINGEN

Forschungen zur systematischen und ökumenischen Theologie
Herausgegeben von Edmund Schlink
Band 36

CIP-Kurztitelaufnahme der Deutschen Bibliothek

Greive, Wolfgang
Der Grund des Glaubens : d. Christologie Wilhelm Herrmanns. – Göttingen : Vandenhoeck und Ruprecht, 1976.
    (Forschungen zur systematischen und ökumenischen
    Theologie ; Bd. 36)
    ISBN 3-525-56241-1

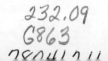

VORWORT

Die Beschäftigung mit dem Problem der Glaubensbegründung kann beanspruchen, aktuell zu sein. Wenn die vorliegende Arbeit die Frage nach dem Grund des Glaubens in der Christologie W. Herrmanns verfolgt, so wendet sie sich zugleich einem theologiegeschichtlichen Problem zu, denn die Christologie W. Herrmanns ist noch nicht umfassehd untersucht, in der bisherigen Auslegung umstritten und in ihrer ganzen Bedeutung für die Entwicklung der Theologie im 20. Jhdt. nicht deutlich geworden. Das Ziel dieser Untersuchung ist es daher, die theologiegeschichtlich relevante Problemstellung aufzuzeigen, die mit der Christologie W. Herrmanns gegeben ist, und anhand der Entwicklung des Herrmannschen Denkens, die durch eingehende Auflagenvergleiche der Hauptwerke im einzelnen nachgewiesen wird, ein Hauptproblem neuzeitlicher Christologie aufzuschlüsseln.

Diese Studie wurde von der Ev. -Theol. Fakultät der Ludwig-Maximilians-Universität München 1972 als Dissertation angenommen, im folgenden Jahr durch die ausführliche Einarbeitung der Sekundärliteratur erweitert und für die Veröffentlichung auf den neusten Diskussionsstand 1975 gebracht, sowie an einigen Stellen geringfügig geändert. Meine Auffassung von der Bedeutung A. Tholucks für W. Herrmann wurde weiter belegt. Sachlich neu ist die theologiegeschichtliche Anmerkung nur insofern, als sie die Ergebnisse der Arbeit gezielt für das Verständnis neuerer christologischer Positionen anwendet. Meine These über die Entwicklung der Christologie G. Ebelings und das Fortwirken Herrmannscher Motive in ihr findet sich in dem Aufsatz: "Jesus und Glaube", der 1976 in KuD erscheint.

Für das Gelingen dieser Studien darf ich allen danken, die dazu mitgeholfen haben. Neben der Fakultät gilt mein herzlicher Dank Herrn Professor Dr. W. Pannenberg D. D., der mir in einem hohen Maß das Interesse und die Freude am systematischen Denken vermittelt hat. Dem Herausgeber der Reihe, Herrn Professor D. Dr. E. Schlink D. D. schulde ich Dank, ebenso Herrn Dr. Ruprecht. Für die Unterstützung zur Erstellung und Veröffentlichung der Arbeit gedenke ich meiner Eltern, Großmutter, Herrn Dr. G. Neumann und vor allem meiner Frau. Der Ev. -luth. Landeskirche Hannovers danke ich besonders für einen namhaften Druckkostenzuschuß, Herrn stud. theol. H. -G. Gellersen für das Lesen der Korrektur.

Celle, im Februar 1976   Wolfgang Greive

Die in der vorliegenden Untersuchung benutzten Abkürzungen, vor allem
für die Schriften W. Herrmanns, sind dem Literaturverzeichnis zu entnehmen.

INHALT

EINLEITUNG

In der theologischen Diskussion am Ende des vorigen Jahrhunderts spitzt
sich das christologische Problem unter dem Eindruck der Ergebnisse der
historischen Jesusforschung zu. Die Frage stellt sich, was angesichts der
schneidenden Kritik an den Evangelien die Berufung auf Jesus noch beinhaltet. Damit wird nach der Relevanz des Christentums überhaupt gefragt.
Kann die Wahrheit des Christentums, daß Gott in der geschichtlichen Erscheinung Jesu die Transzendenz in der Immanenz ist, in der durch Bildung und Wissenschaft geprägten modernen Situation noch vertreten werden? W. Herrmann, der mit seiner Schrift "Die Religion im Verhältnis
zum Welterkennen und zur Sittlichkeit" das Programm einer geschichtlichen Grundlegung der Theologie formuliert hat, schreibt 1898: "Die Wissenschaft, von der wir lernen und lernen müssen, macht die geschichtliche Erscheinung Jesu zum historischen Problem. Wir dagegen wollen in
ihr den Grund unseres Glaubens finden. Schon David Strauß hat aber darauf
hingewiesen, daß alles, was Problem der Wissenschaft werde, dem religiösen Glauben entrissen sei. Es wird wohl auch heute noch viele geben,
die wie er erwarten, es werde mit dem Christentum bald aus sein. Viel
schlimmer aber ist es, daß die Ausbreitung historischer Kenntnis und die
Bildung eine Situation geschaffen hat, in der auch viele Christen sich nicht
mehr zurechtfinden. Unser Amt ist es, ihnen den Weg zu weisen" (GA, 339).
Diese Wegweisung kann für W. Herrmann nur im Blick auf den einfachen
Menschen Jesus von Nazareth geschehen. Das Amt des Theologen ist es,
die geschichtliche Wahrheit des Glaubens zu erweisen, den Gott, "der des
Zeitlichen und Ewigen mächtig ist" (I, 101), zu verkünden, auch dann, wenn
das die neuzeitlichen Bedingungen erschweren.

F. Schleiermacher hat den Gebildeten unter den Verächtern der Religion
expliziert, daß das Unendliche im Endlichen erscheint, Gott allein in und
mit der Welt erfahren wird, Gott selbst die Feindschaft des Endlichen "gegen sich vermittelt, und der größer werdenden Entfernung Grenzen setzt
durch einzelne Punkte über das Ganze ausgestreut, welche zugleich End-
liches und Unendliches, zugleich Menschliches und Göttliches sind"[1]. Diese Explikation will das Unendliche nicht in der Immanenz aufgehen lassen
und das Immanente als selbsttätig konstruieren, sondern Gott in seiner
Vermittlung begreifen. W. Herrmann ist "in Schleiermachers Sinne gebil-
det", wenn er den 'Transzendenz-Immanenz-Gedanken' zu einem tragenden
Element seiner Theologie macht. "Nicht in dem Hinwegfliegen über das
Wirkliche, sondern in der vollen Besinnung auf das Wirkliche können wir
Gott begegnen" (I, 295f). Die Funktion dieses Gedankens ist es, Religion
zu erweisen, den "Verdacht, daß sie Illusion sei" (I, 295), zu entkräften.
Theologie hat deshalb den geschichtlichen Grund des Glaubens zu themati-
sieren.

Das Problem besteht nun darin, daß der christliche Glaube seinen geschichtlichen Grund nicht ohne die historische Kritik erfaßt, die historische Kritik aber den geschichtlichen Grund zerstören kann. Erst wenn bei der Berufung auf Jesus die Verbindung zwischen dem Gehalt des Glaubens und der Person Jesu gelöst und die Transzendenzerfahrung ganz in den menschlichen Geist verlegt ist, erweist sich die historische Kritik als unbedeutend. Die theologische Diskussion um die Relevanz des historischen Jesus im 19. Jahrhundert zeigt aber, daß trotz der Einsicht in die konstitutive Rolle des menschlichen Geistes, die sich auch bei W. Herrmann findet, dem jedoch an "einer individuell bedingten besonderen Verwendung der geistigen Kräfte" (R, 90) gelegen ist[2], das geschichtliche Faktum Jesus von Nazareth sich als objektives zur Geltung bringt und sich gegen seine Auflösung in die Tätigkeit des menschlichen Geistes behauptet, wenn auch diese Selbstbehauptung nur unter den Bedingungen der Subjektivität begriffen werden kann. Gerade die Betroffenheit der Theologie durch die historische Kritik zeigt, welche Bedeutung die geschichtliche Person Jesu tatsächlich für den Glauben hat. Eindrücklich beweist das der Wunsch, Schranken für die historische Forschung zu errichten. Er wird als positiver Ausdruck des Glaubens nur dann verständlich, wenn die Wahrheit des Glaubens die Wahrheit der geschichtlichen Person Jesu ist, die durch die historische Kritik destruiert werden kann. So erklärt W. Herrmann auf einer kirchlichen Konferenz 1899, dieser Wunsch sei deshalb so stark, weil der Grund des Glaubens mit dem historischen Jesus verbunden sei. "Denn das Christentum hat seinen Grund nicht nur in dem, was ewig ist, sondern auch in dem, was einmal gewesen ist und als unauslöschliche Erinnerung in unsern Herzen lebt" (Sittlichkeit, 19). Wenn das Christentum von dem Grund des Glaubens spricht, dann muß von dem damaligen Jesus die Rede sein. Für W. Herrmann liegt "Gottes Offenbarung in der Geschichte selbst vor, ein geschichtliches Faktum, Christus selbst, ist die Offenbarung Gottes"[3]. Dies aber "muß eine Begrenzung des Subjektivismus bedeuten"[4].

Indem W. Herrmann den damaligen Jesus in den Glaubensgrund einbezieht, sieht er die Möglichkeit gegeben, den Subjektivismus im Christentum zu überwinden. Gegenüber dem Bestreben, die Wahrheit des Glaubens als subjektive Tatsache des menschlichen Geistes zu betrachten, bemüht er sich darum, "eine wesentliche Verbindung zwischen dem Gehalt (des Glaubens) und der Person Jesu herzustellen"[5]. Der Rekurs auf Jesus dient der objektiven Begründung des Glaubens. Es ist die Kritik an der subjektiven Begründung, mit der sich W. Herrmann in der theologischen Diskussion am Ende des vorigen Jahrhunderts profiliert. Der Glaube darf "sich nicht nur auf unsagbare Gefühle und Stimmungen" berufen, "welche ihm folgen, sondern auf Gründe, welche ihm vorausgehen und deshalb auch Anderen verständlich sind als den Gläubigen" (R, 133). Objektiver Grund ist zuerst die geschichtliche Tatsache der Person Jesu (V, 84).

Damit die Wahrheit des Glaubens, die in ihrer individuellen Bedingtheit
durch das Subjekt erkannt ist, nicht subjektivistisch unterlaufen wird, rekurriert W. Herrmann immer wieder auf den geschichtlichen Jesus, auch
dann, wenn ihm seine Infragestellung durch die historische Forschung sehr
deutlich wird. Er geht davon aus, daß die Richtigkeit der Grundzüge des
Lebens Jesu jeder Mensch, auch der Historiker, anerkennen muß (V, 58).
Doch gegenüber jeder orthodoxen oder liberalen Position eines Für-Wahr-
Haltens der Offenbarung Gottes in Jesus betont er, daß diese Offenbarung
"ein Bestandteil unserer eigenen Wirklichkeit" (V, 61) zu sein hat. Das Leben Jesu muß uns zum Erlebnis werden, soll es uns ergreifen. Alles
kommt auf die unverfügbare, eigene Erfahrung Gottes an. Diese Wertschät-
zung des eigenen Erlebnisses schließt aber gerade nicht die "Berufung auf
den geschichtlichen Christus" (GA, 24) aus, denn Gott hat mit dem Menschen
Jesus die objektive Tatsache der Offenbarung in die Welt gestellt (GA, 291).
So kommt ebenso alles darauf an, daß nicht ein eingebildeter Jesus, sondern der geschichtliche zur gegenwärtigen Tatsache wird.

W. Herrmann hält an der geschichtlichen Tatsache der Person Jesu fest,
weil damit sowohl der neuzeitliche Verdacht, der christliche Glaube sei
Illusion, als auch das theologische Bemühen, den Glauben gänzlich zu sub-
jektivieren, abgewiesen werden können. Zugleich wird der kritische Erweis erbracht, daß die Subjektivierung von Glaube und Theologie und der
Illusionsverdacht gegen sie zusammenhängen. Letzteres wird manifest,
wenn die Theologie sich nicht mehr auf den geschichtlichen Jesus bezieht,
sondern nur noch auf Gefühl und Stimmung. Sie gerät damit notwendiger
Weise unter Illusionsverdacht. Für W. Herrmann löst sich der Glaube
selbst auf, wenn er seinen Gegenstand auflöst, der nicht unabhängig vom
historischen Jesus zu gewinnen ist. Daß das Denken W. Herrmanns in der
Spätzeit diesem Auflösungsprozeß selbst mehr oder weniger erliegt, stellt
ein besonderes Problem dar, das diese Arbeit verfolgt[6].

Wegen der Einsicht in die Relevanz der geschichtlichen Tatsache der Person Jesu für den Glauben ist die Christologie als ein Hauptthema der Theologie anzusehen. Sie hat darzulegen, "daß wir nur in dem Menschen Jesus
allezeit den Grund des Glaubens... finden können" (GA, 288). W. Herrmann
hat die Zentralität des Verhältnisses von Glaubensgrund und Christologie
hervorgehoben, damit zugleich die prinzipielle Bedeutung der Frage nach
dem Grund des Glaubens. Die dogmatische Arbeit hat sich das Ziel zu setzen, "Christen dazu anzuleiten, daß sie des Grundes ihres Glaubens und
seines Gedankengehalts sich bewußt werden" (I, 354). Indem W. Herrmann
die Frage nach dem Glaubensgrund zu dem Hauptthema seines Denkens erhebt, für das "das innere Leben Jesu" (V, 67) das Leitmotiv ist, kann das
Vorhaben, diese Fragestellung in der Form des Herrmannschen Denkens
zu untersuchen, nicht als diesem Denken unangemessen beurteilt werden.
Wenn die Frage nach dem Glaubensgrund am Beispiel der Christologie W.
Herrmanns erforscht wird, kommt es darauf an, die unterschiedlichen Aus-

sagen und Intentionen W. Herrmanns zu erkennen und die Spannungen und
Unausgeglichenheiten seines Denkens auszuhalten, ohne sie zu verschleiern, so daß nicht eine einseitige und unproblematische Interpretation vor-
gelegt wird, die zugleich auch die Äquivokation im Begriff des Glaubensgrundes unterschlägt.

Die Beschäftigung mit dem Werk W. Herrmanns kann sich auf eine Sekundärliteratur stützen, die nicht unerheblich ist[7]. Man kann von einer gewissen Festigung der Forschungslage sprechen, die in der Einleitung P. Fi-
scher-Appelts zu den Schriften W. Herrmanns zur Grundlegung der Theologie zum Ausdruck kommt (I, XV-LI). Die Differenz zwischen den früheren
und späteren Schriften ist vertieft und differenziert erfaßt (P. Fischer-Appelt unterscheidet vier Perioden). Trotzdem sind in dieser Hinsicht wichtige Fragen offen geblieben, die eine weitere Beschäftigung mit W. Herrmann erfordern. Es stellt sich vornehmlich die Frage nach dem Grund und
der Intensität der Veränderungen im Denken W. Herrmanns, damit nach
Ansatz und Fortgang dieses Denkens, nämlich: Mit welchem "Ansatz steht
und fällt die Theologie Herrmanns"[8]? Hier ist u. a. die Relevanz der Philosophie umstritten, die Frage, in welchem Maß sie für den Wandel des
Herrmannschen Denkens verantwortlich zu machen ist. In dieser Arbeit
soll der Versuch, "Herrmann aus sich selbst zu verstehen"[9], in der Weise unternommen werden, daß die Christologie den eindeutigen Vorrang für
das Verstehen erhält[10]. Ein solcher Versuch ist um so notwendiger, als
die Christologie W. Herrmanns immer noch als "ein Desiderat der Forschung" gilt (I, XIX)[11]. Es wird deshalb eindringlich nach den christologischen Grundaussagen und ihrem Stellenwert gefragt. Kann man von einer
Dominanz des christologischen Ansatzes sprechen? Ist die Christologie
konstitutiv für das Gesamtwerk W. Herrmanns oder kommt es zu einer
Auflösung der Christologie? Ist das christologische Thema letztlich von
Anfang an nebensächlich und der geschichtliche Christus gar nicht geschichtlich zu verstehen? Die letzte Frage erweist sich gerade in der jüng-
sten Diskussion als besonders umstritten und bedarf einer Klärung[12].

Mit dieser explizit christologischen Fragestellung kann die Notwendigkeit
der Unterscheidung zwischen dem Haupt- und Spätwerk W. Herrmanns neu
erwiesen und auf eine breitere Basis gestellt werden. Es geht um die Relevanz der Christologie für die Gesamtdeutung. Ziel der Untersuchung ist also nicht eine weitere Erhellung des philosophischen Hintergrundes. Es werden daher in den philosophischen Fragen meist nur pauschale Hinweise gegeben, die durch die angegebene Literatur zu ergänzen sind. Erstrebt wird
nämlich eine kritische Darstellung der Christologie W. Herrmanns, sofern
sie im Zusammenhang mit der Frage nach der Bedeutung des historischen
Jesus steht. Dabei wird zu fragen sein, ob die Wandlung seiner Christologie
im Problem der Geschichtlichkeit Jesu begründet ist und als das eigentlich
treibende Motiv für die Veränderung im Denken W. Herrmanns überhaupt
gelten kann.

Die Berücksichtigung des reichen Materials bei W. Herrmann, die gewisse Wiederholungen um der Bedeutung des Themas und seiner umstrittenen
Interpretation willen erforderlich macht, hat zum Ziel, den vielfältigen und
unterschiedlichen Äußerungen gerecht zu werden. Hierbei zeigt sich, daß
sachliche Spannungen in den Gedanken selbst bestehen, die zu bestimmten
Widersprüchen führen, die aufgespürt und kritisch dargestellt werden sollen. Da diese inneren Spannungen gerade bei der Thematisierung des christologischen Glaubensfundaments für das Gesamtdenken W. Herrmanns zu
beobachten sind, muß gefragt werden, ob Aussagen ihren Prämissen adä-
quat sind, ob konsequent argumentiert wird, ob vor allem bei der Frage
nach dem Glaubensgrund die mit der Tatsache der geschichtlichen Vermittlung seiner Wahrheit verbundenen Probleme unverkürzt im Blick bleiben.
Diese zuletzt genannten Probleme, die bei ihrer Entfaltung Ansatzpunkte
zur Kritik der Theologie W. Herrmanns liefern, werden in einem ersten
Teil dieser Arbeit erörtert. Indem darin Gesichtspunkte zur speziellen
Sachproblematik zur Sprache gebracht werden, wird zu allgemeinen Fragen in Kürze Stellung genommen in dem Bewußtsein, daß die Problematik
der Fragen hier nicht in ihrer ganzen Vielschichtigkeit berücksichtigt ist.
Die kritische Haltung nimmt sachlich ihren Anhalt vor allem an Gedanken
W. Pannenbergs.

Liegt das Hauptgewicht dieser Arbeit auf der Christologie W. Herrmanns
und ihrer Problematik, und sucht die kritische Interpretation die Schwere
dieser Problematik zu verdeutlichen, so wird die vorgelegte Darstellung
mit ihrem Anliegen nur verstanden, wenn ihre Leitfrage, die Frage nach
dem Glaubensgrund in der Neuzeit, in ihrer systematischen Relevanz erkannt und gewürdigt wird. Im Kontext der Herrmannschen Problematik erweist sich als ein Hauptproblem die Frage nach der Bedeutung und dem Verständnis der Geschichte für die Wahrheit schlechthin, damit auch für die
Wahrheit der neuzeitlichen Subjektivität, die sich in ihrer Selbstständig-
keit begreift.

DAS PROBLEM DER BEGRÜNDUNG DES GLAUBENS

Das Thema ' Grund des Glaubens ' hat in den theologischen Arbeiten nach der Aufklärung ein ständig wachsendes Interesse gefunden. Hierin ist ein Wandel des theologischen Bewußtseins zu sehen. Galt früher das Interesse vorwiegend dem Inhalt des Glaubens, so gilt es heute dem Grund des Glaubens. Der christliche Glaube besitzt keine extra controversiam stehende Autorität mehr, sondern ist radikal in Frage gestellt. Die Bedrohung seiner Fundamente nötigte die Theologie seit der Aufklärung, das Problem der Begründung des Glaubens zum vorrangigen Problem zu machen. Dabei wurde dieses Problem zunehmend in der Christologie verhandelt[13].

Der Frage nach dem Glaubensgrund gerade bei W. Herrmann nachzugehen, legt sich aus zwei Gründen nahe: Einmal hat W. Herrmann sich dem Problem in seinem ganzen Werk thematisch gestellt[14]. Zum anderen hat er das Problem entschieden unter den Bedingungen der Moderne gesehen. Mit innerer Wahrhaftigkeit stellt er sich der Herausforderung der Moderne und zieht sich nicht auf eine autoritäre Glaubensposition zurück, weil er sie als unhaltbar erkannt hat. Mit ihm "kam 1876 ein neues religiöses und kirchliches Bewußtsein zu Worte, das wesentlich durch die positivistisch-materialistische Großoffensive gegen die Fundamente des christlichen Glaubens bestimmt ist". Als Aufgabe der Theologie wird "die wissenschaftliche Rechtfertigung des Christentums" erkannt[15]. So hat W. Herrmann das Problem der Glaubensbegründung mit der notwendigen Klarheit thematisch werden lassen[16].

Es ist nun ein ebenso notwendiges wie gewagtes Vorhaben, das Thema ' Grund des Glaubens ' in seiner Sachproblematik einleitend in einer Art Überblick darzustellen. Notwendig, weil die mit der Frage nach dem Grund des Glaubens gegebene Sachproblematik bestimmt werden muß und eine kritische Untersuchung des Themas im Werk W. Herrmanns ihre Einsichten zur Sachproblematik darzulegen hat. Gewagt, weil eine solche Darstellung unumgänglich verkürzt und verallgemeinert.

In einem ersten Gedankengang soll die Frage nach dem Grund des Glaubens, wie sie W. Herrmann gestellt hat, in ihrem Gehalt erfaßt werden. In einem zweiten Gedankengang soll die Bedeutung des neuzeitlichen Denkens für die Frage aufgezeigt werden. Danach werden die für ein differenziertes Bedenken des.Problems notwendigen Distinktionen herausgestellt, um dann abschließend das Problem der Glaubensbegründung als das Problem von Glaube und Gewißheit und von Glaube und Geschichte zu entfalten.

1. Die Frage nach dem Grund des Glaubens

Die Frage nach dem Leben des Glaubens, nämlich nach der Praxis der Christen, führt heute unmittelbar zu der Frage nach den Gründen des Glaubens, weil die Kritik an der Praxis weitgehend atheistische Kritik ist, d. h. sie geht davon aus, daß Gott eine Illusion der Menschheit ist und diese Illusion, wie sie die Kirche verkündigt, der Verwirklichung wahren menschlichen Lebens im Wege steht. Darum ist das Grundproblem der Theologie die Begründung des Glaubens an Gott, der das Heil der Menschen herauf-führt. Diese Erkenntnis prägt alle kritische Theologie nach der Aufklärung, denn seit der Aufklärung wird der Anspruch des Christentums durch den Atheismus ganz in Frage gestellt. Diese Bedrohung ist also nicht erst eine Erscheinung des 20. Jahrhunderts. "Die Gottesfrage und das Problem des Atheismus sind schon zu Beginn des 19. Jahrhunderts in aller Schärfe aufgebrochen. Unsere Zeit unterscheidet sich von jener nur dadurch, daß ins Allgemeinbewußtsein gedrungen ist, was ehemals eine Handvoll Gebildeter bewegte"[17]. Seit Mitte des 19. Jahrhunderts besinnt sich die Theologie besonders auf die Gründe des Glaubens. Mit W. Herrmann wird das Problem des Glaubensgrundes in der Theologie zentral thematisiert. Es geht um die Rechtfertigung des christlichen Glaubens aus der Grunderkenntnis des Glaubens. Der Glaube hat nach seinem Grund zu fragen, um gegenüber der atheistischen Kritik zu bestehen und um volle Klarheit über sein Wesen zu bekommen.

Die Ritschlsche Schule hat diese Frage vor allem von der Christologie her beantwortet. J. Gottschick erklärt: "Ohne Jesus wäre ich Atheist"[18], W. Herrmann erklärt: "Wir sind deshalb Christen, weil wir in dem Menschen Jesus auf eine Tatsache gestossen sind, die unvergleichlich inhaltvoller ist als die Gefühle, die in uns selbst aufkommen, und die uns Gottes so gewiss machen kann, dass unsere Ueberzeugung, mit Gott im Verkehr zu stehen, vor unserem Verstande und vor unserem Gewissen standhalten kann" (V, 30). Damit kommt Entscheidendes zur Sprache. Der Glaube ist nicht Illusion, denn er kann sich auf Jesus Christus berufen. Er hat einen festen Grund, der vor Verstand und Gewissen zu bestehen vermag. Seine Festigkeit erweist er eben darin, daß er sowohl dem theoretischen Erkennen als auch dem sittlichen Wollen einleuchtet. Daß dies aber zutrifft und nicht Wunschdenken ist, hat die Theologie überzeugend aufzuweisen. W. Herrmann hat nicht wenig behauptet. So ist seine Theologie daraufhin zu befragen, ob es ihr gelingt, ihre Aussagen einsichtig zu begründen, ob sie dem Anspruch genügt, wissenschaftliche Theorie zu sein. Das Interesse, das man ihr entgegenbringt, resultiert nicht zuletzt aus ihrer Programmatik.

W. Herrmann hat die Überzeugung, daß christlicher Glaube, der sich klar ist über sich selbst, auch die Kraft besitzt, in seiner Zeit überzeugend zu bestehen. Wo der Grund des Glaubens aufgewiesen wird, ohne daß man dabei einem Intellektualismus und einer orthodoxen Lehrgesetzlichkeit verfällt, wird das Wesen des Glaubens so zum Verständnis gebracht, daß es den modernen Menschen betrifft. W. Herrmann beruft sich bei der Geltung der religiösen Wahrheit nicht nur auf Jesus als den einen Grund des Glaubens, sondern auch auf das sittliche Bewußtsein des Menschen als gefordertes. In der sittlichen Entscheidung eröffnet sich dem Menschen der Zugang zu Gott. W. Herrmann behält damit trotz seiner massiven Kritik an der Verwendung der Gottesbeweise in der Theologie insofern das Thema der natürlichen Theologie bei, als er mit einer Gotteserkenntnis im Bereich des Sittlich-Menschlichen rechnet. Indem er nach dem Menschen Jesus und nach dem Menschsein des Menschen fragt - also der Glaube zwei Gründe hat -, vermeidet er es, daß sich die Christologie exklusiv versteht. Der Ausgang bei dem geschichtlichen Christus und bei der sittlichen Frage des Menschen nach sich selbst dient der Vergewisserung der Religion. Es fällt nun auf, daß die Vergewisserung der Religion im Fortgang des Denkens W. Herrmanns eine mehr und mehr individuelle wird, die Konzentration auf die Subjektivität als den Ort der Wahrheit immer einseitiger geschieht und so die Verbindung von geschichtlichem Christusglauben und ethischer Existenzproblematik gelöst wird. Damit wird an diesem Denken deutlich, wie sich eine neuzeitliche Theologie im Anschluß an I. Kant gründet und expliziert.

Die Frage nach dem Grund des Glaubens ist in einer Weise bei W. Herrmann thematisiert, die höchste Beachtung verlangt. Diese Beobachtung wird jedoch von vorneherein dort sehr kritisch sein, wo man das Wesen des Glaubens als gefährdet ansieht, wenn zu seinem Verständnis die Frage nach dem Grund konstitutiv ist. Diese kritische Sicht geht davon aus, daß es zum Glauben gehört, wider die Vernunft zu sein, daß begründendes und einsichtiges Reden, wie es in der Neuzeit gefordert ist, in bezug auf den Glauben auszuschließen ist. Die Frage nach dem Grund des Glaubens muß um des Glaubens willen verboten werden. Der Christ hat Zeugnis abzulegen und nicht zu begründen, zu behaupten und nicht zu kontrollieren. Bekenntnis und Begründung werden als Alternative aufgefaßt. So vermag für H. Gollwitzer der Gläubige allein zu bekennen, weil Verkündigung geschieht mit der "Macht der Selbstbeglaubigung". Er kann "nicht widerlegen, nur protestieren und bezeugen"[19]. Das Wort Gottes erreicht den Menschen, wenn dieser sein Streben und Wollen hinter sich läßt. Es verschafft sich Wirkung und Wahrheit beim Menschen, wenn dieser sich nicht mehr auf den Boden der autonomen Vernunft stellt. Dem autonomen Menschen fehlt es an Vertrauen, daß Gott sich selbst überzeugend vernehmlich machen könne. Indem er nach Begründungen sucht und nach Sicherungen fragt, vermag er nicht zur Erfahrung der Wahrheit zu gelangen. K. Schwarzwäller beruft sich auf das Alte Testament, wenn er es zum Kriterium des Wortes Gottes erklärt, "daß es dem menschlichen Selbstverständnis, dem menschlichen Verstehen der Welt, dem menschlichen Verstehen überhaupt, der jeweiligen Wirklichkeit wie Denkungsart unzumutbar weil weder begreifbar noch integrierbar" ist[20]. Der Anspruch des Wortes Gottes scheint sich gegen die grundlegenden Voraussetzungen der Neuzeit zu sperren. Für eine

Theologie des Wortes Gottes, die das Charakteristische des Wortes in seiner fraglosen Andersartigkeit sieht, muß jede Befragung des Wortes von
vorneherein unangemessen sein. Der Glaube fragt nie über das Wort hinaus; jedes Rückfragen und Hinterfragen schadet dem Wesen des Glaubens.
Der Einwand gegen das Hinterfragen des Glaubens versteht sich ganz und
gar als ein theologischer, obwohl er bei M. Kähler seinen Ausgang von
historischen Einsichten genommen hat[21].

Damit kommt die Sachproblematik zugespitzt zum Ausdruck. Die Frage
nach dem Grund des Glaubens versteht sich keineswegs von selbst. Sie ist
heftig umstritten. Eindeutig ist das Votum R. Bultmanns: "Das Wort der
Verkündigung begegnet als Gottes Wort, demgegenüber wir nicht die Legi-
timationsfrage stellen können, sondern das uns nur fragt, ob wir glauben
wollen oder nicht. " Wer "fragen wollte nach der Notwendigkeit, nach dem
Recht, nach dem Grund des Glaubens - er erhielte nur eine Antwort, indem
er hingewiesen würde auf die Botschaft des Glaubens, die mit dem Anspruch,
geglaubt zu werden, an ihn herantritt. Er erhielte keine Antwort, die vor
irgendeiner Instanz das Recht des Glaubens rechtfertigte. Sonst wäre ja das
Wort nicht <u>Gottes</u> Wort; sonst würde ja Gott zur Rechenschaft gezogen; sonst
wäre ja Glaube nicht Gehorsam"[22]. Diese Position, der alles an der Wah-
rung der unbedingten Souveränität des Wortes Gottes gelegen ist, sieht im
Gehorsam das Wesen des Glaubens. Es scheint jedoch, daß Sätze wie die
eben zitierten mehr Probleme aufwerfen als daß sie dazu beitragen, das
Problem, das der Theologie in der Neuzeit gestellt ist, recht zu erkennen
und zu einer vertretbaren Lösung zu führen. Es muß einerseits gefragt
werden, ob angesichts des neuzeitlichen Denkens autoritäre Positionen,
wie sie sich in der Rede vom Gehorsam des Glaubens zu erkennen geben,
noch zu verantworten sind. Andererseits ist zu fragen, ob Theologie, die
die Frage nach dem Grund des Glaubens unter Berufung auf Gott und Glaube zurückweist, in ihrem Denken Wahrheit und Wahrheitsvermittlung, sowie Glaube als Werk Gottes und als Werk des Menschen unterscheidet.
Letzteres gilt freilich auch für eine Theologie, die die Frage nach dem
Grund des Glaubens bejaht.

2. Zur Bedeutung des neuzeitlichen Denkens

Zur Frage nach der Rechtfertigung autoritärer Positionen heute wird die
Ansicht vertreten, daß die Neuzeit das autoritäre Denken prinzipiell unmöglich gemacht hat, "daß der Gedanke der menschlichen Selbstbestimmung
zum Zentrum und zum Ausgangspunkt alles menschlichen Verhaltens und
aller menschlichen Bestrebungen wurde"[23]. Die Unterordnung unter ein
Autoritätsprinzip anerkennt der neuzeitliche Mensch nicht mehr. Daher hat
das theologische Reden einsichtig zu sein. Diese Forderung beugt sich nicht
unkritisch einem von außen gesetzten Sachverhalt, sondern erkennt die Befreiung des Menschen aus der autoritären Denkweise zur Selbstbestimmung
als Konsequenz evangelischen Glaubens. Weil die christliche Verkündigung

selbst die Freiheit des Menschen zum Inhalt hat, darf die Autonomie als
Konkretion der Freiheit, also auch die Freiheit des eigenen Urteils über
den Grund des Glaubens, als Fortschritt in der Geschichte der Menschheit betrachtet werden. Der Mensch ist dazu bestimmt, selbst über die
Wahrheit einer Sache zu entscheiden. Er hinterfragt daher alle Autoritäten und lehnt eine Bevormundung durch Autorität ab. Autoritäten haben
sich immer wieder neu zu erweisen, ihre bloße Behauptung macht sie un-
glaubwürdig.

Diesen neuen Ausgangspunkt hat die Theologie ernst zu nehmen, will sie
den neuzeitlichen Menschen erreichen. Es gilt, die veränderte Verstehens-
situation zu erfassen. Den entscheidenden Grund für die neuen Voraussetzungen im Verstehen sieht G. Ebeling in der Ablösung des metaphysischen
Wirklichkeitsverständnisses durch das geschichtliche. "Es geht dabei ...
um ein verändertes Wirklichkeitsverständnis in fundamentalem Sinn, d. h.
um Veränderungen in bezug auf das, was einleuchtet, Eindruck macht, an-
spricht, verpflichtet, Autorität hat"[24]. Dieses fundamental veränderte
Wirklichkeitsverständnis hat die Theologie zu erkennen. Es nötigt sie, in
ihren eigenen Aussagen sich um Evidenz und Verifikation zu bemühen. Wird
die Einsichtigkeit und Durchsichtigkeit des theologischen Urteils erstrebt,
so wird damit das autonome Bewußtsein des neuzeitlichen Menschen bejaht
in dem Wissen, daß dieses Bewußtsein mit seiner Ablehnung des Autoritäts-
prinzips christlich motiviert ist. Diese Bejahung bedeutet jedoch nicht, daß
man kein kritisches Verhältnis zur Neuzeit überhaupt hätte. Gerade die Tatsache, daß die Neuzeit als Menschwerdung, aber auch als Entfremdung, als
Befreiung, aber auch als neue Abhängigkeit verstanden werden kann, also
in sich eine ambivalente Erscheinung ist, läßt Kritik üben und die Frage
nach dem Grund neuzeitlicher Freiheit mit Dringlichkeit stellen[25]. Zur
Lösung des Problems der Neuzeit ist jedoch nicht die Autonomie des Menschen durch eine neue Heteronomie zu ersetzen, vielmehr ist die Mündigkeit des Menschen kritisch zu bedenken im Blick auf ihren Ursprung.

Verkennt die Verketzerung des Strebens nach eigenem, kritischen Urteil,
daß die Befreiung des Menschen aus der autoritären Denkweise Konsequenz
des evangelischen Glaubens selbst ist, so stellt das Klagen über Autonomie
und Freiheitsstreben bereits einen handfesten Anachronismus dar. "Denn
das beklagte Freiheitsstreben und der Wissensdurst sind längst nicht mehr
bloße Forderungen, sondern existentielle Konstitutive des neuzeitlichen
Denkens geworden. Mag der Mensch auch ' immer schon ' vom Wesen her
frei und vernünftig sein, seine Lösung aus der Autoritätsabhängigkeit in
der Neuzeit hat ihn erst befähigt, dieses Sein auch zu haben. Seither aber
ist es konkrete menschliche Wirklichkeit, gegen die der Anspruch einer
zwischen dem Menschen und der ' Wahrheit ' autoritär vermittelnden Herrschaft, der früher durchaus ein Fundament in einem existentiellen Bedürfnis der Menschen hatte, nur noch als ideologische Behauptung auftreten

kann"[26]. Jeder Anspruch, sei er von Theologen oder von Kirchen erhoben, muß sich daher grundsätzlich der Kritik aussetzen. Wer sich auf das Wort Gottes beruft, hat einsichtig zu sagen, warum er was tut. Die Kirche darf sich nicht mehr behütend vor den Menschen stellen und seine schöpferische Subjektivität ausschalten. Daß der Mensch Subjekt ist, bedeutet jetzt für ihn, nicht mehr vom Fremden bestimmt zu sein. Die Not des Glaubenden besteht dann darin, daß er im Glauben noch heteronome Autoritäten bejaht, während er im Denken und Handeln des Alltags ohne und gegen solche Autoritäten lebt. Wenn man sich aber die neuzeitliche Säkularität zu eigen macht, kann man nicht zugleich an einer Autorität festhalten, die Glauben als etwas Nicht-Hinterfragbares verlangt. Die Autonomie gerade in Fragen des Glaubens ist Voraussetzung, will der Glaube seinen Grund nicht nur behaupten, sondern auch erweisen, will er also eine Möglichkeit des neuzeitlichen Menschen sein. Andernfalls isoliert sich der Glaubende und verliert das Ganze der Wirklichkeit. Damit aber verdrängt er die Frage nach der Einheit der Wirklichkeit, die der Einheit der Existenz korrespondiert, und die Frage des Glaubenden nach der Wahrheit ist entstellt. Die Wahrheit wird zur Wahrheit für die isolierte Existenz, zur Sonderwahrheit, die nicht mehr alle Wirklichkeit umspannen kann. Aufgrund des universalen Anspruchs des christlichen Glaubens hat es der Theologie von Anfang an nicht um eine Sonderwahrheit des Glaubens zu gehen, sondern um die Grundlegung der Theologie im Horizont der Wahrheitsfrage. Es ist von ihr zu erwarten, "daß sie sich über die Wahrheit und Wirklichkeit ihrer Aussagen radikal Rechenschaft gibt"[27]. Erstrebt sie durch konsequentes Fragen Klarheit und Deutlichkeit, so gibt sie Rechenschaft ab. Unklarheit und Undurchsichtigkeit in der Mitteilung des Glaubens ist berechtigter Gegenstand der Kritik, ist Grund der Abkehr vom Christentum. In diesem Sinn gibt schon F. Nietzsche die Meinung seiner Zeitgenossen wieder: "Warum heute Atheismus? - ' Der Vater ' in Gott ist gründlich widerlegt; ... Das Schlimmste ist: er scheint unfähig, sich deutlich mitzuteilen: ist er unklar? - Dies ist es, was ich, als Ursachen für den Niedergang des europäischen Theismus ... ausfindig gemacht habe"[28]. Und G. Ebeling betont heute: Der Unglaube der Neuzeit "aber war nicht im klaren über sich selbst, weil es an klarer Bezeugung des Glaubens mangelte"[29]. Um eine solche Bezeugung ging es auch W. Herrmann. Indem er dabei das Recht auf eigene Einsicht unterstrich, nahm er die grundsätzliche Herausforderung der Theologie durch die Neuzeit an.

3. Notwendige Distinktionen

Geht W. Herrmann davon aus, daß die Relevanz des Glaubens einleuchtet, wenn der Grund des Glaubens konsequent bedacht wird, und geht die theologische Kritik an dieser Auffassung, wie sie von R. Bultmann vorgetragen wird, davon aus, daß es dem Wesen des Glaubens widerspricht, nach dem Grund zu fragen, so bedarf es der kritischen Rückfrage, ob diese beiden

Positionen jene Distinktionen von Wahrheit und Wahrheitsvermittlung und von Glaube als göttlichem und menschlichem Werk vornehmen, die - wie sich erweisen wird - für die theologische Reflexion, die sich der Geschichtlichkeit des Glaubens zuwendet, notwendig sind. Die Notwendigkeit zur Unterscheidung ergibt sich, wenn bedacht wird, daß der von Gott her begründete Glaube der Christen sich vermittelt durch ein Wissen von der Geschichte Jesu, die in der Welt Gott vermittelt. Wird nach diesem Wissen gefragt, so zielt die Frage auf den Erkenntnisgrund des Glaubens, nicht auf den Realgrund. Erkenntnisgrund und Realgrund sind deutlich zu unterscheiden[30]. Bei der Frage nach dem Erkenntnisgrund geht es darum, daß die Erkenntnis des Glaubens wahr ist. Die mit der Frage nach dem Realgrund als dem allem Wissen vorgegebenen, unmittelbar erfahrenen Grund gegebene Problematik wird in der Herrmann-Interpretation deutlich. Die Rede vom Realgrund hält die gegenwärtige, unverfügbare Macht Gottes fest.

Zu bedenken ist jetzt der Glaube als Werk Gottes und als Antwort des Menschen und die Tatsache, daß dem Glaubenden die Wahrheit seines Glaubens nur durch Vermittlung zugänglich ist und so die Wahrheit von der Wahrheitsvermittlung unterschieden werden muß.

3.1. Glaube als Werk Gottes und als Antwort des Menschen

Glaube stellt nicht nur, aber vor allem insofern das Werk Gottes dar, als der Glaube davon lebt, daß Gott gehandelt hat. Kommt der Glaube von der Aktion Gottes her, vermag er sich nicht selbst zu schaffen. Mit der Hervorhebung dieser Tatsache wird das Verständnis des Glaubens als Werk Gottes eindeutig gewahrt. Daß der Glaube von Gottes Handeln her begründet ist, erfährt der Glaubende in seinem Leben. Glaube ist Geschenk. Aber er nimmt sich auch als Werk des Menschen wahr, insofern er auf das Handeln Gottes antwortet und die Vermittlung des von Gott gewirkten Glaubens kritisch bedenkt. Der Glaube erkennt sich sowohl als Werk Gottes als auch als Werk des Menschen. Es gibt somit zwei grundlegende Hinsichten, den Glauben zu begreifen, ihn zum Gegenstand der Reflexion zu machen, doch angesichts seines Schicksals in der Neuzeit ist es Aufgabe der Theologie, vom Menschen her zu denken und zu argumentieren. Die Einsicht, daß das Verstehen und Begreifen immer unter den Bedingungen der Subjektivität geschieht, kann nicht übergangen werden. Folgende Überlegungen sollen jetzt im Vordergrund stehen.

Der Glaube antwortet auf das Handeln Gottes in dem Menschen Jesus, ist also Antwort des Menschen auf ein bestimmtes Geschehen, Reaktion auf bestimmte Aktion. "Christlicher Glaube ist ja, soweit er Tat und Entscheidung des glaubenden Menschen ist, Antwort auf ein vor ihm liegendes Geschehen; er ist also an Geschichte als an sein 'Woran' irgendwie gebunden"[31]. Diese Geschichte, ohne die kein christlicher Glaube ist, macht Gott offenbar. So

ist der Glaube menschliche Antwort auf bedeutungsvolle Geschichte, und
in dieser Antwort spricht der Mensch sein Vertrauen zu Jesus aus. Der
Glaube vertraut darauf, daß Gott in Jesus gehandelt hat und auf Grund dessen an allen Menschen so handeln wird. Vertrauen entzündet sich hoffnungs-
voll an Jesus, weil seinem Lebensgeschick entscheidende Bedeutung inne
wohnt. Es ist die Tatsache, daß Gott mit dem Menschen ist und wie mit
Jesus, so mit allen Menschen sein wird. Ich glaube, d. h. ich vertraue auf
Gott, der in Jesus gehandelt hat.

Glaube als Antwort des Menschen wird deutlich in seinem sachlichen, eschatologischen und personalen Aspekt. Letzterer beinhaltet, daß die Sache des
Glaubens nicht für sich selbst, neutral festzustellen ist, sondern stets als
eine Sache erkannt wird, die den Erkennenden in seiner Person angeht. Das
Verstehen ist immer ein betroffenes, Erkenntnis hat immer einen personalen Bezug. In dieser Betroffenheit vermittelt sich Gott als gegenwärtige
Macht, sofern das Betroffensein sich aufgrund der Sache ereignet.

Das eschatologische Verständnis des Glaubens kommt darin zum Ausdruck,
daß der Glaube sich auf Zukünftiges richtet. Der Glaube ist an der Zukunft
orientiert als an dem Ort der Erfüllung seiner Hoffnung. Die Zukunft läßt
am Menschen wirklich werden, was an Jesus schon wirklich war, die Erfüllung der Subjektivität, sie schafft die Ganzheit der Wirklichkeit und macht
damit die Wahrheit des Glaubens endgültig offenbar. Diese Hoffnung auf erfüllte Zukunft von Jesus her gehört wesentlich zum Glauben. Sie erneuert
den Glauben je und je, läßt ihn jetzt die Gegenwart auf Zukunft hin gestalten
und öffnet ihn so für die Zukunft Jesu Christi.

Der Glaube hat aber vor allem einen Sachbezug. Ihm ist etwas vorgegeben,
was ihn überhaupt erst ermöglicht, worauf die Rede von der Reaktion des
Menschen auf die Aktion Gottes hinweist. Daß der Glaube auf das Handeln
Gottes in dem Menschen Jesus antwortet und nicht ein solches Geschehen
hervorbringt, sei es nun in einer Welt religiöser Vorstellungen oder einer
Wirklichkeit sui generis, gilt es festzuhalten, und das ist in seiner Bedeutung für die Frage nach dem Grund des Glaubens zu reflektieren. In der Erkenntnis des Lebensgeschicks Jesu gründet sich der Glaube auf etwas außerhalb seiner selbst. Dieser grundlegende Sachbezug enthebt den Glauben prinzipiell des Illusionsverdachts, so daß es auf das sachliche Verständnis des
Glaubens ankommt. An der Wahrheit der Sache entscheidet sich die Wahrheit des Glaubens. Das bedeutet, daß ein Satz wie: 'Der Glaube antwortet
auf das Handeln Gottes in dem Menschen Jesus' aufgelöst und verständlich
gemacht werden muß. Dies geschieht in der Christologie. Dabei kann nicht
vorausgesetzt werden, daß Gott in Jesus gehandelt hat, vielmehr ist das
gerade zu zeigen. Dieser Aufgabe kommt entgegen, daß der Glaube als Antwort des Menschen bedacht wird, weil damit die Voraussetzungen des Glaubens, ohne die kein Glaube ist, deutlich werden.

Ohne Erkenntnis des dem Glauben Vorgegebenen gibt es keinen Glauben als
Antwort des Menschen. Der Glaube, dem Erkenntnis vorausgeht, stellt kein
grundloses Wagnis dar. Die Einführung der Sätze von der Unverfügbarkeit
und Unbegreifbarkeit Gottes in diesem Problemzusammenhang beruht auf
einer Verwechslung und Vermischung der verschiedenen Hinsichten des
Glaubens. Es soll nun bedacht werden, daß die verschiedenen Hinsichten
des Glaubens ihren Grund in der Unterscheidung von Wahrheit und Wahrheitsvermittlung haben.

3.2. Wahrheit und Wahrheitsvermittlung

Die Wahrheit vermittelt sich dem Glaubenden durch das Wissen von Jesus
Christus als Tat Gottes. Daher ist der Gegenstand des Fragens und Hinter-
fragens ein bestimmtes, vorgegebenes Wissen[32], auf das sich der Glaube
gründet, ohne damit im Wissen aufzugehen, denn dieses nötigt gerade zum
Glauben, zum Sichselbstverlassen und Vertrauen auf Gott. Es wird durch
die Tatsache, daß die Wahrheit des Glaubens sich durch Wissen vermittelt,
deutlich, daß der Glaube nicht von sich selbst her kommt, von der eigenen
Entscheidung, sondern von der Entscheidung Gottes für den Menschen, die
in der Geschichte des Lebens Jesu offenbar ist. Daß der Glaube in etwas
außerhalb seiner selbst gründet, wird klar, wenn die im Reden vom Glauben implizierte Unterscheidung von Wahrheit und Wahrheitsvermittlung bewußt gemacht wird. Ist die Distinktion im Akt des Glaubens nicht impliziert,
so begründet sich der Glaube selbst und gibt Gott nur als unmittelbar erfahrene Macht aus. Ob Gott als wirkliche oder illusionäre Macht anzunehmen
ist, liegt dann ganz beim Menschen. Am Aufweis der Vermittlung der Wahrheit hängt also die Wahrheit des christlichen Glaubens. Weil die christliche
Wahrheit als Wahrheit schlechthin geschichtlich ist, weil der christliche
Glaube in einem Wissen gründet, das seine Wahrheit vermittelt, darum
darf und muß die Frage nach dem Grund des Glaubens gestellt werden.

Die Vermittlung der Glaubenswahrheit ist die Voraussetzung dafür, daß
Glaube als menschliches und göttliches Werk in den Blick kommt. Glaube
als Antwort des Menschen hat seinen Anhalt an der Vermittlung der Wahrheit. Indem der Mensch durch bestimmte Vermittlung zur Wahrheit gelangt,
indem er behauptetes Wissen ernst nimmt, es hinterfragt, prüft, anerkennt,
ist sein Glaube, der auf dieses Wissen baut, auch menschliches Werk, doch
eben seine Abhängigkeit von einem Wissen macht die Abhängigkeit des Menschen, der sucht und prüft, vom Anderen, Vorgegebenen deutlich. Der nach
der Wahrheit suchende Mensch, der Mensch in seiner Subjektivität, ist immer abhängig von Gegebenem. Diese Differenz von Selbst und Gegebenem
erfährt der Mensch in seiner Suche nach der Wahrheit.

Der Glaube kommt als Werk Gottes in den Blick, wenn der Glaube als
menschliches Werk ernst genommen wird. Wo immer aber Glaube geschieht,

zeigt sich, daß der Glaubende von einer anderen Macht getragen und erfüllt ist. Glaube im Vollzug macht die Grenzen der Erkenntnis offenbar.

Daß Gott sich in bedeutungsvoller Geschichte offenbart, was der Glaubende weiß, sagt: Gott selbst, die Wahrheit des Glaubens, äußert sich indirekt, vermittelt sich gleichsam selbst. Bevor die Wahrheit sich dem Menschen durch Wissen vermittelt, hat sich die Wahrheit durch Geschichte vermittelt. Allein durch diese Vermittlung kommt es zum Wissen, das Wahrheit vermittelt. Es kann von einem Vermittlungsprozeß gesprochen werden.

Gott wird für den Menschen zugänglich durch seine Selbstvermittlung, die sich wiederum durch Wissen von dieser Vermittlung vermittelt und so den Menschen erreicht. Indem der Mensch in seinem Fragen und Suchen nach der Wahrheit sich an die Vermittlung hält, sie kritisch befragt und untersucht, verfügt er nicht über Gott. Gott ist in seiner geschichtlichen Vermittlung dem Fragenden stets vorgegeben und insofern unverfügbar, weil der Fragende über das Gegebensein oder Nicht-Gegebensein nicht verfügt, so sehr dieses Gegebensein auch durch das Verhältnis des Menschen zu sich selbst vermittelt ist. Der Glaubende weiß, daß er über die Wahrheit selbst nie verfügen kann, und infolgedessen weiß er auch, daß er seinen Anspruch, die Wahrheit in der Geschichte als vermittelte zu begreifen, nur erheben kann, wenn er die Wahrheit als unverfügbar mitbedenkt. Die geschichtliche Vermittlung der Wahrheit in Jesus läßt vor allem selbst die Unverfügbarkeit der Wahrheit Gottes denken, weil dieses Geschehen noch offen, unabgeschlossen ist. Was an Jesus geschah und allen Menschen verheißen wurde, trat noch nicht definitiv ein. Die erfüllte Zukunft, auf die der Glaube begründet hofft, ist noch offen. Damit ist der Glaube auf Gott immer angewiesen, bleibt Gott unverfügbar. Der Glaube hofft in aller Geschichte auf die Zukunft Gottes.

Gilt dies, dann kann Gott nicht als vorfindliches und verfügbares Seiendes gedacht werden. Gott als die Wahrheit der Wirklichkeit ist nicht vorfindlich, nicht gegenständlich. Wer Gott zu einem Seienden objektiviert, verfehlt ihn. Von daher ist aller christliche Theismus, der Gott nach Analogie des Vorhandenen denkt, zu kritisieren. Als Macht der Zukunft kann Gott kein vorhandenes Seiendes sein. Daher ist zwischen der Wahrheit und ihrer Vermittlung zu unterscheiden, wobei es in der Zeit, in der der Glaube radikal angefochten ist, auf die Wahrheit der Wahrheitsvermittlung ankommt.

Mit diesen Überlegungen wird kritisch die Frage nach dem Grund des Glaubens bejaht. Wenn in der Theologie diese Frage wie bei W. Herrmann thematisiert wird, dann ist darauf zu achten, ob und wie die Unterscheidung von Wahrheit und Wahrheitsvermittlung geübt wird. Diese Unterscheidung entspricht der von Real- und Erkenntisgrund.

4. Glaube und Gewißheit

Das Problem, das mit der Geschichtlichkeit des Glaubens im Zusammenhang der Frage nach dem Glaubensgrund gegeben ist und bei W. Herrmann erheblich ins Gewicht fällt, ist das von Glaube und Gewißheit. Es stellt sich, weil der Glaube, der sich auf bestimmte Geschichte beruft, sich in die Abhängigkeit von Geschichte und ihrer Erforschung begibt und damit sich dem Relativismus aussetzt. W. Herrmann erkennt den Relativismus als die dem Historismus innewohnende Konsequenz. Das bedroht sein Verständnis von Glaube als absoluter Gewißheit, solange er den geschichtlichen Grund des Glaubens als Gegenstand des historischen Fragens ernst nimmt. Aber ist die Prämisse, daß Glaube absolute Gewißheit bedeutet, von vornehrein als selbstverständlich zu akzeptieren?

Es wird von Theologen immer wieder behauptet, der Glaube habe absolute Gewißheit, seine Gewißheit sei maximal. Gewißheit, bei der es um das Fundament des Heils geht, könne nie relativ sein. "Sie muß vielmehr den höchsten Gewißheitsgrad haben, den es gibt, das heißt, nicht nur den Grad einer Erfahrungsgewißheit, sondern den Wert einer axiomatischen Gewißheit"[33]. Die Erfahrungsgewißheit ist auf persönliche Vergewisserung angewiesen. Da diese aber stets Täuschungen und Irrtümern ausgesetzt ist, hat sie keinen sehr hohen Gewißheitsgrad. Den geringsten Gewißheitsgrad aber "vermittelt die historische Vergewisserung"[34]. Diese Tatsache bereitet dem Theologen große Schwierigkeiten, wenn er einerseits weiß, daß der christliche Glaube an der geschichtlichen Person Jesus von Nazareth hängt, andererseits voraussetzt, daß der Glaube den Grad einer axiomatischen Gewißheit haben muß. Ist davon auszugehen, daß der Glaube an einer geschichtlichen Tatsache hängt und daß die Geschichtswissenschaft "nur" zu Wahrscheinlichkeitsaussagen gelangt, so wird fraglich, ob es stimmt, daß Glaubensgewißheit in jedem Fall absolut sein muß. Eine solche Auffassung setzt voraus, daß Gewißheit überhaupt als absolute auftreten kann, was jedoch durch die Einsicht in ihre Geschichtlichkeit - Gewißheit vergewissert sich als gefährdete[35] - bereits zweifelhaft ist, denn Absolutheit und Geschichtlichkeit sind in diesem Sinne nicht zusammenzudenken. Als absolut gilt hier nämlich per definitionem das, was frei von allen Bedingungen ist, also auch von geschichtlichen Bedingungen. Das aber ist die Gewißheit gerade nicht.

Das Problem der Glaubensgewißheit ist nicht in einem Zug zu erledigen. Es gibt verschiedene Weisen der Gewißheit, auf die der Glaube angewiesen bleibt. So sind die historische Gewißheit und die Vertrauensgewißheit zu unterscheiden, die beide im Glauben zusammengehören. Indem der Glaube darauf vertraut, daß Gott handeln wird, wie er in Jesus von Nazareth gehandelt hat, bezieht er sich sowohl auf die Vergangenheit als auch auf die Zukunft. Die Glaubensgewißheit als Gewißheit der Zukunft setzt die historische Gewißheit voraus als Gewißheit der Vergangenheit. Im Bezug auf die Zukunft ist der Glaube als Vertrauensgewißheit in seinem Element, da hier die Angewiesen-

heit des Glaubens auf Gottes Handeln unmittelbar deutlich wird. Das, was
dem Glauben verheißen ist, steht noch aus. Der Glaube richtet sich auf
Zukünftiges und verläßt sich damit auf den Gott, der die Zukunft herauf-
führen wird. Er lebt in actu so, daß er gleichsam von dem Verheißenen
als Erfülltem ausgeht. Das hat zur Folge, daß im Vollzug des Glaubens
Gewißheit als unbedingte erscheint. In dem ganz gewissen Sichverlassen
auf Gott geschieht das "Sein in Christus", die Erfahrung der Gegenwart
Gottes als des lebendigen Christus. Die im Glauben erfahrene Wirklichkeit Gottes in Jesus Christus verwandelt bereits das gegenwärtige Leben,
so daß die Zukunft gegenwartsbestimmend ist.

Lebt der Glaube im Vollzug ganz in der Vertrauensgewißheit, die von der
historischen Gewißheit herkommt, so weiß der Glaube, daß er die Gewißheit nicht als eine absolute behaupten kann. Indem der Glaube erkennt, daß
seine Hoffnung sich an bestimmter Vergangenheit entzündet, muß er sich
dieser Vergangenheit stets neu vergewissern, auch historische Gewißheit
suchen, die Wahrscheinlichkeitsgewißheit ist. Fehlt sie, dann wird die Vertrauensgewißheit zu einer fanatischen, die keiner echten Begründung fähig
ist.

Als Vergewisserung weiß Gewißheit, daß sie jetzt noch nicht absolut, endgültig sein kann, vielmehr in Geschichtlichkeit auf Endgültigkeit hin lebt,
und im Vollzug des Glaubens Gewißheit als "absolute" erlebt wird, während
sie in der Reflexion des Glaubens nicht als "absolute" erfaßt werden kann.
Erkenntnis gelangt in der Zeit nicht zu Absolutem und Endgültigem. Da Glaube aber nicht ohne Erkenntnis ist, gibt es keine absolute Gewißheit, es sei
denn, daß man im Akt des Glaubens Gewißheit als "absolute" erlebt. Diese
Gewißheit ist jetzt noch nicht umfassend auszusagen, weil alles Erlebte er-
kenntnismäßig, durch das theoretische Bewußtsein vermittelt ist. Die Vorwegnahme der Zukunft als Ort der Erfüllung des Verheißenen und als Ort
der absoluten Gewißheit bleibt noch unter den Bedingungen der Welt.

Der Forderung nach absoluter Gewißheit entspricht eine bestimmte Fröm-
migkeitsgestalt. Es handelt sich um die Frömmigkeit, die sich im Innersten Gottes völlig gewiß ist und sich um die welthaften Bezüge gar nicht
kümmert. Für ihr Gottesverhältnis sind die gesellschaftlichen und politischen Bezüge in keiner Weise entscheidend, kommen die Bedingungen der
Welt nicht zum Tragen. Die Privatisierung des Glaubens erlaubt die Annahme der absoluten Gewißheit des Glaubens. Der Glaube zieht sich in das Private zurück, bzw. wird dorthin durch die Geschichte gebracht, weil ein die
Relativität und Vorläufigkeit ausschließender Glaube angesichts der Entwicklung der Neuzeit nur im Privaten leben kann. Die private Frömmigkeit
kommt dann zu ihren eigenen dogmatischen Aussagen. Indem aber diese
Frömmigkeit ihr Bewußtsein nicht wandelt, weil der Bezug zu Welt und Geschichte nicht konstitutiv ist, nimmt sie auch die veränderte Gewißheits-
struktur des neuzeitlichen Menschen nicht wahr.

5. Glaube und Geschichte

Das Bemühen um eine Klärung des Verhältnisses von Glaube und Gewißheit stellt das Denken des Glaubens vor die grundsätzliche Frage nach der Beziehung zwischen Glaube und Geschichte. Es geht darum, ob der Glaube von Geschichte abhängig ist. Die Berufung auf Jesus beinhaltet offensichtlich - davon gingen die bisherigen Überlegungen aus - eine Abhängigkeit des Glaubens von der Geschichte, denn Jesus ist eine bestimmte historische Gestalt. Ist die Bedeutung dieser Abhängigkeit umstritten, so mit ihr der Begriff von Geschichte überhaupt. Die Aussage, daß der Glaube an Geschichte gebunden ist, bleibt vieldeutig, so lange nicht auch gesagt ist, was unter Geschichte verstanden wird. "Der Glaube ist an die Geschichte gewiesen. Dieser elementare Sachverhalt verliert seine Eindeutigkeit aber in dem Maße, in dem das Verständnis dieser Geschichte und die Art und Weise, in der der Glaube auf sie bezogen ist, näher bestimmt werden"[36]. Um die Verständlichkeit und Eindeutigkeit der theologischen Aussagen hier zu fördern, empfiehlt es sich daher zunächst, das überwiegend anerkannte Geschichtsverständnis vorauszusetzen, nach dem die Frage nach der Geschichte die Frage nach Ereignissen der Vergangenheit, also nach geschehener Geschichte ist. Der Bezug zur Geschichte meint den Bezug zu Tatsachen der Vergangenheit, die einen Geschehenszusammenhang bilden, der Bedeutung für die Gegenwart und die Zukunft hat. Meint deshalb Geschichte nie bloße Fakten, so ist sie aber auch nicht nur je meine Gegenwart, noch das gewaltige Geschehen über meine Existenz hinweg.

Wo nun in irgendeiner Form dieses Geschichtsverständnis vorausgesetzt wird, ist häufig die Relevanz der Geschichte für den Glauben in Frage gestellt. Die theologische Relevanz des Historischen wird bestritten oder so sehr eingeschränkt, daß sie nicht mehr konstitutiv für den Glauben ist. Die Abhängigkeit des Glaubens von Geschichte, damit auch von der historischen Forschung, sieht man als etwas Unerträgliches an, weil das Interesse an der Reinheit und Selbständigkeit, Gewißheit und Unbedingtheit des Glaubens absolut ist. Die Frage nach dem Grund des Glaubens als Frage nach Jesus wird daher im Grunde abgelehnt, weil sie die Frage nach vergangener Geschichte ist und dieser Geschichte theologische Relevanz zuschreibt. Man verbietet die Frage, weil man das Ergebnis, bzw. die Konsequenzen fürchtet und geht von Prämissen aus, die die Selbständigkeit und Unabhängigkeit des Glaubens garantieren. Die Folge ist, daß die Aussagen über den Glauben einseitig, undifferenziert und autoritär werden. Die Beziehung zwischen Glaube und Geschichte wird auf ein Minimum beschränkt. Diese Geschichtsfeindlichkeit der theologischen Explikation des Glaubens ist deutlich zu sehen, wenn man das Problem der Glaubensbegründung als Problem der Geschichte zur Sprache bringt.

W. Herrmann hat das Problem betont aufgenommen angesichts der rationalistischen Auflösung der christlichen Religion in allgemeine Wahrheiten.

"Endlich muß der evangelische Glaube verlangen, daß die Theologie die Bedeutung zum vollen Verständis bringe, welche der geschichtliche Grund seiner Zuversicht beansprucht. Durch die Anwendung des metaphysischen Beweises wird dagegen immer das Verlangen rege gemacht, das religiöse Verständnis der Geschichte, welches nur in der geschichtlich gewordenen Gemeinde gepflegt werden kann, durch geschichtslose Wahrheiten zu ersetzen, die jedem erkennenden Geiste zugänglich sind" (R, IV). Die Beziehung zwischen Glaube und Geschichte ist endlich grundlegend positiv zu sehen. Daß der Glaube sich wesentlich auf Geschichte bezieht, behauptet W. Herrmann im Anschluß an A. Ritschl und F. Schleiermacher. Es ist besonders das Verdienst des jungen Schleiermacher, die Unabhängigkeit der Religion gegenüber Metaphysik und Ethik und ihren geschichtlichen Ursprung herausgestellt zu haben. Weil das Unendliche sich immer im Endlichen manifestiert, ist Religion individuell-endlich und die Rede von der natürlichen Religion eine sekundäre Abstraktion[37]. Zur Religion gehört ihre Positivität. Wird Gott in der Welt als Geschichte erfahren, kann er nur handelnd vorkommen, so hebt F. Schleiermacher polemisch das Historische an der Religion gegenüber der Aufklärung und ihrer natürlichen Religion hervor. Unter dem Einfluß A. Ritschls, der den historischen Jesus als Erkenntnisgrund für Gott zur Sprache bringt, gelangt W. Herrmann zu der Einsicht, daß von der Wirklichkeit Gottes aufgrund der geschichtlichen Tatsache Jesus von Nazareth gesprochen werden kann. Das Festhalten am Grund des Glaubens als einer geschichtlichen Tatsache hindert die Umwandlung des Glaubens in Metaphysik und Mystik. Daß der wahre Glaube keine rationalistische Auflösung in sogenannte allgemeine Wahrheiten bedeutet, muß angesichts bestimmter Bestrebungen der Theologie selbst stets neu nachgewiesen und herausgestellt werden, denn "jene richtige und wertvolle Erkenntnis des jungen Schleiermacher, daß Religion Geschichte ist und von Geschichte lebt, hat noch heute mit allerlei rationalistischen und mystischen Denkgewohnheiten zu kämpfen" (II, 255). Diese Einsicht W. Herrmanns ist nicht überholt. Eine Grundlegung der Theologie, die nach der Geschichte fragt und sich konstitutiv an die geschichtliche Person Jesu gewiesen weiß, versteht sich nicht von selbst. Das neuprotestantische Denken, das die tiefgreifende, von der Aufklärung geforderte Neuorientierung des Denkens mitvollzieht und in diesem Vollzug die Geschichtlichkeit des Glaubens radikal wahrnimmt, hat mit allerlei ungeschichtlichen und autoritären Denkweisen zu kämpfen. Das Denken W. Herrmanns ist in sich selbst ein anschauliches Beispiel dafür, wie gezeigt werden wird. Die Frage der neuprotestantischen Christologie nach dem historischen Jesus hat zur Voraussetzung, daß das Ausgehen von der Gottheit Jesu in der Christologie - in welchem Sinn auch immer - unmöglich geworden ist. Konnte alle ältere Christologie die Frage stellen: cur deus homo?, so lautet die der neueren Christologie aufgrund der "Umformung des christlichen Denkens"[38]: cur homo deus? Indem aber Jesus von Nazareth nicht mehr von vorneherein als Inkarnation Gottes verstanden werden kann, ist das Verhältnis von Glaube und Geschichte in eine anhaltende Krise geraten. In dieser Krise ist der Frage nach Jesus als dem geschichtlichen Grund des Glaubens um der Wahrheit und Verständlichkeit des Glaubens willen ohne Vorbehalt nachzugehen. Es kommt "die Auseinandersetzung mit dem geschichtlichen Denken der Neuzeit in der Christologie zur Entscheidung. Das Gelingen von Christologie hängt daran, ob in überzeugender Weise deutlich wird, daß in Jesus Gott so zur Sprache gekommen ist, daß der Glaube angewiesen bleibt auf Jesus"[39]. Der Ausgangspunkt der Theologie in der Geschichte ist dazu notwendig. A. Ritschl formulierte die Aufgabe, die sein Schüler W. Herrmann entschlossen anging: "Erst müssen wir Christi offenbare Gottheit nachweisen können, ehe wir auf seine ewige Gottheit reflectieren"[40].

Die Bewegung der Christologie hat von unten nach oben zu gehen. Bei der Aufgabenbestimmung und ihrer Durchführung hat man sich immer wieder auf M. Luther berufen. Auch W. Herrmann versucht, mit seiner Luther-Interpretation die eigene Christologie zu stützen. Für M. Luther aber war die Existenz Gottes nicht das Problem[41], diese bildete vielmehr die selbstverständliche Voraussetzung des Redens von Gott. So erfährt für ihn der Glaube, der der Welt ausgesetzt ist, den deus absconditus. Gott verschwindet nicht im Nichts. M. Luther konnte in der Anfechtung Gott erfahren, weil eben Gott selbst nie in Frage gestellt war. Deshalb ist die Anfechtung für den Glauben M. Luthers konstitutiv. "Der angefochtene Glaube ist Welt und Gesetz ausgesetzter Glaube, der darin Gottes, des Deus absconditus, inne wird. Solch Innewerden aber bringt humilitas, Ehrfurcht und Bezugsoffenheit für das Wort der Barmherzigkeit. Daß Gott mein Gott sei und daß ich das in Demut und Ehrfurcht wahrnehme, daß er Gott immer noch mehr sei, als ich erfassen und erkennen kann, das bringt die Anfechtung mit sich"[42]. Dem Menschen heute jedoch bringt die Anfechtung das Nichts, die Sinnlosigkeit. Er hat nicht mehr wie am Ende des Mittelalters Angst vor Schuld und Verwerfung, sondern vor Sinnlosigkeit und Verzweiflung. Der Glaube muß deshalb nicht angefochten sein, damit er nicht zur securitas entartet, vielmehr ist die Not des Glaubens so groß, daß von securitas gar keine Rede mehr sein kann. Die Permanenz der Angst und die Radikalität des Zweifels lassen den Glaubenden nicht los. Gott ist ganz und gar zur fraglichen Größe geworden, weshalb der Glaube auch keine extra controversiam stehende Autorität mehr darstellt. Der Glaube als Glaube an Gott ist schlechterdings umstritten. Davon ist auszugehen.

Damit sind wichtige Voraussetzungen und Probleme zur Sprache gebracht, die für das neuzeitliche Denken mit dem Thema der Glaubensbegründung gegeben sind. Das Grundproblem der Theologie als das der Begründung des Glaubens an Gott ist in der Weite seiner Beziehungen sichtbar geworden. Von der Auseinandersetzung mit W. Herrmann, der dieses theologische Grundproblem in seinem ganzen Werk thematisierte, darf erwartet werden, daß sie das Verständnis dessen, was der Theologie in der Moderne aufgegeben ist, fördert[43].

II. DIE CHRISTOLOGIE W. HERRMANNS

1. Der kritische Ansatz

W. Herrmann hat klar erkannt, daß die autoritäre Setzung von Gott und
Jesus, Bibel und Evangelium die Wahrheit des Glaubens nicht nur verdunkelt, sondern auch ein Leben der Christen in Wahrheit unmöglich macht.
Die Neuzeit bedeutet das Ende der selbstverständlichen (!) Glaubensauto-
ritäten. Die Christen sind in ihrem Innersten angefochten und erfahren kei-
ne wirkliche Hilfe mehr von der Theologie ihrer Zeit, die zur "orthodoxen
Verkümmerung" (II, 66) der Religion vor allem geführt hat. Das Gefühl der
Kraftlosigkeit des Glaubens hat sich verbreitet. Schwer drückt die Frage,
ob wir Christen den Glauben an Gott als den Glauben an Jesus "mit innerer
Wahrhaftigkeit behaupten, ob wir etwas damit anfangen können. Lessing,
Kant, Fichte haben es nicht vermocht" (I, 93). Die Möglichkeit, daß man
mit dem christlichen Glauben nichts mehr anfangen kann, wird für viele
Menschen immer größer. "Wir klagen über die Machtlosigkeit der evangelischen Predigt gegenüber dem modernen Geistesleben" (I, 152). Die Theologie erweist sich als unfähig, der Herausforderung der Moderne so zu begegnen, daß sie ihre Wahrheit unter den neuzeitlichen Bedingungen überzeugend vertritt. Aufgrund dieser Einsicht richtet sich die Kritik W. Herrmanns gegen die Theologie seiner Zeit. Die Bedrohung des Glaubens von
außen hat wesentlich ihren Grund in der Bedrohung von innen. Weil nämlich
die Theologie in metaphysischer Verfremdung und orthodoxer Lehrgesetzlichkeit zu ersticken droht, fehlt ihr die Kraft, die Wahrheit des Glaubens
genügend klar und einsichtig aufzuzeigen. Es ist "das Unvermögen, zu prin-
zipieller Klarheit vorzudringen" (I, 152), was die Not des Glaubens ausmacht.
Daher geht es W. Herrmann um die Klarheit in der Sache der eigenen Religion, um die Gründe, die der Glaube hat und die ihm wahres Leben verleihen.
Sein Denken ist von der Frage bestimmt, wie der Glaube heute wahrhaftig bestehen und der moderne Mensch zum christlichen Glauben kommen kann.

Diese Frage nach dem Wesen des Glaubens oder der Religion durchzieht
das ganze Werk W. Herrmanns und sichert die thematische Konstanz in seinem Denken. Dabei ist er in erster Linie aus auf den Nachweis der Selbständigkeit der Religion gegenüber Sittlichkeit und Wissenschaft. Wer "der Religion die selbständige Bedeutung abspricht", will entweder, daß "sie in
Sittlichkeit sich auflöst" (so H. Cohen; II, 103), oder daß sie es "zu ihrer
Selbstbehauptung zu bedürfen meint, daß die Wissenschaft ihr gehorcht"
(so die mittelalterliche Theologie; II, 291). Wer aber die Selbständigkeit
der Religion erweist, indem er sie in ihrem eigenen Entstehen und Bestehen darstellt, macht deutlich, was evangelischer und reformatorischer
Glaube heißt. Es "ist in Luthers Geist zuerst die Erkenntnis aufgekommen,

daß eine ihrer Sache gewisse Religion selbständig in ihren eigenen Gründen neben der Wissenschaft bestehe" (II, 290). Die Notwendigkeit einer der
Selbständigkeit des Glaubens gemäßen Begründung sieht W. Herrmann, weil
er bei der Frage bleibt, wie christlicher Glaube in der Moderne bestehen
kann. Er verfolgt diese Frage konzentriert und beantwortet sie, indem er
den Grund des Glaubens in seiner Theologie vorrangig thematisiert, denn
was der Grund des Glaubens sei "ist, wie W. Herrmann richtig erfaßt hat,
... das theologisch, weil für die Verkündigung, schlechterdings brennende Problem geworden"[1] Bei W. Herrmann wird bereits die Bedeutung des
Problems der Glaubensbegründung für die Verkündigung erkannt und von
dem Eindringen in das Problem eine die Not der Theologie wendende Lösung erwartet.

Die Vorbildlichkeit der theologischen Arbeit W. Herrmanns darf nun besonders darin gesehen werden, daß sie von einem kritischen Ansatz getragen ist, der an die Einsicht und das Urteil des Einzelnen selbst appelliert
- "darauf lassen wir uns nicht ein, etwas als wahr zu behandeln, was wir
nicht selbst als wahr einsehen" (Sittlichkeit, 10) - und die Frage nach der
Gewißheit des Glaubens als Kritik an der Autoritätsgläubigkeit versteht.
W. Herrmann erkennt in dem kritischen Fragen nach Gewißheit ein refor-
matorisches Anliegen, das sich als deutsches von dem romanisch-katho-
lischen unterscheidet.

"Je mehr sich der Glaube bei dem Spruche der Autorität beruhigt, desto
fremder wird er natürlich denen, welche den Stachel des Verlangens nach
Gewißheit empfangen haben, und desto leichter macht er es der gemein-
irdischen Sinnesart frivoler Menschen, sich zu entschuldigen. Daher finden wir in den romanischen Ländern die fatale Erscheinung, daß die Mehr-
zahl der höher Gebildeten, welche sich infolge ihrer stärkeren intellektu-
ellen Bedürfnisse den Annehmlichkeiten der Autorität in diesen Dingen
verschließen, dem Glauben der Kirche mit höhnischer Ablehnung gegen-
übersteht" (I, 94).

W. Herrmanns Wendung gegen einen autoritären Glauben ist als Spitze gegen alle orthodoxe Theologie zu verstehen, die von nicht hinterfragbaren,
uneinsichtigen Glaubensgrößen ausgeht. Der Christ hat selbst die Wahrheit
seines Glaubens einzusehen. "Wollte Gott, es stände in dieser Beziehung
besser in der evangelischen Kirche, daß man nicht mehr die Unterwerfung
unter unverstandene Autoritäten als Gehorsam des Glaubens priese, während sie doch Sünde ist!" (I, 141; vgl. II, 122f). Es gilt, sich nicht durch un-
verständliche und unbegründete Glaubensforderung von der rechten Bahn ab-
drängen zu lassen, die die Reformation mit ihrem Drängen auf persönliche
Gewißheit prinzipiell eingeschlagen hat. Mit diesem Verständnis des Evangelischen beweist W. Herrmann, daß man seinen Anschluß an das Reforma-
torische nicht als Ausdruck einer autoritären Denkweise begreifen kann.

Theologie, die die Frage nach dem Grund des Glaubens beantwortet, ist
für W. Herrmann im Ansatz kritische Theologie, die aus der Erkenntnis
der Wahrheit geschieht. "Denn eine evangelische Theologie kann nicht
durch Gewalt hergestellt werden, sondern muß sich aus der Erkenntniß
der Wahrheit entwickeln. Helfen kann uns nur, daß auf allen Gebieten der
Kirche der Schlaffheit ein Ende gemacht wird, in welcher man es vermeidet, dasjenige sich klar zu machen, was unserm Glauben begründet und
deshalb den Anspruch machen darf, unser Denken und Handeln zu normieren" (Gewißheit, V). Die Gewißheit im Denken und Handeln des Glaubens
ist gebunden an die Klarstellung und den Aufweis des Glaubensgrundes. Die
"Frage nach der Wahrheit des Glaubens, die Rechenschaft, die wir über
unsern Glauben ablegen sollen", kann also nicht durch die bloße Behauptung eines Glaubensgrundes erledigt werden (I, 147).

Die überzeugende Grundlegung der Theologie hat im Horizont der Wahrheitsfrage zu geschehen, denn allein dann vermag der Glaube sein Verhältnis zur
Wissenschaft richtig zu bestimmen und vor den Erkenntnissen der Wissenschaft zu bestehen. "Der Glaube an Gott ist der Wissenschaft gegenüber völlig haltlos, wenn er sich nicht aufrichtig sagen kann, daß er ebenso wie sie
rückhaltlose Beugung vor der Wahrheit ist" (I, 250). Das heißt, daß W. Herrmann den allgemeingültigen Verstehenshorizont für die Frage nach der Wahrheit des Glaubens anvisiert. Er nimmt die Wirklichkeit ernst, indem er nicht
eine Sonderwahrheit des Glaubens proklamiert. Diese grundsätzliche Einsicht im Denken W. Herrmanns ist festzuhalten angesichts der Veränderungen, die sich später in seinem Werk vollziehen. Er geht mit Recht davon
aus, daß in der Verantwortung vor der Wahrheit schlechthin Theologie ihre
Aufgaben zu bewältigen hat, daß im Blick auf die Wirklichkeit der Glaube
sich nur als wahr erweisen kann. Die Gründe, die der Glaube angibt, haben
allgemeingültig zu sein, das heißt, auf eine wissenschaftliche Begründung
des Glaubens kann nicht einfach verzichtet werden. Das wird vornehmlich
in den Frühschriften unterstrichen. "Die systematische Theologie soll sein
die wissenschaftliche Darstellung und Begründung einer religiösen Weltanschauung"(I, 8). Theologie hat als Wissenschaft "nicht die Aufgabe, zu bekennen, sondern zu beweisen" (I, 65; vgl. 24). Daher wendet W. Herrmann
sich dagegen, als wolle er "auf alle wissenschaftliche Begründung des christlichen Glaubens verzichten .... Es gehört selbstverständlich zum Berufe der
Theologie, das Bewußtsein der christlichen Gemeinde von der Allgemeingültigkeit dessen, woran sie glaubt, zu rechtfertigen" (R, III). Damit wird Religion in der Neuzeit ernsthaft veranwortet.

Ist es "seit mehr als hundert Jahren ... fraglich geworden", was Religion
sei und soll (II, 115), so sieht W. Herrmann den Grund dafür gerade in der
Herrschaft der Wissenschaft. Die Wissenschaft hat in radikaler Weise die
Welt verwandelt und die Theologie vor die Aufgabe gestellt, den Glauben entschieden anders als im Mittelalter zu rechtfertigen. "Wer das Recht der Re-

ligion in der Gegenwart vertreten will, muß jene ungeheure Wandlung der geistigen Lage sehen können" (II, 122). Er muß sehen können, "wie tief unsere gesamte Existenz ... verwandelt ist, nicht sowohl durch die Ergebnisse der Wissenschaft, als durch ihre tatsächlich geübte und tatsächlich unabweisbare Methode" (V, 1). Der Mensch hat gelernt, alles in den Griff zu bekommen, die Dinge zu beherrschen, weil er "mit dem Gedanken einer durchgängigen Gesetzmäßigkeit alles Geschehens" arbeitet (II, 117), der sich immer neu bewährt. Das Wirklichkeitsverständnis aber, das sich ausschließlich an dem Kausalgesetz orientiert, hat keinen Platz - so scheint es - für die Vorstellung von einem lebendigen Gott. Religion steht unter Illusionsverdacht, denn ist "der Gedanke richtig, daß alle nachweisbar wirklichen Dinge sich gegenseitig bedingen" (II, 117), so ist Gott eine unbeweisbare Behauptung und die Frage bleibt, wie man sie "von grundlosen Behauptungen unterscheiden" (II, 118) soll? W. Herrmann beantwortet diese Frage in seinem Werk unterschiedlich. Die Schwierigkeit für ihre Beantwortung ergibt sich daraus, daß W. Herrmann meist kritiklos das Wirklichkeitsverständnis der Naturwissenschaft teilt und der Glaube dann im Gegensatz zur Wissenschaft erscheinen muß. An dem Nachweis aber, daß der Glaube an Gott kein grundlose Behauptung ist, hängt es, ob die Religion ihr Recht in der Neuzeit behält. Dieser Nachweis kann sich nicht von der Wissenschaft dispensieren. So ringt die Theologie W. Herrmanns zunächst ganz darum, den Gegensatz von Glaube und Wissenschaft in seiner Schärfe aufzulösen. Wie "schwer es dem christlichen Glauben geworden ist, in der durch die Entstehung der Wissenschaft geschaffenen geistigen Situation sich ungetrübt zu behaupten" (Gebet, 390), beweist nun freilich diese Theologie selbst.

Entscheidend ist zunächst, daß sich W. Herrmann nicht begnügt mit grundlosen Behauptungen und uneinsichtigen Glaubensforderungen. Diese verunsichern den wahrhaftig Glaubenden in der Neuzeit und versperren dem Nicht-Glaubenden den Weg zum Glauben. Deshalb darf sich der Christ auch nicht mit dem Bekenntnis zufrieden geben, daß in Jesus sich der lebendige Herr offenbare; "es wäre lieblos, wenn wir nichts weiter sagen wollten. Denn solche Worte verstehen wir allein. Wir sollen aber, wenn wir Christi Jünger bleiben wollen, nicht für uns selbst reden und handeln, sondern andern zum Dienst" (GA, 445). Damit findet sich bei W. Herrmann die wichtige Zielsetzung, die später das Werk D. Bonhoeffers bestimmt, daß die Kirche nur da sein kann, wenn sie für andere da ist. Kirche, die nur für die selbstsicheren Frommen existiert und nicht für die Ungläubigen und im Glauben Angefochtenen, die "die Dinge dieser Welt anders ansehen", diese Kirche wird "zur Sekte, d. h. sie scheidet aus der geschichtlichen Bewegung der Menschheit aus" (V, 2). Die Theologie W. Herrmanns will letztlich zeigen, daß das Christentum die universale Religion ist, die, würde sie zur Sekte, sich in grotesker Weise selbst verleugnete. Es hat Aufgabe der Theologie zu sein, angesichts der Gefahr der Isolation des christlichen Glaubens kritisch vermittlungstheologisch zu denken.

Dringlicher als zuvor ist "die Aufgabe, das durch den Geist der Wissenschaft geprägte gegenwärtige Bewußtsein mit den Grundwahrheiten
der christlichen Überlieferung in Einklang zu bringen. Darin knüpft
Herrmann an das leitende Interesse Schleiermachers und der Ver-
mittlungstheologie an, ohne doch deren Lösungen zu übernehmen. Die
Einsicht in die Unmöglichkeit einer spekulativen Aussöhnung des gegenwärtigen Bewußtseins mit dem Geist des Christentums nötigt zu
einer Neubesinnung auf die prinzipielle Möglichkeit solcher Vermittlung, d. h. sie führt, wenn sie den theologischen Horizont der Fragestellung wahren will, unumgänglich zur Besinnung auf das Wesen und
den Grund des Glaubens oder - wie Herrmann auch sagen kann - der
Religion"[2].

In dem vermittlungstheologischen Denken W. Herrmanns geht es nicht um
eine Anpassung an die Moderne, um "haltlose und vordergründige Moder-
nität um jeden Preis"[3], sondern um grundlegende Besinnung unter klarer
Berücksichtigung der Geschichtlichkeit dieser Besinnung. Wenn die grundlegenden Tatsachen des Glaubens bedacht werden, bedürfen wir "keiner
apologetischen Künste" (I, 136). Der Glaube hat seinen Grund frei und offen
zu sagen, doch indem Theologen mit dem Willen zur Wahrhaftigkeit "das
Wesen und den Ursprung des Glaubens zum Verständnis zu bringen suchen",
dienen sie "damit zugleich der apologetischen Aufgabe, auf die die christliche Gemeinde nicht verzichten kann" (I, 347).

Die Theologie W. Herrmanns wird dort recht gewürdigt, wo sie nicht als
angepaßte Theologie für die Zeit, sondern als kritische Theologie unter
den Bedingungen der Neuzeit verstanden wird. In der notwendigen Neubesinnung auf die Fundamente des Glaubens nimmt sie nicht nur die Voraussetzungen der Zeit ernst, vielmehr beachtet sie auch entscheidend die Maß-
stäbe, die sich aus der Religion selbst ergeben. Christliche Religion hat
es nun maßgeblich mit der Person Jesus von Nazareth zu tun. Wo er als
der Grund des Glaubens zur Sprache gebracht wird, versteht sich der Glaube aus sich selbst und läßt sich nicht "auf eine falsche Bahn" drängen (II,
274). Der Glaube nennt mit Jesus sein wesentliches Kriterium, und er verliert sich an Rationalismus und Metaphysik, wenn er "ohne die Autorität
Christi" (I, 72) bestehen will. Diese Autorität ist inhaltlich bestimmt und
so verständlich. "Der Glaube kann niemals einer inhaltlich unbestimmten
Autorität folgen, sondern nur einer Autorität, die sich durch einen bestimmten und verständlichen Inhalt als solche legitimiert" (D, XVIII). Es
ist Aufgabe der Christologie, die inhaltlich bestimmte Autorität Jesu auszuweisen.

Jesus erweist sich dem kritisch Fragenden und dem wahrhaftig Suchenden.
Der christliche Glaube hat mit Jesus seinen überzeugenden Grund. Er
kommt zu der Erkenntnis, "daß der unzerstörbare Grund seiner Zuversicht

die Wirklichkeit der Person Jesu ist." (I, 162; vgl. E, 106). W. Herrmann entwickelt gezielt diese Gedanken. Die Christologie hat ihren Ort im Horizont kritischen Denkens[4].

2. Die Christologie in der Theologie W. Herrmanns

Das Leben Jesu in seiner Bedeutung vor Augen zu führen, darauf zielt das Denken W. Herrmanns. Es ist wichtig, daß die Menschen Jesus "einfach sehen wollen", damit sie die "rettende Kraft der Person Jesu" erfahren können (E, 96 = 5E, 112). In der Begegnung mit Jesus erfahren sie das Wichtigste des Lebens. Gibt es in "der Welt der Geschichte" "keine Tatsache, die wichtiger für jeden einzelnen wäre als Jesus Christus", so daß ihn übersehen bedeutet, "sich um den besten Gehalt des eigenen Lebens betrügen" (V, 53 = 5V, 51), dann ist es erste Aufgabe der Theologie, diese Tatsache zu explizieren. Sie hat die in Jesus begründete christliche Gewißheit "in ihrer vollen Bedeutung zu entwickeln" (R, X), "denn wir sind unser selbst gewisse Personen allein durch ihn" (R, 373). Mit dieser klaren Ausrichtung seines Denkens stellt W. Herrmann die Christologie in das Zentrum seiner Theologie.

Die Christologie entfaltet die wahre Bedeutung Jesu für den Menschen. Ihr Gewicht erhält sie durch ihren Gegenstand. Jesus ist mehr als Vorbild und Mittel. "Wir wollen nicht nur durch Christus hindurchdringen zu Gott. Wir meinen vielmehr bei Gott selbst nichts anderes zu finden als Christus" (V, 26). Das theologische Reden von Gott ist in der Christologie fundiert, der Glaube an Gott im Glauben an Jesus. Durch Jesus haben wir "eine positive Anschauung von Gott" (V, 27). Christlich ist "der Glaube an Gott, der aus dem Vertrauen auf Christus hervorgeht" (E, 135). Wir führen den nach der Wahrheit Suchenden "auf den rechten Weg, wenn wir ihm klarmachen, daß wir nur durch Jesus Christus unsres Gottes gewiß werden können" (I, 146). Die Person Jesu "ist die einzige Tatsache, die Glauben fordern darf" (II, 193). So wird die Bibel nur deshalb "als unser teuerstes irdisches Besitztum bewahrt und gebraucht", weil sie die ältesten "Erinnerungen an Jesus" enthält (II, 84). In der Person Jesu ist "ein Unvergleichliches sichtbar", "eine einzigartige Tatsache" (II, 278; vgl. 5V, 67. 70. 73. 77; 5E, 123 f. 130. 136; D, 22. 31). Ihr ist es zu verdanken, daß die Welt als Gottes Schöpfung erfaßt wird, "daß ich in der unerschöpflichen Fülle des Wirklichen das verborgene Walten Gottes verehren kann" (II, 279; vgl. 5V, 99 f! "Was wir an der Person Jesu erleben, verrät uns den Sinn der Wirklichkeit". 5E, 137). In Jesus erfassen wir Gott als Macht der Wirklichkeit. Wir "Christen glauben sagen zu dürfen, daß Jesus Christus unser Erlöser ist, und wollen damit gewiß nicht davon lassen, daß Gott allein durch sein Nahen uns erlöst. Die christliche Gemeinde meint also ohne Zweifel, daß in der Person Jesu so wie nirgends sonst die Wirklichkeit Gottes uns faßbar wird" (Soll es eine besondere theologische Geschichtsforschung geben?: ChW 32, 1918, 293).

Mit diesen Aussagen verdeutlicht W. Herrmann, warum Jesus als Zentrum des christlichen Glaubensbekenntnisses gilt[5].

In der Christologie werden die wertvollsten Einsichten des Christentums thematisiert, so daß die Theologie in der Christologie verankert ist. W. Herrmann präsentiert sich als Christologe. Selbst K. Barth, der seinen Lehrer W. Herrmann heftig kritisiert, weil dieser, wie er meint, in seiner Dogmatik dort aufhört, wo sie anzufangen hat, kann nicht umhin, die christologische Akzentuierung der Theologie durch W. Herrmann zu loben und in der Gebundenheit an den geschichtlichen Jesus "die prinzipielle Bedeutung der Herrmannschen Christologie" zu sehen[6]. Auch J. M. Robinson, der im Anschluß an K. Barth W. Herrmann kritisiert, hebt positiv hervor: "Herrmann will Gott von Christus her verstanden haben. " "Man kann bei Herrmann wohl lernen, daß es ohne den geschichtlichen Christus keine christliche Theologie gibt"[7]. Der weniger kritische Herrmann-Schüler F. W. Schmidt erkennt in der Betonung der Christologie eine charaktervolle christliche Theologie und sieht als das Endresultat der Entwicklung W. Herrmanns die "religiöse Bindung an den geschichtlichen Christus im Sinne des ...Korrelationszusammenhangs von Offenbarung und Glauben" (GA, V), so daß die Veröffentlichung einer Auswahl Herrmannscher Schriften dies zum Ausdruck bringen müßte. An dieser Auswahl aber, wie sie F. W. Schmidt vorlegte, ist mit Recht bemängelt worden, daß sie von W. Herrmann "weder die Frühschriften noch die Spätschriften berücksichtigt" (I, XVII). Daß diesen "im Verhältnis zu den Hauptwerken eine selbständige und weiterführende Bedeutung zukommt", haben für P. Fischer-Appelt "die neueren Arbeiten zur Theologie Herrmanns gezeigt" (I, XVIIIf.). Er selbst gibt in der Einleitung zu seiner umfassenden Auswahl der Herrmannschen Schriften - der Zeitraum von 1876 bis 1918 wird erfaßt - eine differenzierte Darstellung der Entwicklung W. Herrmanns. Indem er jedoch gerade "mit der Frage der Christologie Herrmanns...ein Desiderat der Forschung berührt" (I, XIX), steht zur Diskussion, in welchem Maße die Christologie für das ganze Denken W. Herrmanns konstitutiv ist. Obwohl die oben zitierten klaren Aussagen dies nicht nahelegen, muß auch gefragt werden, ob die Christologie überhaupt für die Erfassung der Grundaussagen W. Herrmanns von Bedeutung ist. In der Diskussion über die Christologie W. Herrmanns sind nahezu alle Thesen vertreten worden[8].

T. Mahlmann berücksichtigt für das Verständnis der Religion bei W. Herrmann die Christologie nicht. Den "Weg zur Religion" interpretiert er als die Herrmannsche Philosophie der Religion, für die die Christologie "ein zweites, selbständiges zu stellendes Thema" ist, denn gerade "den Horizont des Christusglaubens hat...der Weg zur Religion bei Herrmann nicht"[9]. Religion gilt es im Horizont der Lebenswirklichkeit zu sehen, für ihr Verständnis ist die Berufung auf Jesus nicht konstitutiv. Werden bei T. Mahlmann die Grundgedanken W. Herrmanns unter völliger Vernachlässigung der Christologie dargestellt, so kommt

für W. Schütz "im Kreis der Herrmannschen Gedanken", die die Lebenswirklichkeit in ihrer individuellen Eigenart beschreiben, "ein wei-
terer Faktor" hinzu, die Person Jesu, die als "eine geschichtliche
Tatsache" "in das Leben des Einzelnen eingreift." Von Jesu "Einzigartigkeit, der ruhigen Kraft seines Geistes weiß Herrmann immer
wieder in tiefer Ergriffenheit und ehrfürchtiger Scheu zu reden"[10].
Sein Interesse "drängt auf die geschichtliche Offenbarung als den voll-
gültigen Bürgen für die Wirklichkeit des Religiösen hin." Religiöse
Gewißheit schafft die Besinnung auf die sittliche Subjektivität nicht allein, die Besinnung auf Christus ist notwendig. Wir "verlieren uns
kraftlos im Schein, wenn wir ihn vergessen"[11]. W. Schütz übergeht
nicht die Berufung auf den geschichtlichen Christus, die bei W. Herrmann zur objektiven Glaubensbegründung geschieht, doch er betont
ebenso, daß mit der Offenbarung in Jesus das subjektivistische Moment
nicht eingeschränkt wird, weil die geschichtliche Offenbarung "Mittel
subjektiver Vergewisserung des Einzelnen" bleibt. So kommt er zu
dem Urteil, daß im Herrmannschen Denken das individuelle, individualistische Element siegt. Er begründet das: "Herrmann selbst ging
vom Individualismus aus, und darum konnte er ihn nicht in seiner Wurzel treffen"[12]. Die Verankerung der Theologie in der Christologie konnte nicht gelingen. Ähnlich urteilt J. M. Robinson. Nach seiner Ansicht
sieht W. Herrmann durchaus, "daß es ohne den geschichtlichen Christus keine christliche Theologie gibt", aber er hat "die letzten Konsequenzen dieser Einsicht nicht gezogen." "Schließlich fällt für Herrmann Jesus überhaupt in der Beweisführung aus"[13]. J. M. Robinson
behauptet gar, daß die Unbefangenheit, mit der W. Herrmann den geschichtlichen Christus aufgibt, sein eigentliches Desinteresse an der
Christologie verrate. "Ihm ging es von Anfang an nicht um den Christus, der einmal in der Geschichte lebte", einzig ein ideeller Gehalt
interessierte ihn, der von der Geschichte unabhängig ist[14]. Die Rede
von Christus ist der Überrest einer längst nicht mehr anerkannten
christlichen Tradition. P. Fischer-Appelt beschränkt dieses Urteil
auf die späten Schriften W. Herrmanns, wenngleich auch er in dem
Verzicht auf Jesus "die innere Konsequenz des Denkansatzes bei der
Weltstellung bzw. beim Lebensproblem des Menschen" sieht. Der
"christologische Rekurs erweist sich mit zunehmender Vertiefung in
den Lebensvorgang und Anschauungsgehalt personaler Begegnung im
Vertrauensereignis als überflüssig und auch ungeeignet zur Sicherung
des Vertrauens". "Die Person Jesu...bleibt letztes dogmatisches Relikt, ferne Erinnerung an den eigentlichen Auftrag einer Theologie, die
ausgezogen war, die Fundamente ihrer Selbständigkeit neu zu legen"[15].
Für die früheren Aussagen W. Herrmanns ist aber wesentlich, daß der
Glaube mit Jesus seinen geschichtlichen Grund nennen kann. Gotteserkenntnis vollzieht sich "auf Grund des äußeren geschichtlichen Ereig-
nisses der abschließenden Offenbarung Gottes in dem Verhalten und

der Verkündigung Jesu"[16]. Der spätere Verlust der Person Jesu signalisiert die Aufweichung des Gottesgedankens durch seine Existentialisierung. Der Ansatz bei der existentiellen Frage des Menschen enthält ja für P. Fischer-Appelt "von vornherein die Konsequenz, daß
die Begründung des Glaubens nur im Horizont und damit im Wirklich-
keitszusammenhang der Existenz erfaßt werden kann" (I, XXXV). Während er jedoch zurückhaltend und nur am Rande auf den Zusammenhang zwischen den Gedanken W. Herrmanns und denen R. Bultmanns
hinweist, weil die dialektische Theologie Barthscher und Bultmann-
scher Provenienz "als Theologie des Wortes Gottes" an der Herrmannschen Soteriologie "die kritische Korrektur" anbrachte[17], geschieht
das ausführlich bei J. M. Robinson, der die Fortsetzung der Theologie
W. Herrmanns "in erster Linie bei seinem Schüler Rudolf Bultmann"
sucht[18]. J. Moltmann betont die "Tatsache, daß Rudolf Bultmann der
bei weitem treuere Schüler W. Herrmanns ist" als K. Barth[19]. H. Gollwitzer weist auf die "Existentialisierung der Rede von Gott" hin, die
sich in der Geschichte des neuzeitlichen theologischen Denkens von I.
Kant über W. Herrmann und R. Bultmann bis hin zu H. Braun vollzog[20]. Überall gilt hier R. Bultmann als der legitime Schüler W. Herrmanns. Die Meinung herrscht vor, daß die Christologie nicht konstitutiv für das Herrmannsche Denken ist, dieser also nicht als ein Wegbereiter der Christologisierung der Rede von Gott angesehen werden kann.

Ganz anders ist das Verständnis der Theologie W. Herrmanns bei W.
de Boor. Jesus ist "das Zentrum und das Ende der Herrmannschen
Theologie"[21]. Ihr Anfang, die Beschreibung der Krise des Selbst, gilt
allein in der Bezogenheit auf die Christologie, auf das "Hauptstück"
der Theologie. W. Herrmann spricht immer wieder von Jesus als dem
Offenbarer Gottes. "Jesus als die Offenbarung Gottes kann sich nur
selbst bezeugen dadurch, daß er uns tatsächlich Gott offenbart". "Der
letzte Grund unseres Glaubens an Gott in der Theologie Wilhelm Herrmanns ist Gott selbst, aber der Gott, der in der Person Jesu Jedem
nahe ist, der ihn mit Ernst und Wahrhaftigkeit sucht"[22]. Wie W. de
Boor sieht J. Schniewind in W. Herrmann den Christologen. Von ihm
hat er in einem Seminar des Sommersemesters 1906 (!) gelernt, daß
die Gottheit Jesu nicht bedeutet: "Jesus ist Gott", vielmehr: "Gott ist
Jesus! Jesus ist die Gegenwart Gottes, ist eben das göttliche Wesen
selbst"[23]. W. Herrmann hat in orthodoxer Richtigkeit den grundlegenden Zusammenhang von Theologie und Christologie herausgestellt. Daß
er besonders nach 1900 unter dem Eindruck der Lebensphilosophie die
christologische Konzentration nicht aufgegeben hat, betont E. Kinder.
"Unter dem Eindruck der aufkommenden Lebensphilosophie hat sich...
bei W. Herrmann die Konzentration auf die Christus-Offenbarung und
die damit verbundene Ablehnung jeglicher 'natürlicher Theologie' noch
verschärft, bis sie dann in unseren Tagen durch K. Barth eine unüber-

bietbare Radikalisierung erfuhr"[24]. Diese Sicht findet sich auch bei
H. Timm. Ihm ist es selbstverständlich, daß W. Herrmann intendiert,
den Begriff des Erlebnisses, der seine Theologie sehr prägt, "in der
Offenbarungslehre oder der Christologie zu verankern. Die Destruktion von Ritschls offenbarungstheologischem Rationalismus hat den
späten Herrmann noch keineswegs zum Philosophen gemacht, der sich
die Freiheit nimmt, die Irrationalität des Lebens als Axiom behandeln
zu wollen. Will der christliche Theologe den philosophischen Erlebnisbegriff rezipieren, dann muß er ihn durch die Christologie allererst
begründen"[25]. Damit ist aber deutlich, daß der Christologe K. Barth
nur von W. Herrmann her verstanden werden kann, der für die Christologisierung der Rede von Gott verantwortlich ist. "Der zwischen
Ritschl und Karl Barth bestehende offenbarungstheologische Traditi-
onszusammenhang ist durch Herrmann und durch niemand sonst vermittelt worden"[26].

Überblickt man die Herrmann-Diskussion, so zeigt sich, daß sowohl die
Christologisierung als auch die Existentialisierung der Rede von Gott auf
W. Herrmann zurückgeführt werden. Einerseits wird die Herrmannsche
Christologie als Vorläufer und Wegbereiter der christologischen Konzentration bei K. Barth gedeutet, andererseits wird sie als die Voraussetzung
der Existentialtheologie R. Bultmanns dargestellt. K. Barth und R. Bultmann nehmen auch jeweils W. Herrmann für sich in Anspruch. Dies geschieht aber in gleichzeitiger Abgrenzung, die an Kritik nicht spart, so
daß die Frage nach der Christologie W. Herrmanns von daher nicht in diesem oder jenem Sinn eindeutig beantwortet werden kann[27]. In einer Meta-
kritik der Interpretationsthesen K. Barths und R. Bultmanns kann freilich
ein theologiegeschichtliches Urteil zu dem Ergebnis kommen, daß W. Herrmann entweder mehr oder weniger für die Christologisierung oder für die
Existentialisierung der Rede von Gott verantwortlich zu machen ist. Fällt
das Urteil undifferenziert aus, wird man dem Denken W. Herrmanns als
einer besonderen Interpretationsaufgabe der Theologie nicht gerecht. Die
hermeneutischen Schwierigkeiten gründen darin, daß W. Herrmann auf
Grund seiner differenten Aussagen "in der Tat eine Art Grenzgestalt zwischen der liberalen und der dialektischen Theologie" ist[28]. Eine weiterführende Sicht kann sich nur aus der Beschäftigung mit den Aussagen W.
Herrmanns selbst ergeben.

Für die Frage nach der Christologie in der Theologie W. Herrmanns kann
hier festgehalten werden, daß W. Herrmann im Sinne der Christologisierung und der Existentialisierung verstanden wird und jeweils der Ansatz
bei der Person Jesu oder der bei der Existenz des Menschen als der eigentliche Ansatz ausgelegt wird. Bei der auf nur einen, den "eigentlichen"
Ansatz reduzierten Sicht trägt aber die Unterscheidung zwischen den früheren und späteren Schriften für eine Gesamtbeurteilung nicht sehr viel aus.
Sie zeigt einen Wandel im Denken auf, der sich als Schein erweist. In die-

ser Arbeit wird versucht, die Spannung zwischen beiden Motiven in ihrer
grundsätzlichen Bedeutung für das Verständnis W. Herrmanns aufzuzeigen.
Es wird die Meinung vertreten, daß der aporetische Charakter dieses Denkens nicht aufgelöst und keine Reduktion auf diesen oder jenen Ansatz vorgenommen werden kann, so sehr auch die späte Entwicklung W. Herrmanns
dies nahelegt. Einige Unklarheiten und Widersprüche, die sich bei dem Vergleich von Gedankengängen und Formulierungen verschiedener Schriften
desselben Zeitraumes ergeben, erschweren das Urteil[29]. So sehr die einzelnen, unterschiedlichen Gedankengänge konsequent verfolgt werden und
ihre Problematik zur Sprache kommt, so soll jedoch nicht darauf verzichtet werden, den Hauptduktus der Argumentation zu erfassen.

Wenn diese Arbeit zu dem Ergebnis gelangt, daß es bei W. Herrmann im
Fortgang seines Denkens nicht zu einer Auflösung, wohl aber zu einer Minimalisierung der Christologie kommt, daß die christologische Konzeption
des Spätwerkes eine andere als die des Hauptwerkes ist, so bedeutet das,
daß der für W. Herrmann fundamentale doppelte Ansatz beim Selbst des
Menschen und bei der Person Jesu sich zugunsten des Ansatzes beim Selbst
verschiebt, ohne daß eine völlige Reduktion auf diesen Ansatz erfolgt. Die
Untersuchung wird verdeutlichen, daß eine solche Reduktion, hätte sie W.
Herrmann vorgenommen, das Haupt- und Spätwerk auseinanderbrechen lies-
se und das Urteil A. Dells berechtigt wäre: "Grundsätzlich betrachtet ist
die Arbeit Herrmanns auseinandergebrochen"[30]. Daß sie nicht grundsätzlich auseinandergebrochen ist, gründet in der bleibenden Bedeutung der
Christologie, die jedoch im Spätwerk nicht unerheblich abgenommen hat.
Daß die Christologie aus dem Zentrum rückt, ist auf immanente Voraussetzungen und theologische Entwicklungen zurückzuführen, die es dem christologischen Ansatz erschweren, sich zu behaupten und zur Folge haben,
daß in den späten Äußerungen W. Herrmanns die christologischen Ausführungen durch Zurückhaltung und Verlegenheit charakterisiert sind.

Die hier vorgelegte Herrmann-Interpretation auf der Basis seiner christologischen Aussagen erschließt sich ihr Verständnis durch die Erkenntnis
des doppelten Ansatzes. Die Ausrichtung auf den christologischen Ansatz
bedeutet nicht, daß der Ansatz beim Lebensproblem in seinem Gewicht nicht
erkannt ist. W. Herrmann thematisiert die Subjektivität in seinem ganzen
Werk eindringlich. Es ist "nicht richtig, von einem 'Christozentrismus'...
Herrmanns zu reden"[31]. Die Frage nach dem Selbst des Menschen, nach der
Existenz in ihrer Fraglichkeit, durchzieht wie ein roter Faden ebenso die
Arbeit W. Herrmanns wie die Frage nach der Person Jesu, nach dem Chri-
stus des Neuen Testaments. Immer wieder spricht er von dem Selbst, das
nur als "eigenes Selbst" (R, 317) begriffen werden kann. Seine Problematik
wird als die "Krisis des inneren Lebens" (Ga, 73) zur Sprache gebracht.
Der Mensch leidet unter seinem sittlichen Versagen. Er sieht, daß er das
Gute nicht tut, obwohl ihm das Gute als das Lebensfördernde einleuchtet.

"Aus diesem inneren Zwiespalt, aus diesem Nichtlebenkönnen in dem Guten, das uns dennoch als die Form wahrhaftigen Lebens einleuchtet" (V, 82), scheint der Mensch sich nicht befreien zu können. Radikale Selbsterkenntnis ist notwendig. Die "Befreiung aus dem Elend des Scheinwesens" (II, 307) setzt nun den Willen zur Wahrhaftigkeit voraus, über sich selbst ohne Illusionen nachzudenken, so daß "uns dieses Selbst oder dieses eigene Leben bewußt wird" (II, 132). Nur eigene Unwahrhaftigkeit "bringt es fertig, daß das Scheinleben in uns bleiben kann" (II, 250). Die wahrhaftige Selbstbesinnung indes bringt uns auf den Weg zum Glauben[32].

Es muß deutlich gesehen werden, daß sowohl der christologische als auch der anthropologische Ansatz im Denken W. Herrmanns ein konstitutives Element bilden. Nach der Person Jesu und nach dem Selbst des Menschen wird gefragt. Ob er bei dem Selbst oder bei Jesus in erster Linie einsetzt, hängt häufig davon ab, welches der "Streitpunkt in betreff des Glaubens" (GA, 254) ist. Die Frage- und Frontstellung entscheidet darüber. Wendet er sich an Menschen, die nicht zur christlichen Gemeinde gehören wie in seiner "Ethik", so setzt er bei der Tatsache des Selbst ein und expliziert sie auf der Basis allgemeiner philosophischer Gedanken, wendet er sich an Christen und entwickelt Gedanken, "die aus dem Grunderlebnis der christlichen Religion erwachsen" (5E, XIII), so setzt er wie in seinem "Verkehr" bei der Tatsache des Lebens Jesu ein. In beiden Fällen nimmt er den Ausgang dort, wo sein Denken Grund hat, indem es sich auf Tatsachen stützen kann, die verständlich sind.

Dem doppelten Ansatz entspricht es, daß W. Herrmann zwei Gründe des Glaubens nennt: "Erstens die geschichtliche Tatsache der Person Jesu .... Zweitens das Bewusstsein davon, dass die sittliche Forderung uns selbst beansprucht" (Bei W. Herrmann gesperrt gedruckt: V, 84). Die Objektivität der beiden Gründe steht faktisch im Gesamtwerk W. Herrmanns zur Diskussion und mit ihnen das Problem der wissenschaftlichen Begründung des Glaubens bzw. der Einsichtigkeit der Religion. Der Ansatz bei "Tatsachen" soll dazu dienen, das Recht der Religion in der modernen Kulturwelt zu erweisen.

Dieser doppelte Ansatz läßt sich nahezu in W. Herrmanns ganzem Werk verfolgen und findet sich zumindestens andeutungsweise in fast allen wichtigen Aufsätzen. Es ist immer die Rede von der besonderen Offenbarung und der eigenen Existenz. Das Gewicht, das diese beiden Tatsachen haben, verschiebt sich jedoch immer mehr zugunsten der Tatsache des Selbst. In der Schrift "Christlich-protestantische Dogmatik" von 1906 bzw. 1909[2] beschreibt W. Herrmann die geschichtliche Situation des Menschen eindringlich als von der sittlich notwendigen Frage bestimmt, "wie ein Mensch in seiner menschlichen Existenz wahrhaftig sein könne" (I, 344). Der Weg zum Glauben steht im Vordergrund der für die Herrmannsche Position wichtigen Passagen, und

dieser Weg wird dort als an sein Ziel gekommen bestimmt, wo im Leben
"menschlicher Gemeinschaft oder Geschichte" uns "die Macht sittlicher
Güte" bezwingt, der wir in reinem Vertrauen unterworfen sind (I, 345). Doch
es findet sich noch der deutliche Hinweis auf die Tatsache der Person Jesu.

"Innerhalb des geschichtlichen Bereichs, in dem wir selbst stehen,
können wir aber dem Menschen, der sich nach Wahrheit des inneren
Lebens sehnt, noch etwas mehr zumuten. Wir können ihn auffordern,
sich darauf zu besinnen, ob nicht auch er in der Tatsache der Person
Jesu der geistigen Macht begegnet, die allein in der Welt die wunderbare Gewalt hat, sich die Geister in reinem Vertrauen zu unterwerfen"
(I, 345).

Zu einer Zeit, in der immer ausführlicher und vertiefter der Ausgang beim
Selbst genommen wird, kommt dennoch der andere Ansatz noch wesentlich
zum Zuge. Weil die Tatsache der Person Jesu von W. Herrmann in ihrer
grundsätzlichen Bedeutung erkannt und gewürdigt ist, ist auch hier "Jesus
von Nazareth eingedrungen in das Zentrum der ethischen wie religiösen Besinnung"[33]. Ebenso kommt Jesus noch zur Sprache in "Unser Glaube an
Gott" von 1911 (II, 256), in "Neu gestellte Aufgaben der evangelischen Theologie" von 1912 (II, 278f) und vor allem in der Schrift "Die mit der Theologie verknüpfte Not der evangelischen Kirche und ihre Ueberwindung" von
1913 (Not, 25ff). Aber es wird nicht mehr von der besonderen Offenbarung
und der Tatsache der geschichtlichen Erscheinung Jesu gesprochen, die uns
zur Offenbarung werden muß, sondern von dem "Jesus des Neuen Testaments"
(II, 256) und von dem persönlichen Leben Jesu, das "eine von uns selbst erlebte Tatsache werden kann" (Not, 26). Daß das Denken W. Herrmanns prinzipiell noch von dem doppelten Ansatz bestimmt ist, vermag man hier noch
zu erkennen, wenn es auch fraglich wird, was der christologische Rekurs
für die theologischen Überlegungen wirklich noch austrägt. Die Aufsätze:
"Die Wirklichkeit Gottes" von 1914 und "Die Religion unserer Erzieher"
von 1918 lassen den christologischen Ansatz ganz in den Hintergrund treten.

Die Verschiebung des doppelten Ansatzes zugunsten des Ausgangs beim Selbst
ist deutlich seit 1905 erkennbar mit dem Vortrag bzw. mit dem Aufsatz: "Der
Glaube an Gott und die Wissenschaft unserer Zeit" (I, 242ff)[34]. Seit 1910/11
dominiert der Ansatz beim Selbst, der nach 1914 den bei der Tatsache der
geschichtlichen Erscheinung Jesu aufzulösen scheint. Der Ausgang vom Erleben des Selbst als die Auslegung der Subjektivität des Menschen in einer
totalen Weise[35] führt den Glauben zu einem Verständnis seiner selbst als
einem Wachsen und Quellen "aus dem in uns bewahrten Grunderlebnis unserer menschlichen Existenz oder der Geschichte in uns" (II, 245). Welche
Bedeutung Jesu noch hat, ist in einem konstitutiven Sinn schwerlich zu erkennen. Die Christologie scheint in den spätesten Schriften W. Herrmanns
von einer Theologie des unmittelbaren Erlebens verschlungen zu werden.

Doch der Schein könnte trügen. Daß nämlich W. Herrmann auch nach 1914
von der Person Jesu ausgehen will, zeigen die christologischen Ausführungen vor allem im Teil 2 der "Dogmatik", der auf Vorlesungsdiktaten aus
dem WS 1915/16 "beruht und die Spätform seiner Theologie am reinsten
und vollständigsten ((!)) wiedergibt" (I, XXI). In der Not des Christen, in
der auch die Erinnerungen an Erfahrungen von Gottes Güte aufgrund von
entgegengesetzten Erfahrungen (D, 18f) zu vergehen drohen, "hat der christliche Glaube eine Hilfe, die allen anderen frommen Menschen fehlt" (D, 45).
Er findet nämlich im Neuen Testament den Grund seines Glaubens. Von diesem Fund ist entschlossen auszugehen. "Denn unser wichtigstes Erlebnis,
das uns der wahre Grund unserer inneren Lebendigkeit wird, ist für uns
die Tatsache, daß wir mit der Erscheinung der Person Jesu im Neuen Testament zusammengetroffen sind" (D, 46). Die "Grundzüge des Bildes Jesu" werden "als ein unvergleichliches Geschenk" festgehalten (D, 46). Auf
die Vergegenwärtigung dieses Bildes, "das aus der Überlieferung zweifellos hervortritt" (D, 26) und in seiner Besonderheit jedem auffällt, kommt
es an. Die Macht der Person Jesu über uns können wir allein erleben, wenn
wir die messianische Macht Jesu über seine ersten Jünger sehen. Was W.
Herrmann in seiner "Dogmatik" vorträgt, ist eine christologische Position[36]. Das Thema der Christologie bestimmt also auch die Spättheologie W.
Herrmanns, zumindest ist es nicht aufgegeben. Die Annahme eines doppelten Ansatzes für das Werk W. Herrmanns erweist sich als grundsätzlich
berechtigt.

Die Untersuchung des Gesamtwerkes unter dem Aspekt des doppelten Ansatzes läßt Entwicklungen und Veränderungen erkennen. Besonders die Frage nach der Christologie führt zu der Einsicht, daß das Denken W. Herrmanns eine Wandlung durchmacht. Äußerlich wird das daran sichtbar, daß
seit 1905 im Gegensatz zu früher kaum noch ein Titel in den Schriften auftaucht, der den Namen Jesus enthält. Die Beschäftigung mit der Tatsache
der Person Jesu scheint für die Bewältigung der Problematik, die W. Herrmann sieht, nicht unbedingt notwendig und förderlich. Daß der christologische Ansatz nach 1910/11 in der Tat fragwürdig wird, beweist die Tatsache,
daß nach dem Erscheinen von "Die Wiklichkeit Gottes" in der Schriftenserie
"Die christliche Religion unserer Zeit" der angekündigte 2. Teil: "Jesus
Christus und die christliche Gemeinde" nie erscheint. Eine rein äußerliche
Erklärung scheidet aus.

> Die Gründe für das Nicht-Erscheinen "liegen, wie aus den bisher ein-
> gesehenen Jahrgängen der Verlagskorrespondenz hervorgeht, nicht in
> kriegsbedingten Schwierigkeiten des Verlags, sondern in Herrmanns
> 'Mangel an Kraft', der den 'längst regen Willen' zur Fortsetzung hemm-
> te. Da aus den folgenden Jahren noch zehn Veröffentlichungen Herr-
> manns vorliegen, gewinnt die Vermutung an Gewicht, daß das Nichter-
> scheinen ... mit dem Thema des zweiten Teils zusammenhängt, dessen

Nichtbearbeitung dann auch das Ausbleiben des dritten Teils zur Folge gehabt hätte" (I, XLI).

Die Christologie, wie sie W. Herrmann hauptsächlich entwickelt hat, steht in Spannung zu seiner Spättheologie. Es gelingt ihm sichtlich nicht, seinen christologischen Ansatz durchzuhalten. Eine veränderte christologische Position muß die Folge sein. Das christologische Denken kann daher nur im Zusammenhang des theologischen erfaßt werden.

Eine Darstellung der Christologie in der Theologie W. Herrmanns hat - wie die Untersuchung zeigen wird - von der notwendigen Unterscheidung in Haupt- und Spätwerk auszugehen. Das Hauptwerk (1884-1904), das mehr oder weniger bruchlos an das Frühwerk[37] anknüpft, widmet sich der geschichtlichen Begründung und Darstellung des Glaubens. Dabei schält sich als Kernproblem heraus, wie der Mensch Jesus als Tatsache der Vergangenheit gegenwärtig sein kann. Es geht letztlich um das Verhältnis von Glaube und Geschichte. Das Problem wird verschärft durch die Ergebnisse der historisch-kritischen Forschung. Die Frage drängt sich auf, ob oder wie weit der Glaube von der Wissenschaft abhängig sein darf? Diese Problemstellung rührt an die Grundvoraussetzungen der Theologie W. Herrmanns und droht die Gewißheit des Glaubens und die Freiheit der Theologie, um die W. Herrmann in seinem ganzen Werk leidenschaftlich ringt, zu zerstören. Sie beschäftigt ihn bis zuletzt.

> "Die historische Arbeit an der Bibel wird mit wachsender Leidenschaft dessen angeklagt, daß sie die Kirche ruiniere, weil sie den Grund des Glaubens zerstöre. In dieser Klage muß ein schwerer Fehler stecken" (Not, 9). "Viele treue Christen haben den Eindruck, daß durch das ruhelose Fragen der Wissenschaft immer wieder zweifelhaft werde, was man als ein unentreißbares Besitztum, ja als Grund des Glaubens in der h. Schrift gefunden zu haben meinte. Einen solchen Zustand empfindet man als unerträglich, und ich denke, mit Recht" (Not, 15f). "Aber je höher uns das steht, was Gott uns in der Geschichte schenkt, desto empfindlicher muß es uns berühren, wenn uns das durch die Arbeit der Historiker unsicher gemacht wird" (II, 336).

Eine gewisse Lösung der christologischen Problematik hat W. Herrmann in seinem Hauptwerk bis 1900 erreicht. Die Zentralbegriffe seiner Christologie bilden hier die Begriffe "geschichtlicher Christus" und "inneres Leben Jesu", die im Spätwerk in auffälliger Weise zurücktreten. Anstatt vom "geschichtlichen Christus" zu sprechen, heißt es nun der "Christus des Neuen Testaments" (Not, 31). Anstelle des Begriffs des "inneren Lebens Jesu" findet sich der Begriff der "geistigen Macht Jesu". Das macht der Vergleich der 4. Auflage des "Verkehrs" von 1903 mit der 5. und 6. Auflage von 1908 deutlich. Der Ausdruck "inneres Leben Jesu" wird ersetzt durch die Ausdrücke "Kraft der Person Jesu" und "geistige Macht des Menschen Jesu" (vgl. V, 80 und 5 V, 79; V, 102 und 5 V, 100). In den von P. Fischer-Appelt zusammengestellten 2 Bänden der Schriften W. Herrmanns taucht der Begriff des "inneren Lebens Jesu" in dem Zeitraum von 1892-1907 mehr als 15 mal auf, danach nur noch 1 mal (II, 276). Auch in den anderen späteren Schriften findet er sich weniger (Not, 25; D, 28.46). Wenn W. Herrmann in der Christologie seines Spätwerkes vom "inneren Leben Jesu" spricht, dann liegt ihm wohl zumindest ein modifiziertes Verständnis zugrunde. Die Untersuchung der Christologie hat auf diese Differenzen abzuheben. Seit 1905 wird das Thema der Christologie eindeutig anderen Themata untergeordnet (vgl. I, XXXII). Das Spätwerk mit seinen theologischen Spitzensätzen kündigt sich in den Arbeiten von 1905 bis 1909 an, also in einer Zeit, in der die Frage, wie das Leben zu seiner Wahrheit kommt, beantwortet wird anhand der Anschauung des Lebensvorgangs der Religion. Es zeigen sich jetzt deutlicher als zuvor die Spannungen in dem theologischen Entwurf W. Herrmanns. Die Differenz zwischen Haupt- und Spätwerk wird im Einzelnen belegt werden.

Ein einheitlicher Zug aber bestimmt das ganze Werk W. Herrmanns, weil die Bewegung seines Denkens von unten nach oben führt. Er setzt bei der Frage des Menschen nach Gott ein. Der Mensch als das unter der Erkenntnis seiner sittlichen Ohnmacht leidende Wesen ist der Ausgangspunkt und nicht der triumphierende, alles beherrschende homo sapiens, der durch sein Denken und Können bereits jenseits von Leid und Geschichte steht. Wie er so von dem Menschen ausgeht, geht er auch von dem einfachen Menschen Jesus aus und nicht von dem erhöhten Christus des Glaubens. Die Tatsache der Menschlichkeit Jesu in ihrem 'Wie' ist von entscheidender Bedeutung, nicht die Herrlichkeit des geglaubten Christus. W. Herrmann macht unter dem Eindruck eines sich ausbreitenden kritisch-säkularen Denkens entschieden die Wirklichkeit des Menschen, die Geschichte zum Ausgangspunkt. Solche im Ansatz fundierte Geschichtlichkeit des Denkens gibt der Theologie W. Herrmanns ihren einheitlichen Zug. Den Zugang zur Christologie bei W. Herrmann würde man sich versperren, zielten die Fragen von vorneherein auf den "Namen Jesus Christus als den Rufnamen Gottes, der kein Bestandteil der Geschichte ist"[38], hätten also zur Voraussetzung, daß die Geschichte nicht eigentlich das Feld der Theologie ist. Die Tatsachen der Person Jesu und der eigenen Existenz sind Tatsachen der Geschichte, die theologisches Denken fundieren und in seiner Relevanz erweisen. Die Fragen an die Christologie bei W. Herrmann können nur zu einem angemessenen kritischen Verstehen führen, wenn sie den konsequent geschichtlichen Ansatz in seiner Notwendigkeit für W. Herrmann erkennen.

W. Herrmann treibt Theologie unter den Bedingungen des modernen Bewußtseins. Die Christologie fängt deshalb dort an, wo der Mensch ohne Vorleistungen Jesus sehen kann. So führt W. Herrmann in seiner Christologie zu der Erkenntnis, daß die Überlieferung von Jesus nicht ein Lehrgesetz ist, sondern "dass die Bibel selbst, anstatt etwas Unmenschliches von uns zu fordern, uns etwas Unvergleichliches gibt" (V, 5). Jesus in seiner Einmaligkeit kann jeder sehen. Indem nun der Einzelne den "einfachen Menschen Jesus" (vgl. GA, 281. 283) als etwas Unvergleichliches sieht, kommt es zu dem Erlebnis, das den Grund legt für einen wahrhaftigen Glauben. W. Herrmann betont daher, daß es "zunächst auf eine Beschreibung des grundlegenden Erlebnisses" (V, 92) ankommt. Er erschließt die Bedeutung Jesu für den Menschen im Begriff des Erlebnisses. In einem Erlebnis wird offenbar, was Grund des Glaubens ist. Der Begriff des Erlebnisses hat einen ganz entscheidenden Stellenwert und bildet die axiomatische Voraussetzung für das Verstehen des Verhältnisses von Geschichte und Glaube[39]. Daß der Glaube aber von bestimmter Geschichte herkommt, ist die hinterfragbare Prämisse, mit der christlicher Glaube steht und fällt. Das Problem Glaube und Geschichte kommt zur Entscheidung mit der Frage nach dieser Prämisse, weil es hier um den Grund des Glaubens geht.

F. Gogarten formuliert zu seinem Aufsatz "Theologie und Geschichte" das Problem W. Herrmanns treffend. Es ist zugleich das seine: "Nämlich daß der christliche Glaube der Glaube an Jesus ist, wie er uns in der Geschichte und nur in ihr begegnet, und daß dieser Glaube verfehlt wird und daß aus ihm, dessen Wahrheit damit steht und fällt, daß er ein Werk Gottes ist, ein menschliches Gebilde wird, sobald er seinen Grund nicht mehr in der Geschichte hat"[40]. Diese aufgestellte Beziehung von Glaube und Geschichte - Glaube gründet in bestimmter Geschichte - impliziert das Problem der Theologie, weil Glaube und Geschichte in der Neuzeit nicht 'zusammengehen'. W. Herrmann geht nun davon aus: Glaube gehört nicht der Natur an, sondern der Geschichte. Ein Dualismus von Natur und Geschichte wird behauptet. "Ohne Zweifel wäre es recht bequem, wenn die Natur unseren Glauben bestätigte" (I, 143). Doch der Glaube erhält Grund und Leben nicht aus dem natürlich, sondern aus dem geschichtlich Wirklichen. Glaube, und das heißt bei W. Herrmann Religion, ist deshalb selbst Geschichte. Religion ist Geschichte und lebt von Geschichte. Letzteres sagt W. Herrmann besonders in seinem Früh- und Hauptwerk. Christlicher Glaube beruft sich konstitutiv auf die Geschichte des Menschen Jesus von Nazareth, und er wird "nur hervorgebracht durch die Nachwirkungen einer Geschichte, welche sich vor vielen Jahrhunderten im jüdischen Lande begeben hat" (I, 88). Daß der christliche "Glaube selbst in der Geschichte entstanden sei, verkennt" auch I. Kant nicht (I, 92), aber jene "Meinung, daß der Glaube, weil er sich in dem Ewigen gründen wolle, die historische Tatsache notwendig überfliege, war falsch" (I, 95). In Abwehr des Rationalismus betont W. Herrmann auch im Spätwerk, daß der Glaube von bestimmter Geschichte herkommt. Ebenso nötigt ihn die Abgrenzung von der Mystik dazu (II, 254 f). In seinem Kampf gegen die mystisch-rationalistische Richtung beruft er sich auf den jungen Schleiermacher, auf dessen "richtige und wertvolle Er-

kenntnis", "daß Religion Geschichte ist und von Geschichte lebt" (II, 255).
Die Trennung von Geschichte und Glaube verkennt das Wesen des Glaubens.
Christlicher Glaube ist als "Geschichtsglaube" zur Geltung zu bringen.

> "Darin zeigt sich, daß es Herrmann nicht allein um ein hermeneuti-
> sches Problem geht, wenn er bei dem durch die historische Kritik an-
> gefochtenen Glauben einsetzt. Es handelt sich auch um ein christolo-
> gisches Problem, indem es gilt, gegen Aufklärung und Idealismus an
> der vollen Geschichtlichkeit der Offenbarung in der Person Jesu Chri-
> sti und ihrer bleibenden Bedeutung für den Glauben festzuhalten"[41].

So klar bei W. Herrmann der Zusammenhang von Glaube und Geschichte
in seinem ganzen Werk gesehen ist und so begründet die Beziehung auf die
Formel gebracht werden kann: Religion ist Geschichte und lebt von der Geschichte, so schwierig ist es, den Geschichts- und Religionsbegriff jeweils
recht zu erfassen. Die Gleichung: 'Religion ist Geschichte' kann nur verstanden werden, wenn die einzelnen Teile der Gleichung in ihrem Wert bekannte Größen sind. Der Wert der Geschichte aber ist vornehmlich im Spätwerk umstritten, indem die These vertreten wird: "Jesus Christus als der
Befreier des Glaubens an Gott von der Gefahr der Geschichte" (bei W. Herrmann gesperrt gedruckt, II, 255). Der Unterschied zwischen Haupt- und
Spätwerk muß hier unbedingt berücksichtigt werden.

Daß jedoch W. Herrmann sich immer wieder in seinem Verständnis des
Glaubens auf Jesus beruft, schließt die Konsequenz ein, sich auch an der
Vergangenheit zu orientieren. So sieht er sich wiederholt dem Vorwurf
ausgesetzt, daß er die Religion "zu einem Kultus des Vergangenen" (II, 64)
mache. Schon C. Luthardt sagt 1886 zu der Meinung W. Herrmanns, daß
Gott mit uns durch die Erscheinung der Person Jesu verkehre: "Jene Erscheinung ist eine Thatsache der Vergangenheit, das Verkehren Gottes mit
uns soll eine Thatsache der Gegenwart sein: wie kann jene diese, d. h. das
Präteritum Präsens sein?" (Gesperrt gedruckt, Gewißheit, 32). Kritikern
W. Herrmanns scheint es unmöglich, ein historisches Ereignis, das sich
vor vielen Jahrhunderten ereignet hat, in grundlegende Beziehung zu einer
Frömmigkeit zu setzen, die unbedingt Gegenwart ist (Vgl. die Kritik von
de Lagarde aus dem Jahr 1873, die W. Herrmann 1907 (!) aufnimmt, II,
64 f). Die Frage nach dem Grund des Glaubens als Frage nach dem "geschichtlichen Christus" ist alles andere als selbstverständlich, und das
Problem stellt sich daher in der Bestreitung, das eigentliche Problem zu
sein, "wie wir gegenwärtig Jesus Christus als den Grund des Glaubens erfassen" (I, 150; vgl. II, 55). Kommt es wirklich darauf an, sich auf Historisches zu berufen? Kann Jesus "eine gegenwärtig von uns erlebte Offenbarung Gottes werden" (II, 55)? Im Blick auf diese kritische Fragen behandelt W. Herrmann das Problem der Christologie.

Die Konzentration auf ein vergangenes Ereignis steht im Brennpunkt. Man
würde jedoch die Christologie bei W. Herrmann in ein falsches Licht rük-
ken, bliebe gerade das Bewußtsein des Einzelnen in seiner Gegenwart nicht
genügend berücksichtigt und damit die Bedeutung des Sittlichen für die Religion verkannt. Wie Glauben nicht vom Erleben, so ist auch das religiöse
Bewußtsein nicht von dem sittlichen zu trennen. Die Bestimmung des Ortes
der Entstehung des Glaubens führt in die Dimension der Sittlichkeit, die
die Not und Aufgabe des Lebens erschließt. Die Wirklichkeit erkennt man,
wenn man von sittlichen Überzeugungen geleitet wird. Es ist die "bewußte
Beugung des Willens unter sittliche Ideale notwendig, um das Wirkliche
sehen zu können" (I, 143). Das Sittengesetz, auf dem die Wirklichkeit der
Geschichte beruht, eröffnet den allgemeingültigen Verstehenshorizont für
die Frage nach der Wahrheit des Glaubens. W. Herrmann nennt entschieden neben dem geschichtlichen den sittlichen Grund des Glaubens. Die Verhältnisbestimmung von Religion und Sittlichkeit wird als genauso wichtig
wie die von Religion und Geschichte angesehen. Die anthropologischen Voraussetzungen für die Christologie sind deshalb zu markieren. Von ihnen
her müssen die wesentlichen Aussagen in der Christologie verstanden werden, weil die Bedeutung Jesu im Blick auf die ethische Problematik expliziert wird. Bei W. Herrmann findet sich die Einsicht, daß in der neuzeitlichen Situation die Anthropologie für den Zugang zur Christologie ausschlaggebend ist. In der Christologie aber kommen die theologischen Probleme positiv zur Entscheidung. Die dogmatische Reflexion ist in nuce eine christologische, weil sie zur Erfüllung ihrer "Hauptaufgabe", den Grund
des Glaubens bewußt zu machen, an Jesus Christus gewiesen ist, der "allein, so wie er gegenwärtig erlebt werden kann, der Grund der Zuversicht
zu Gott für einen Christen ist" (I, 354.356). W. Herrmann weiß als Schüler
A. Ritschls, daß seine Erlebnistheologie christologisch verantwortet werden muß. Dieses Wissen bestimmt sein Spätwerk weniger. In seinem Hauptwerk ist aber die Frage nach dem Glaubensgrund für ihn als Frage nach
Jesus unabweisbar, denn die letzte Beweiskraft für den Gott, den der
christliche Glaube bekennt, liegt bei Jesus und nicht bei dem Erlebnis des
Menschen. So läuft bei W. Herrmann alle Theologie, so sehr sie sich auf
Anthropologie konzentriert, auf Christologie hin.

3. Das Religionsverständnis und die Bedeutung des Sittlichen unter den Bedingungen der dualistischen Wirklichkeitssicht

Das Religionsverständnis W. Herrmanns ist keineswegs ganz einheitlich.
Das soll der Vergleich zwischen einer früheren und einer späteren Schrift
verdeutlichen. So wird in dem Aufsatz: "Die Wahrheit des Glaubens" von
1888 betont, daß in Fällen, in denen durch Leid und innere Nöte dem Frommen Gott sinnlos zu werden droht, es "handgreiflich" ist, daß der Glaube
nicht aus den Erfahrungen kommt, sondern daß er als eine fremde Macht ...
unsere Erfahrungen ... bezwingt" (I, 145)[42]. Er zieht seine Kraft aus Gottes Offenbarung. Der Gott Suchende wird daher allein auf den rechten Weg

geführt, "wenn wir ihm klarmachen, daß wir nur durch Jesus Christus unsres Gottes gewiß werden können" (I, 146). In dem Referat: "Unser Glaube
an Gott" von 1911 heißt es bereits in der ersten Überschrift: "Der Ursprung
des Glaubens an Gott in der eigenen Erfahrung" (gesperrt gedruckt, II, 247).
Jeder kann Religion "nur in einer eigenen unmittelbaren Erfahrung finden"
(II, 248), und die Entscheidung darüber, "ob wir das, was wahrhaftiges Leben in uns schafft, als lebendig behandeln wollen" (II, 250), "fällt in der tiefsten Verborgenheit des individuellen Lebens" (II, 251). Zum wahrhaftigen
Leben kommt es, wenn wir uns im Alltäglichen dem Einfachsten öffnen und
es nicht über dem Höchsten vergessen. Gegen eine christliche Frömmigkeit,
die Jesus zum Besonderen und Höchsten macht, ist zu sagen: "In den mächtigen Klängen dessen, was man von Christus hörte, ging bei vielen die Besinnung auf die eigene Erfahrung unter, aus der allein die reine Hingabe an Gott
oder ein Leben in Wahrheit erwachsen kann" (II, 251).

W. Herrmann argumentiert also - überspitzt formuliert - einmal von Jesus
her gegen die Erfahrung, dann von der Erfahrung her gegen Jesus. Diese
Differenz bei der Explikation der Religion, die die Differenz zwischen Haupt-
und Spätwerk ausmacht, darf nicht übersehen oder eingeebnet werden. Es
wird dann auch kritisch zu fragen sein, ob angesichts der Ausgangsthesen
W. Herrmanns, daß Religion auf Offenbarung beruht und diese Offenbarung
als die Tatsache der geschichtlichen Person Jesu allein Gewißheit von Gott
gibt, die nicht unbedeutend veränderte Auffassung W. Herrmanns überhaupt
noch überzeugend begründet werden kann. Der Ansatz bei der besonderen Erscheinung Jesu hat Konsequenzen, die nicht unerheblich für das Verständnis
der Religion als subjektives Erlebnis sind. Die Herausforderung des modernen Denkens an die Theologie kann nicht einfach mit einem Rückzug auf die
unmittelbare Erfahrung beantwortet werden, in der sich das Gefühl der Erlösung wunderbar einstellt, sondern nur mit dem Nachweis, "wie man in dem
Verständnis der Erscheinung Christi sich als erlöster Mensch fühlen könne"
(ThLZ 1884, 609). Unter Berufung auf die besondere Offenbarung Jesu Christi ist zu zeigen, wie ein Theologe sich "den Zweifel fern hält, dass seine
Religion nichts weiter sei, als eine Illusion des bedrängten Menschen" (ThLZ
1886, 88).

Die Betonung der Erfahrbarkeit der Religion geschieht im Werk W. Herrmanns
angesichts des Intellektualismus der Orthodoxie zu Recht[43]. Die notwendige
Einsicht, daß der Glaube konkrete Erfahrung impliziert, beherrscht indes
zunehmend einseitig sein Religionsverständnis. Was sich bei dem Frommen
individuell ereignet, wird intensiv beschrieben. W. Herrmann sucht die Aufgabe der Theologie phänomenologisch zu bewältigen. Das Leben des Glaubens
soll sich selbst darstellen, sein persönliches Erlebnis hat daher im Zentrum
der Besinnung zu stehen. Denn Religion ist Erleben, das Erlebnis der inneren
Befreiung des Menschen (Vgl. 5 E, 93). Das Verhältnis des Einzelnen zur Religion gehört zu seinem ganz und gar individuellen Erleben. Das bedeutet aber

<u>Religion ist im Bereich des Subjektiven zuhause</u>. Sie "ist nicht etwas ob-
jektiv Wirkliches, so daß alle sie sehen müßten, sie erscheint nur bei einzelnen Menschen als geistiger Besitz, als etwas Besonderes" (D, 3).

Der Bezug der Religion auf eine nur dem Individuum zugängliche Wirklichkeit bedeutet weiter die Verborgenheit der Religion, "die Erkenntnis einer
dem Unglauben verborgenen Wirklichkeit" (II, 241). Der Glaube ist nicht
allgemein einsichtig, vielmehr nur vom Einzelnen individuell zu erfahren.
"Denn die Religion ist überhaupt kein Ding, das als in der Welt wirklich
jedem nachgewiesen werden kann. Sie erschließt sich als ein Wirkliches
nur dem, der sie erlebt" (II, 4). Immerhin schränkt W. Herrmann diesen
Satz im Spätwerk auch ein: "Von der sittlichen Erkenntnis aus kann allerdings verständlich gemacht werden, wie Menschen zu disem Erlebnis kommen können" (II, 4). Im Hauptwerk dagegen liegt das Gewicht für das Verständnis der christlichen Religion auch auf der Erkenntnis des "geschichtlichen Christus" als des objektiven Grundes des Glaubens. Wenn W. Herrmann später die Unabhängigkeit der Religion vom allgemeinen Welterkennen herausstellt - die Selbständigkeit des Glaubens demnach als Unabhängigkeit interpretiert -, so will er doch damit die Religion nicht dem Subjektivismus ausliefern. Es hat in der Theologie auch darum zu gehen, daß Allgemeingültigkeit, wenn auch bloß im Sinne einer allgemeingültigen Richtungs-
anweisung[44], aufgezeigt wird. "Man muß sich also in der Dogmatik entschlies-
sen, das Notwendige zu tun, und an der Forderung allgemeingültiger Erkenntnis zwar festhalten, aber zugleich auf eine allgemeingültige Formulierung der
Erkenntnisse des Glaubens verzichten" (II, 25). Es scheint, als scheue W.
Herrmann hier die Konsequenz. Dabei ist es ihm an dem Aufweis der sittlichen Not des Menschen, der inneren Situation des Einzelnen, gelegen, um
die Notwendigkeit und die Wahrheit der Religion verständlich darzulegen.

> Das Suchen nach Religion "beginnt, wenn der Mensch solchen Ernst
> macht mit der Wahrheit des sittlichen Gedankens, daß er sich selbst
> richtet. Nicht schon in der Begeisterung für die sittliche Idee, sondern
> in dem daraus entsprungenen Eingeständnis seiner eigenen sittlichen
> Not nimmt der Mensch die Richtung ((!)) auf das religiöse Jenseits ei-
> ner neuen Existenz" (5 E, 90).

Auf dem Gebiet des Sittlichen eröffnet sich W. Herrmann in seiner Spätzeit
nur noch die Möglichkeit, der religiösen Anschauung auch bei dem Nicht-
Frommen eine gewisse Geltung zu verschaffen. Wie er diese Möglichkeit sehen und nutzen kann, wird deutlich, wenn man seine Sicht der Wirklichkeit
begreift.

Er vermag die Grundform des religiösen Lebens zu beschreiben als das Erlebnis eines zum wahren Leben befähigenden Lebendigen. "Verspürt der
Mensch in der ihm gegebenen Wirklichkeit ein Lebendiges, unter dessen Berührung er selbst sich zum Leben aufrichtet, so hat er Religion" (II, 242).

Dieses Explizieren der Religion orientiert sich an einem bestimmten Le-
bensverständnis. Es gibt zwei Weisen, der Wirklichkeit zu begegnen. Einmal, die erklärbare Welt sich dienstbar zu machen, zum anderen - und darauf kommt es ihm an - sie zu erleben und sich der Irrationalität des Lebens zu öffnen. "Zu der Wirklichkeit, in die wir gestellt sind, nehmen wir
eine doppelte Stellung ein; wir suchen sie zu erkennen, um sie uns dienstbar zu machen, und wir erleben sie" (II, 165). Es gilt nun, die Wirklichkeit einer erlebbaren Welt in der unvermittelten Erfahrung zu spüren. Heißt
es: "Das Lebendige können wir nur auf Lebendiges zurückführen" (gesperrt
gedruckt 5 E, 37), so wird die Unableitbarkeit des Lebens postuliert. "Das
Leben kann nur in Leben seinen Anfang nehmen, das seiner sich bewußte
Leben des Menschen in einem Erleben" (II, 244). Die eigene Lebendigkeit
ist letztlich nicht vorstellend begreifbar, sondern allein erlebbar. Indem
im Spätwerk der Ausgang bei der Irrationalität des Lebens genommen wird,
kommt alles auf das individuelle Erleben an. Ist R. Descartes sich selber
denkend gewiß gewesen (cogito, ergo sum), so ist sich W. Herrmann selbst
erlebend gewiß (vivo, ergo sum). So vermag auch der Mensch je in sich
Gott zu erleben und seiner gewiß sein. Der hat Religion als etwas Lebens-
wirkliches, der Gott in sich selbst erlebt[45].

Die Einsicht: "Wir können die Religion nur erkennen, sofern wir selbst an
ihr beteiligt sind" (I, 283; vgl. Not, 24: "Nichts in der Geschichte kann uns
angehören, als das, was wir selbst erleben".) wird in der Spättheologie W.
Herrmanns in einer totalen, einseitigen Weise ausgelegt. Die Beschreibung
der Wirklichkeit der Religion dient dazu, sie von der Abstraktheit des Gedankens ganz abzuheben. Indem das Erleben und das Erkennen in einen Gegensatz gebracht werden, können allein die eigenen Erlebnisse die Wahrheit
der Religion unmittelbar bezeugen (vgl. 5 E, 93).

Im Hauptwerk fehlt diese totale, einseitige Auslegung. Die Wirklichkeit Gottes fällt dort nicht ganz und gar mit dem individuellen Offenbarungsverständnis zusammen, weil "die entschlossene Konzentration auf die eine Thatsache
der Offenbarung und Erlösung, die geschichtliche Gestalt Jesu Christi" (Gewißheit, 16), das Denken des Glaubens mit fundiert. So kann ein so wichtiges
persönliches Erlebnis wie das der Wiedergeburt nicht Gewißheit schon deshalb verbürgen, weil es subjektiv als wahr erlebt wird. Die meisten Christen wissen sich "vielmehr nur deshalb als wiedergeboren, weil sie sich von
einer objektiven Macht gehalten wissen, an der sich ihr verzagtes Herz immer wieder aufrichten kann" (I, 154). Das Gefühlsleben des Einzelnen knüpft
"immer an etwas an, das reicher ist als er selbst, das er von seinem eigenen Innern unterscheidet, also an etwas Objektives" (V, 38). Die objektive
Macht aber, "welche den immerwährenden Grund der religiösen Erlebnisse
eines Christen bildet, ist ... der Mensch Jesus" (V, 38). Daher ist die wahrhaftige Freude des Frommen "die Freude an der objektiven Wirklichkeit des
persönlichen Lebens Jesu" (V, 88). Zwei Voraussetzungen prägen hier noch

eindeutig das Denken W. Herrmanns. Die Wirklichkeit der Offenbarung
kann als etwas Objektives vorgestellt werden, und Religion wird von der
geschichtlichen Person Jesu als ihrer Begründung her verstanden. Deshalb kann sich Theologie anderen Wissenschaften verständlich und einsichtig machen.

Das ändert sich im Spätwerk. Anstelle der Begründung findet sich die Beschreibung des Glaubens, anstelle des "Deshalb" und "Weil" das "Dann"
und "Wenn". So heißt es z.B. in der 5. Auflage der "Ethik" nicht mehr:
"Jesus aber ist deshalb unser Erlöser, weil wir es ihm verdanken, dass
wir" die Frage nach unserer Freiheit in der völligen Unterwerfung unter
Gott "bejahen können" (E, 88), sondern: "Jesus aber ist dann unser Erlöser, wenn wir es ihm verdanken, daß wir diese Frage bejahen können" (5 E,
103; auch 4 E, 99). W. Herrmann gibt vor allem das Reden von einem objektiven Grund des Glaubens auf. Seine eigentliche Sicht der Wirklichkeit wirkt
sich hier konsequent aus. Indem er die Wirklichkeit in eine erlebbare und
erkennbare, subjektive und objektive unterscheidet, muß er entscheiden,
wie Theologie über den Glauben Rechenschaft ablegen kann, wenn der Glaube im Bereich des Subjektiven zuhause ist. Die wissenschaftliche Begründung, die W. Herrmann früher erstrebte, hat auszuscheiden, denn nur die
objektiv erkennbare Wirklichkeit ist Gegenstand der Wissenschaft. Glaube
aber ist wesentlich das, was individuell erlebt wird. Dieses Wirkliche kann
die Wissenschaft nicht nachweisen.

> "Die Wissenschaft hat es mit den Tatsachen zu tun, wie sie unterein-
> ander verknüpft sind, nicht aber, wie sie auf unser individuelles Leben
> wirken. Es stellt sich also ein Wirkliches heraus, das für jeden von uns
> in besonderer Weise vorhanden ist, für die Wissenschaft aber überhaupt
> nicht, nämlich die individuelle Lebendigkeit des Einzelnen und das, was
> für ihn die Ereignisse werden, die ihn berühren. Die Wirklichkeit, auf
> deren vollkommene Erkenntnis die Wissenschaft gerichtet ist, nennen
> wir nachweisbar; die Wirklichkeit, die nur für den Einzelnen vorhanden
> ist, nennen wir erlebbar. Diese Unterscheidung hat für die Vertretung
> der Religion in der Gegenwart eine fundamentale Bedeutung" (I, 249).

W. Herrmann macht hier eine wesentliche Distinktion in seinem Denken, die
wohl auf die Wirklichkeitssicht H. Lotzes zurückgeht[46]. Die Trennung in
nachweisbare und erlebbare Wirklichkeit, in Natur und Geschichte, in Ding
und Geist (vgl. I, 68; E, 11), die man Dualismus nennt (I, 77), verschafft
dem Glauben die Möglichkeit, sich in der modernen Welt ohne unnötige Apologetik zu behaupten, wenn er sich nämlich ganz als Lebendiges versteht, das
das Dinghafte ausschließt. "Die Religion bedarf keiner weiteren Verteidigung,
wenn sie sich so bescheidet, von der wissenschaftlichen Erkenntnis sich unterscheidet und an den erlebbaren Kräften des subjektiv Lebendigen sich genügen läßt" (II, 53). Sieht W. Herrmann selbst ein, daß es "eine schwere,

noch lange nicht gelöste Aufgabe" ist, "diese Unterscheidung einer erlebbaren und einer nachweisbaren Wirklichkeit so durchzuführen, daß beiden
Seiten ihr Recht wird" (II, 330), die Frage nach dem Recht der Unterscheidung aber wird prinzipiell überhaupt nicht angeschnitten. Damit erscheint
die Unterscheidung in dem Licht einer für die Theologie günstigen Behauptung, die unkritisch übernommen wird. Es muß aber kritisch gefragt werden, ob ein Gott, der in der Welt, in der Natur nicht mehr vorkommen darf,
Wahrheit in dem notwendig umfassenden Sinn bedeuten kann und Relevanz besitzt für den Menschen, der doch in der Welt lebt und welthaft sich erfährt.
W. Herrmann greift hier vorschnell auf die Philosophie H. Lotzes zurück,
um Religion als möglich und sinnvoll zu erweisen. Mit seiner gegen E.
Troeltsch gerichteten Aussage, daß die individuelle Frömmigkeit nie aus
einem Erbe erwächst, sondern "etwas ursprünglich Lebendiges" ist (I, 288),
übergeht er das Problem der Wahrheitsvermittlung des Glaubens. Er sie-
delt den Ort der Entstehung der Religion und ihrer Bewährung in einem besonderen 'Etwas' an, das jede geschichtliche Bedingtheit leugnet. Gegen
die eigene Intention wird eine Sonderwahrheit für die Religion angenommen.
Es ist das Spätwerk, das mit seiner konsequenten Durchführung der dualistischen Wirklichkeitssicht von einer Grundvoraussetzung der Theologie
W. Herrmanns wegführt, daß nämlich Jesus Christus eine bestimmte geschichtliche Tatsache ist, die auch in der wissenschaftlichen Nachfrage sich
ausweisen kann und muß.

Weil die Theologie ihre eindeutige christologische Ausrichtung verliert,
kommt Religion letztlich als geschichtsloses, besonderes 'Etwas' zur Sprache, damit als allgemeine Wahrheit. Die Frommen können sich zutrauen,
"daß sie bei aller Besonderheit ihrer Existenz doch schließlich in dem gleichen inneren Vorgang die Kräfte der Religion gewinnen" (I, 289), denn es ist
das Lebendige, das überall als dasselbe erfahren wird, wo Menschen wahrhaftig werden. Das innere Erlebnis geschieht jedem Einzelnen in einer ex-
klusiven Unmittelbarkeit. Nur der, der so erlebt, kann den Glauben artikulieren. Wissenschaftliches Forschen findet niemals Religion, es droht vielmehr "den religiösen Glauben zu ersticken" (I, 242). Die Wissenschaft erfaßt nicht, was Herzen öffnet und Lebendigkeit schafft. "Alles, was die Wissenschaft anfassen kann, ist tot. Es kann Lebensmittel sein, aber nicht Leben. Die Religion aber ist Leben" (I, 287). Sie ist nichts Künstliches und
Nachgemachtes (5 E, 104f), sondern Ursprüngliches und Echtes. Daher geschieht Wahrheit je subjektiv, ganz unmittelbar.

"Verzichten wir auf einen wissenschaftlichen Beweis für diese Wahrheit,
wie wir müssen, und werfen wir den Wahn von uns, als ob uns etwas
Wahrheit sein könne, was wir als einen Ausdruck unseres Lebenswillens
durchschauen, so ist es nicht schwer, einzusehen, daß wir die Wirklichkeit Gottes nur in einem subjectiven Erlebnis erfassen, was wir keinem
andern mitteilen können. Wir sind ganz allein, wenn wir Gott erkennen"
(Moderne Theologie, 226)[47].

Die "Wahrheit eines solchen unmittelbaren Erlebnisses" (Moderne Theologie, 226), von der W. Herrmann spricht, ist nicht mitteilbar. Das Erleben bleibt im Grunde ganz bei sich selbst und schließt das Erkennen eigentlich aus. Führt das einseitige Insistieren auf der Subjektivität der Religion dazu, daß ein inhaltsleeres Erleben postuliert wird, dann setzt sich W. Herrmann selbst in Widerspruch zu seinem kritischen, christologisch und so inhaltlich bestimmten Ansatz. Ihm kommt es in seiner Spätzeit allem Anschein nach nur noch darauf an, daß überhaupt innere Lebendigkeit erfahren wird. Der Kerngedanke der Christologie angesichts der abstrakten orthodoxen Lehrgesetzlichkeit: "Christus muß unser eignes Erlebnis geworden sein, nur dann ist er für uns die Tatsache, die uns im Innersten umwandelt" (D, XIX) erhält bei dieser (!) Zielsetzung seine exklusive Bedeutung. Religion basiert auf einem eigenen Erlebnis, für das Jesus nur noch "Chiffre" ist. Indem der Einzelne in ursprünglicher Unmittelbarkeit Gott verspürt, werden Gott und Glaube zu unableitbaren und unerklärbaren Grössen, die in eine angenommene ursprüngliche, erlebte Schicht des Erkennens gehören. Dieses besondere Erkennen hat allein der wahrhaftig Fromme (vgl. I, 252). Nicht das auch rationale, sondern nur das exklusiv-existentielle Verstehen des Glaubens bleibt bei der Wahrheit, denn Religion ereignet sich im Bereich erlebbarer Wirklichkeit für den Einzelnen. Diese Wirklichkeit, "die sich von der rein rational verstandenen unterscheidet", steht uns Frommen fest "als Bestandteil unseres eigenen Lebens", und da "allein haben wir etwas vor uns, was uns zweifellos wirklich ist, aber anderen nicht als solches erwiesen werden, also nicht allgemeingültig oder rational sein kann" (II, 188). Durch Beweise wird niemand zur Religion kommen (II, 128f. 139. 295. 324; I, 257ff).

W. Herrmann weist in seinem Werk von Anfang an darauf hin, daß die Wissenschaft Gott nicht wie ein Ding beweisen kann, weil sich Gottes Wirklichkeit nicht aus der Welt herausrechnen läßt (I, 146). Später drückt er das in dem prägnanten Satz aus: "Denn ein bewiesener Gott ist Welt, und ein Gott, der Welt ist, ist ein Götze" (II, 155). Damit prononciert er die richtige Erkenntnis, daß Gott nicht von dem Vorhandenen her zu erschließen ist. Wer über Gott verfügt, indem er ihn aus der Welt herausrechnet, hat in der Tat schon Gott verloren. Aber W. Herrmann verkennt über dieser notwendigen Einsicht immer mehr, daß in der Neuzeit ein differenziertes Denken des Glaubens besonders geboten ist, das vornehmlich die Tatsache der Geschichtlichkeit der Wahrheit berücksichtigt. Indes liegt dieses differenzierte Denken dem Hauptwerk größten Teils zugrunde, weil es von der Notwendigkeit der Frage nach dem objektiven Grund des Glaubens ausgeht, in der Tatsache des Lebens Jesu die Tat Gottes sieht, die die Kluft zwischen "dem Denken des Glaubens und der erfahrungsmäßigen Erkenntnis der Welt, die in der Wissenschaft gipfelt" (I, 146) überwindet. Die "für uns unüberbrückbare Kluft" hat Gott für uns überbrückt. "Das Schriftwort 'Gott wohnt in einem Lichte, zu dem niemand kommen kann' (1. Tim. 6,16) wollen wir nicht mit den Worten fortsetzen: 'aber die Wissenschaft kann es', sondern mit Luthers Worten: 'darum mußte er zu uns kommen' " (I, 146). Dieses für den Menschen notwendige Handeln Gottes hat der Mensch zu sehen. Hier kann er Gott finden, ohne über ihn zu verfügen, denn Gott ist in die Welt gekommen, damit der Mensch, der sich welthaft erfährt, auch in der Welt glauben kann. Die Wissenschaft kann daher für das Erkennen des Glaubens nicht völlig ausgeschlossen werden. Das Leben Jesu als entscheidende Tatsache der Geschichte ist auch mit Hilfe der historischen Forschung als das zur Geltung zu bringen, was es nach Gottes Willen ist. Die christologische Argumentation, die für die Theologie also die wichtigste ist, schließt wissenschaftliche Erkenntnis mit ein, ohne dadurch über Gott zu verfügen. In der Christologie, die damit ernst macht, daß der Gläubige das, was er glaubt "als etwas erkennt, was Christus ihm erschlossen und gegeben hat" (I, 147), fällt daher die Entscheidung, ob das Denken des Glaubens entsprechend weltlich geschieht.

Gott ist in Christus weltlich und damit erkennbar geworden. Jesus kann daher als Erkenntnisgrund des Glaubens zur Sprache kommen. So hat die Dogmatik zu zeigen, wie Christus "der Grund der religiösen Zuversicht" sein könne "durch das, was an ihm erkennbar ist" (R, 372). W. Herrmann setzt dabei voraus, daß der geschichtliche Jesus unmittelbar gesehen werden kann. Sofern es zu dieser Unmittelbarkeit kommt, fallen Erkenntnis- und Realgrund zusammen, allerdings von 'unten' her, denn die Dogmatik hat ja deutlich zu machen, wie dies möglich ist, indem sie die geschichtliche Kundgebung Gottes in Jesus, "jenes Factum der Vergangenheit" als das "entscheidende Moment für die persönliche Selbstgewißheit" (R, 373) darstellt. Die unmittelbare Bedeutung Jesu ist durch bestimmte Erkenntnis der Geschichte vermittelt. Eine geschichtliche Begründung der Religion begibt sich in diesen Problemzusammenhang.

Zu seinem Verständnis der Religion gelangt W. Herrmann nicht zuletzt in der Auseinandersetzung mit I. Kant und F. Schleiermacher. I. Kants Aussage von der Nichtobjektivierbarkeit der Religion und der Unmöglichkeit eines theoretischen Gottesbeweises hat er als selbstverständlich hingenommen. Aber "Kant hat nicht die Beweise gelähmt, die der Fromme für sich selbst von der Wirklichkeit Gottes hat, sondern den Wahn, daß Menschen andere durch Beweise zwingen können, an Gott zu glauben" (GA, 29). Lehnt W. Herrmann den Zwang durch Beweise ab, so nicht den Beweis selbst. Ihm geht es in jedem Fall um einen Beweis für den Glaubenden, um einen überzeugenden Beweisgrund des Glaubens. Immerhin schreibt er in einer Zeitschrift, die mit ihrem Titel "Beweis des Glaubens" deutlich die von ihm bejahte Intention des theologischen Denkens ausdrückt. In seinem Frühwerk hält er ausdrücklich einen "dogmatischen Beweis" der Wahrheit des Glaubens für notwendig (R, 270ff) und fordert eine wissenschaftliche Begründung der Religion (I, 8). Die subjektiven Erlebnisse der Frommen sind keine zureichende Begründung, es müssen "noch andere Gründe für die Gültigkeit

der religiösen Anschauungen zu Gebote stehen" (R, 1). So gilt es, neben
der geschichtlichen Begründung des Glaubens innerhalb des Wechselver-
hältnisses von Religion und Sittlichkeit den Beweisgrund für die Wahrheit
des Glaubens aufzuzeigen. Weil das sittliche Bewußtsein der allgemeingültige Verstehenshorizont der Religion ist, muß entscheidendes Gewicht
auch auf den sittlichen Grund des Glaubens gelegt werden. W. Herrmann
sucht entschlossen, den theologischen Beweis vom sittlichen Bewußtsein
her zu erbringen. Es trifft daher durchaus "die Intention Herrmanns, wenn
Pannenberg ihm die Absicht eines Beweises für die Wahrheit des Christentums aus dem Sittlichen unterstellt". Erkennt man diese Intention - es geht
um eine apologetische Hinführung zum Christentum -, so darf dadurch nicht
vergessen werden zu untersuchen, wie sich durch W. Herrmanns "Auffassung von 'Beweisgrund' das Verständnis von 'Beweis', 'Grund' und 'Gewißheit' modifiziert, welchen Begriff von 'Beweis' er deshalb in Sachen der
Theologie mit Schärfe ablehnt"[48]. Aus dem bereits Untersuchten ergibt
sich, daß das Reden von Beweisen bei W. Herrmann unter der Voraussetzung der dualistischen Wirklichkeitssicht geschieht und daß er deshalb den
Beweis ablehnt, der vom Naturzusammenhang her die Wirklichkeit Gottes
verrechnet. Dieser Beweis macht Gott in einer Weise von der Welt abhängig, daß er zu einem Vorhandenen und zu einem Götzen wird. "Gott wird
nicht erkannt wie ein totes Ding" (I, 261). Er entzieht sich dem verrechnen-
den Zugriff des Menschen. W. Herrmann lehnt mit Recht den Beweis für
Gott selbst ab (R, 441). Aber er lehnt grundsätzlich nicht das Bemühen ab,
die Wahrheit des Glaubens verständlich und verständig aufzuzeigen und deshalb auch nicht den Beweis, den der Gläubige für sich gewinnen muß, will
er bestehen. Darum meint W. Herrmann, daß auch denen, die den Beweis
der Vernünftigkeit des Glaubens verlangen, "etwas Richtiges vorschwebt",
denn es genügt nicht, "daß das Heilige zwar schön, aber nicht wahr sein
solle" (I, 141). Die Einsicht in die dualistische Struktur der Wirklichkeit
darf nicht - das trifft den Sinn der Aussagen des Hauptwerkes - diese "falsche Scheidung des Glaubens von der Wahrheit" (I, 141) zur Folge haben.

An dem Wahrheitsbewußtsein des Glaubens ist W. Herrmann alles gelegen.

> "Es ist wirklich so, daß sich der Christ der Wahrheit seines Glaubens
> bewußt sein muß, wenn er für sich selbst sowohl wie in seinem Verhal-
> ten gegenüber der Welt das gute Gewissen des Glaubens haben soll. Frei
> ist nur der Wille, dessen Wollen ein ewiges Recht hat: frei und kräftig
> ist nur der Glaube, der das ewige Recht der Gedanken einsieht ((!)), in
> denen sich dem Menschen der Himmel öffnet" (I, 141).

Weiß der Glaube sich der Wahrheit verpflichtet, anerkennt er auch die
Wahrheit der Wissenschaft. Es gilt gerade angesichts der wissenschaftlichen Kritik, die den Glauben bedroht, "daß die Erkenntniß der Wahrheit
ein hohes Gut sei, für das man willig Opfer bringen müsse. Je ernster man

es aber mit diesem Grundsatz nimmt, desto weniger kann man vor einem Christenthum Respekt haben, das durch die Schuld seiner Vertreter in den Ruf gekommen ist, daß ihm die Erkenntniß der Wahrheit unbequem sei" (Gewißheit, 13). Da wir verloren sind, "wenn wir uns um die Wahrheit herumdrücken" (Gewißheit, 13), kann die Wahrheit nicht umgangen werden. W. Herrmann umgeht sie freilich insofern, als die dualistische Sicht der Wirklichkeit fraglose Voraussetzung seines Denkens bleibt. Die Annahme der gesetzmäßigen Wirklichkeit der Natur und einer "von der Natur unterschiedene(n) Wirklichkeit", "die jenseits der Natur liegt" (Gebet, 391), führt zu der Vorstellung einer Wahrheit der Natur bzw. Wissenschaft und einer Wahrheit der Geschichte bzw. Religion, die jenseits der Wissenschaft liegt. Die "Enge einer reinen Desubjektivation im Wissenschaftsbegriff drängt Herrmann...zur Schroffheit des dualistischen Entwurfes der Apologetik"[49]. Er sieht sich in der Neuzeit gezwungen, auf der Basis des Dualismus zu argumentieren und eine eigene Wahrheit für das religiöse und sittliche Erleben zu postulieren. Theologie unter den Bedingungen der Moderne treiben heißt für W. Herrmann· unter den Bedingungen der dualistischen Wirklichkeitssicht. Dem Glauben ist eine Sonderwahrheit zuzugestehen. Daß aber läuft W. Herrmanns erklärter Absicht zuwider, sich nicht um die Wahrheit herumzudrücken (Gewißheit, 13).

Die konsequent dualistische Wirklichkeitssicht hindert die Frage nach der Wahrheit des Glaubens, denn diese fragt nach der Einheit der Wirklichkeit, in der der Mensch lebt. Für W. Herrmann bedeutet das religiöse und sittliche Denken "den Verzicht darauf, die Vorstellung einer widerspruchslosen Einheit des Wirklichen zu erstreben oder sich vorzuspiegeln" (E, 65). Immerhin bemerkt er, "dass der Mensch auf den Gedanken einer Einheit des Wirklichen nicht ganz verzichten kann" (E, 66). 1879 hat er die Bedeutung des Dualismus für das christliche Verständnis der Wirklichkeit eingeschränkt. Es wird als ein Mißverständnis abgewiesen, "daß wir die Einheit der christlichen Weltanschauung durch einen Dualismus ersetzen, der den Zwiespalt einander bekämpfender Ueberzeugungen verewigen zu wollen scheine. Wäre durch unsere Ausführungen die Einheit der christlichen Weltanschauung selbst bedroht, so würde uns das auch bedenklich machen müssen" (R, 440). Das objektive Erkennen und das subjektive Erleben sind um des Wahrhaftwirklichen der Religion willen klar zu unterscheiden, doch um der "Einheit des Geistesleben" willen "wird der Christ das, was er auf dem Wege des objectiven Erkennens als den letzten Grund der Dinge gefunden zu haben meint, mit zu der Welt rechnen, welche er durch sein Gefühl als Werthgröße beurtheilt und in dieser Bestimmtheit erst in seiner Religion erklärt findet" (R, 441 f). Die Einheit des Wirklichen ist in der Religion gegeben. Es finden sich auch später Äußerungen, die von der Einheit der Wirklichkeit ausgehen. Die nachweisbare und die erlebbare Wirklichkeit "sind die Offenbarungen eines uns verborgenen Ganzen. In der Ehrfurcht vor diesem Geheimnis des Wirklichen treffen die Wissenschaft und die Religion zusammen" (II, 53). Daß die Wahrheit wesentlich eine ist, kann allein als Geheimnis verstanden werden. Die Ehrfurcht vor diesem Geheimnis bedeutet nun faktisch, daß der Dualismus von Natur und Geschichte als Voraussetzung des Denkens nicht angetastet wird. Doch es gibt Aussagen, die den schroffen Dualismus durchbrechen. Gott wird auch in der Wirklichkeit der Natur gedacht. "Die Religion will dem Menschen Rettung aus seinen Nöten bringen, indem sie ihn mit Gott verbindet. Wahr kann also die Religion nur sein, wenn Gott der Wirklichkeit angehört, in der wir leben, leiden und kämpfen" (II, 290). Und "nicht das Ewige rettet uns, sondern der Gott, der des Zeitlichen und Ewigen mächtig ist" (I, 101). W. Herrmann hat das Problematische seiner Ausführungen selbst empfunden. Natur und Geschichte, Welt und Mensch, Erkennen und Erleben können nicht radikal getrennt werden, und doch verlangt es die moderne Situation. Das Drängen auf Tatsachen in der neuzeitlichen Kulturwelt erfordert den Erweis einer Glaubensrealität, die das Selbst innerlich berührt, die Annahme einer realen Gewalt des unleugbar Wirklichen, die im individuellen Erleben sich beweist, die also nicht unter die Kategorie der Wissenschaft fällt und trotzdem wirklich ist. Mit dem Rückzug auf das individuelle Erleben versucht W. Herrmann zunehmend, das Wirklichkeitsproblem zu lösen. Die Forderung nach der Wissenschaftlichkeit theologischer Aussagen wird zurückgestellt. Es fehlt ihm "die Kraft und Entschlossenheit, sich mit der 'Objektivität' der wissenschaftlichen Forschung durchgreifend auseinanderzusetzen. Der bei Herrmann vorliegende Realitätsbegriff beweist, daß er nur durch den Rückzug auf den Subjektivismus diesem starken Wirklichkeitsinteresse genügen konnte"[50].

Der Subjektivismus des Spätwerkes manifestiert sich als exklusiver Individualismus. Das Leben wird ganz als individuelles Erleben begriffen. Die Vorstellung von Leben wird so identifiziert, daß sie auf ihre Teilnahme am Leben selbst hin durchschaut wird. Bedeutet für W. Herrmann das Erleben, "daß der Mensch die Objekte in ihrem Zusammenhang mit seinem eigenen Leben erfaßt" (II, 224), dann "ist aber der konstruktive Faktor und zugleich die Voraussetzung alles Erlebens das Vorhandensein eines Lebens, das da von sich aus lebt, das ein eigenes inneres Leben ist"[51]. Dieses Leben erfüllt alles Lebendige. Wenn "es Leben in uns weckt, drängt es das Tote beiseite" (II, 311). Religion als Erleben "bindet uns nicht an das Tote, sondern an das gegenwärtig Lebendige" (II, 324). Im Erleben finden wir Gott.

Gott "ist eine Lebensmacht, die uns berührt und eben dadurch und allein dadurch sich uns zu erkennen gibt. " "Die Welt des Lebens können wir nur finden, indem wir tatsächlich auf sie treffen, d. h. sie 'erleben', und da wir selbst innerlich zwischen Leben und Sterben verloren sind, geschieht dieses Leben dadurch, daß das Lebendige auch uns lebendig macht. Und eben daraus ergibt sich die an sich befremdlich klingende Tatsache, daß dieses Erleben unsere Religion ist, der letzte Grund unseres Glaubens an Gott. Die Problematik des Selbst wird in ihrer Lösung im Erleben das Finden Gottes"[52].

Dieses späte Verständnis, das sich in seiner Exklusivität deutlich von dem frühen unterscheidet und unter Vernachlässigung der Christologie expliziert ist, zeigt kein Interesse mehr an der Objektivität der Religion, denn objektive Gründe des Glaubens können nicht mehr angegeben werden.

Der Verzicht darauf, die Religion in der Moderne allgemeingültig zu vertreten, fällt schwer. Noch 1907 schreibt W. Herrmann programmatisch zu Beginn seiner Aufgabenbestimmung der Dogmatik: "Wir bedürfen einer Erkenntnis der Religion, die wir als allgemeingültig vertreten können" (II, 29). Die Forderung, daß Religion "in ihren Gründen allgemeingültig ist" (II, 112), wird bis 1907 erhoben. 1908 aber heißt es in der 5. Auflage des "Verkehrs" nicht mehr· "Es sind zwei objektive Gründe, auf die das Bewusstsein des Christen, dass Gott mit ihm verkehre, sich selbst stützt" (V, 84), sondern nur noch: "Es sind zwei Gründe..." (5 V, 83). Die Streichung des Wortes "objektive" fällt um so mehr auf, als es gesperrt gedruckt war. Dieser Streichung entspricht die Betonung der Religion im Sinn der Individualität des Glaubenserlebnisses. Immerhin findet sich in dem Jahr 1908 noch der ausdrückliche Standpunkt, daß von der Theologie nichts dringender zu verlangen sei "als ein Verständnis der Religion selbst, das sich in ihrer Mitte als allgemeingültig durchsetzen könne" (Das alt-orthodoxe und unser Verständnis der Religion· ZThK 18, 1908, 75). W. Herrmann ringt nicht mehr um Gründe, sondern nur noch um einen Grund des Glaubens, der als allgemeingültig verständlich sein könnte, den sittlichen Grund des Glaubens. Das sittliche Bewußtsein wird als objektive Tatsache in der 5. Auflage des "Verkehrs" weiterhin behauptet. Der Grund, auf den sich der Glaube jetzt betont stützt - die Änderungen in der 5. Auflage beweisen es (5 V, 29. 31. 65 f. 78) -, ist der zweite; es ist "das Bewußtsein davon, daß die sittliche Forderung uns selbst beansprucht. Darin erfassen wir eine innerhalb des geschichtlichen Lebens geltende objektive Tatsache" (V, 84 f. 5 V, 83). W. Herrmann hält an der Allgemeingültigkeit fest im Sinn einer allgemeingültigen Richtungsweisung. Die sittliche Forderung in der Erfahrung der sittlichen Selbstbesinnung ist die objektive Entstehungsbedingung des Glaubens.

Die Bedeutung des Sittlichen steigt auf Kosten der Bedeutung des Geschichtlichen (die Tatsache des Lebens Jesu). Dem Problem des Historischen, das mit der Person Jesu gegeben ist, weicht W. Herrmann aus. In der Betonung des Sittlichen gibt I. Kant von Anfang an den Anknüpfungspunkt. Der Philosoph aus Königsberg hat "zeigen zu können gemeint, wie in sittlich ernsten Menschen die Ueberzeugung von Gottes Wirklichkeit erwachse. 'Moral führt unumgänglich zur Religion'..." (GA, 29). Damit hat I. Kant "den Zusammenhang der Religion mit dem sittlichen Wollen" (II, 37) deutlich hervorgehoben (vgl. I, 309 f). W. Herrmann stützt sich auf I. Kants

moralischen Gottesbeweis, doch nimmt er das Sittliche als Beweisgrund
nicht ohne Abgrenzung und Kritik auf. Diese kritische Aufnahme kann jedoch nicht die kritiklose Annahme der Meinung I. Kants aufwiegen, daß
sich Glauben und Wissen radikal unterscheiden[53]. Mit dieser kantischen
Aufspaltung von Wissenschaft und Glauben, Welt und Selbst vertieft sich
erheblich das Problem des Historischen. Das Leben Jesu in seiner Tatsächlichkeit muß schließlich völlig unerheblich werden, wenn sich der
Glaube aufgrund des Dualismus allein am Sittlichen und Individuellen beweist. W. Herrmann vermeidet jedoch eine in diesem Sinn explizite Aussage, weil er den Bezug des Glaubens auf Jesus nicht aufgeben will. Sein
Religionsverständnis im Hauptwerk ist so von der geschichtlichen Tatsache der Person Jesu geprägt, daß hier von einer Grunderkenntnis W. Herrmanns zu sprechen ist, die ihre Folgen für das ganze Denken W. Herrmanns hat.

Angesichts der entscheidenden Begrenzung des Wissens durch I. Kant sieht
sich W. Herrmann aber genötigt, den Rückzug auf das Sittliche mitzuvoll-
ziehen. Die Verknüpfung von Religion und Sittlichkeit ist ihm eine Weiter-
führung, der Einsatz beim sittlichen Bewußtsein eine Notwendigkeit. Hat
doch I. Kant mit seinem ethischen Einstieg, daß dem sittlich Wollenden
durchaus die Möglichkeit zuzugestehen sei, sich der Welt des Ewigen zu
bemächtigen, dem Glauben neue Achtung verliehen. Nicht zuletzt aufgrund
dieser Achtung hat W. Herrmann den christlichen Glauben der "Wucht der
sittlichen Forderung" ausgesetzt, die "zur bewegenden Kraft in Herrmanns
theologischer Gedankenwelt geworden ist"[54]. Der Gedanke I. Kants wird
bejaht, daß Religion ihren Ursprung im sittlichen Wollen hat. Die Selbstbehauptung des Menschen als sittliche Person geschieht im Erleiden der
Wirklichkeit, im Ringen mit der Naturkausalität. In diesem Kampf zieht
sich der Mensch auf sein sittliches Wollen zurück. Allein in der sittlichen
Entscheidung eröffnet sich der Zugang zu Gott. "Durch sittliche Arbeit und
durch wahrhaftiges Gebet, das wirklich Gott selbst sucht, kommen wir ihm
näher" (Gebet, 391). Religion hat nur der sittliche Mensch; also ohne die
Qualität, ein sittlich reges Wesen zu sein, kann der Mensch Gott nicht erfahren.

Daß der Mensch überhaupt nach Gott fragt, nach etwas sucht, das ihm in
seiner sittlichen Lage entscheidend hilft, ist für W. Herrmann eine condi-
tio sine qua non. Die Existenz wird in ihrer ganzen Zweideutigkeit und Fraglichkeit jedoch nur erfahren, wenn der Einzelne sich von der Wahrhaftigkeit
als der "sittliche(n) Grundforderung" (I, 270) bestimmen läßt. Die radikale
Selbstbesinnung, die die sittliche Qualität des Menschen unter Beweis stellt,
ist methodisch der "Weg zur Religion", und die Erfahrung sittlicher Gemeinschaft bedingt es, daß der Weg zur Religion zum Ziel kommt.

Der "Weg zur Religion" wird zuerst gezielt thematisiert in "Religion und

Sittlichkeit" und "Religion" von 1905 (I, 264 - 297). Die Auslegung der sittlichen Selbstbesinnung als des Wegs zur Religion bestimmt seitdem wesentlich das Denken W. Herrmanns.

"Weil es auch bei der Religion darauf ankommt, daß der Mensch auf-
horchen will auf das Wirkliche, das ihm vernehmlich wird, deshalb ist
sie mit der Sittlichkeit innerlich verbunden. Bei sittlichem Ernst handelt es sich um die Wahrhaftigkeit des Wollens, um die Besinnung auf
das ewige Ziel, das wir uns selbst setzen. Den Weg zur Religion gehen
wir, wenn wir uns ruhig auf das besinnen, was uns von allem, was uns
widerfährt, das Wichtigste ist" (I, 278).

"Der Mensch, der sich in der Bewegung der Geschichte befindet, weil
er durch das freie Dienen anderer zu Vertrauen und damit zu sittlicher
Erkenntnis erhoben wird, ist auf dem Weg zur Religion, wenn die Aufforderung zu rücksichtsloser Wahrhaftigkeit auch jene individuelle Erlebnisse umfaßt. Nicht in dem Hinwegfliegen über das Wirkliche, sondern in der vollen Besinnung auf das Wirkliche können wir Gott begegnen. Wäre es anders mit der Religion, so würde der unüberwindliche
Verdacht, daß sie Illusion sei, an ihrem Lebensmark zehren" (I, 295).

Die Selbstbesinnung, die "in der Erfüllung der Grundforderung der Wahrhaftigkeit" geschieht (II, 111), führt zu Gott. Die Wichtigkeit und gewisser-
maßen Neuheit dieses Gedankens für W. Herrmann beweist die gewichtig-
ste Änderung in der 5. Auflage der "Ethik": "§ 18. Sittlichkeit und Religion"
(5 E, 88 - 95). Was an dieser Stelle in der 3. Auflage von 1904 unter den
Stichworten 'sittlicher Kampf' und 'innere Selbständigkeit des wahrhaft
menschlichen Lebens' gesagt wird, umfaßt nicht einmal 1 Seite (E, 82),
1913 aber über 7 Seiten. Auf diesen Seiten wird vor allem das modifizier-
te Religionsverständnis mit der Vorstellung vom "Weg zur Religion" (gesperrt gedruckt 5 E, 92) dargelegt. Die "Dogmatik" weist sogar ein Kapitel mit der Überschrift auf: "Der Weg zur Religion" (D, 15 f). W. Herrmann treibt verstärkt die Klärung des Individuums voran, indem er sich
auf das "durch die Vorstellung des eigenen Selbst erfüllte(n) Bewußtsein"
(II, 111) konzentriert. Wir Menschen haben ein Bewußtsein von unserem
eigenen Leben, zugleich "drängt sich uns unabweislich die Tatsache auf in
immer neuen Erscheinungen, daß uns wahrhaftiges Leben fehlt" (D, 15).
Die "Einheit eines wahrhaft lebendigen Wesens zu gewinnen" ist für uns
aber, die wir uns nicht in der Zerstreuung verlieren wollen, "eine unabweisbare sittliche Forderung" (D, 15). Der menschliche Wille erreicht jedoch nicht wahrhaftiges Leben. Die Frage nach diesem Leben "wird durch
sittlichen Ernst" "zwar verschärft, aber nicht gelöst" (D, 15). Weder Wissenschaft noch Sittlichkeit rechtfertigen also das Bewußtsein von unserem
eigenen Leben, doch "sittlicher Ernst läßt die Frage danach, wie die Vorstellung von einem Selbst wahr sein könne, nicht in uns verstummen" (D, 16)

Dadurch bringt das sittliche Denken "den Menschen notwendig auf den Weg
zur Religion" (5 E, 93), indem es in eine Krise führt, in die "Not dieses
Lebens" (II, 46), die der Mensch von sich aus nicht überwinden kann. Befreiung aus dieser Not und damit ein Leben in Wahrheit schafft allein die
Religion. Hier ist eine Theologie der Krise entwickelt, die als apologeti-
sches Unternehmen "das Recht der Religion innerhalb der Kulturwelt zu
vertreten sucht" (II, 120).

"Herrmanns Apologetik gründet auf der Überzeugung, der sittlich wahrhaftige Mensch werde mit innerer Folgerichtigkeit zum christlichen
Glauben gedrängt. Dem sittlich-religiösen Entwicklungsschema, das
Herrmann verwendet, kann man seine Herkunft aus der am Gedanken
des Fortschritts orientierten Theologie des 19. Jahrhunderts noch deutlich ansehen. Das der Wirklichkeit immanente religiöse Telos wird
nicht mehr in einer kontinuierlichen Aufwärtsbewegung approximativ
realisiert, der Weg, um den es sich aber nach wie vor handelt, geht
jetzt vielmehr in die Katastrophe hinein, um in ihr das religiöse Jenseits des sittlich katastrophalen Diesseits der Existenz als reinen Glauben zu erleben"[55].

Die Funktion der Religion ist es, den Menschen aus der Not seines Lebens
zu befreien. "Ist die Religion die Rettung aus dieser inneren Not, so gewinnen wir die Richtung auf sie nicht aus den allgemeingültigen sittlichen
Gedanken selbst, sondern aus der inneren Situation des menschlichen Individuums, das jenen Gedanken gehorchen will" (5 E, 91). Die Unterscheidung zwischen den allgemeingültigen Gedanken und der inneren Situation
des Individuums dient dazu, "die qualitas von Religion" festzuhalten[56].
Stehen die sittlichen Gedanken und die Religion auch in strenger Korrelation, so begründet die Sittlichkeit nicht Religion, schafft "das, was uns unbedingt verpflichtet" (5 E, 107) nicht den Glauben. Das, was uns unbedingt
verpflichtet, muß zu dem werden, was uns besonders angeht. "Es gibt
nicht nur ein abstraktes Sittliches, sondern auch ein konkretes"[57]. Denn:
"In dem Bewußtsein einer bestimmten Pflicht wissen wir uns nicht bloß
mit dem Allgemeingültigen verbunden, sondern auch durch die Ansprüche
dessen gefesselt, was uns besonders angeht" (II, 44). Das Besondere des
eigenen Lebens gilt es situativ zu erkennen. Nicht auf die allgemeingültigen Gedanken kommt es letztlich an, vielmehr auf die individuelle Lebendigkeit.

Diese Wendung zum Besonderen und Eigenen geschieht bei W. Herrmann
immer stärker, so daß die Bedeutung der Präsenz der geistigen Gemeinschaft für das Entstehen des Glaubens zurücktritt. Die Selbstbesinnung in
der Gemeinschaft sittlicher Personen führt, je intensiver sich das Selbst
auf sich selbst besinnt, zur privaten Existenz. Zuletzt fällt nicht nur das
'generale', sondern auch das 'commune' aus[58]. Denn es "bleibt nur die

Möglichkeit übrig, daß wir uns, um die Wahrheit unseres Lebens zu finden, auf das zurückziehen, was wir keinem Anderen mitteilen oder begründen können". Das wahrhaftige Leben wäre aus dem zu gewinnen, "was wir im Verborgenen für uns allein erleben" (D, 16). Wichtiger als der kirchliche Gottesdienst ist daher auch "wie Jeder in der Stille seines eigenen Lebens Gott unterworfen sein kann" (Ueberlieferung, 1067).

Das, was W. Herrmann seit 1905 unter dem Thema "Weg zur Religion" verhandelt, findet sich ansatzweise von Anfang an in seinem Werk. Es sind jene Gedanken, die in der Selbstbesinnung des Menschen den Zugang zur Religion sehen. Durch "die sittliche Forderung zur Selbstbesinnung" (I, 97) erwächst das Verständnis für Religion. In dem Erlebnis des "Durchdrungensein(s) von dem Ernst des sittlichen Gebotes", das uns erhebt, "stehen wir auf der Schwelle des christlichen Glaubens. Einen anderen Zugang zu ihm gibt es nicht und soll es nicht geben" (I, 98). In der Vertiefung dieses frühen Ansatzes wird die Bedeutung des Sittlichen in der Erfahrung immer mehr hervorgehoben. Das verwundert nicht, weil W. Herrmann sich ja genötigt sieht, die Wahrheit des Glaubens aus dem Sittlichen als dem persönlichen, eigenen Bereich im Gegensatz zum wissenschaftlichen Welterkennen zu beweisen. Der Mensch, der sittlich wahrhaftig lebt, muß den Zugang zur Religion im sittlichen Erlebnis finden. Die Dogmatik vermag deshalb ihre Aufgabe, den Menschen auf den "Weg zur Religion" zu bringen, nur zu erfüllen, wenn sie ihm klar macht, "was in seinem eigenen Leben ein Suchen nach Religion ist" (D, 4). So ist "der Gott suchende Mensch" (I, 177) sich selbst zum Bewußtsein zu bringen.

Der sittliche Mensch will in seinem Suchen das Gute. In seinem Leben geht es um die "eigene freie Entscheidung für das Gute" (I, 189) als die entscheidende Tat des Menschen, der um das Gute weiß. Hat doch I. Kant richtig gesehen: "...im Moment sittlicher Tat denkt der Mensch den guten Willen als die im Wirklichen siegende Macht" (D, 10)[59]. Das Denken des Guten bedingt nun das Denken Gottes. "Es ist unmöglich, daß wir nach Gott selbst verlangen, wenn wir nicht wissen, was gut ist. Denn Gott allein ist gut. Wenn wir Gott finden und ihm folgen sollen, müssen wir das Gute erkennen" (I, 226). Allein dem sittlich denkenden Menschen begegnet Gott als die "Macht des Guten". Die "Macht des Guten" aber ist besonders in der Person Jesu sichtbar. In dieser geschichtlichen Gestalt wirkt die "persönliche Macht des Guten" (V, 72) auf den Menschen. Das Denken W. Herrmanns konzentriert sich hier auf die Tatsache des Lebens Jesu, soll der Gott suchende Mensch nicht verzweifeln. Wenn er seinen Ausgang nicht bei dieser Tatsache nehmen kann, droht die Selbstbesinnung ins Leere zu führen. Die Tatsache der Erscheinung Jesu ist notwendig. Im Spätwerk W. Herrmanns wird diese Notwendigkeit nicht immer deutlich, und die Rede von Jesus zielt nicht auf dessen Wirken und Leben, sondern auf sein Wort, das das Entscheidende sagt. Jesus "sucht stets klar zu machen, was wirkliche Gerechtigkeit sei, und sucht die Menschen anzuregen, daß sie Vertrauen fassen zur Güte Gottes. In diesen Reden Jesu zeigt sich, daß er zuerst in der Geschichte den reinen Sinn des sittlichen Guten ausgesprochen hat" (D, 24). Im Hauptwerk dagegen kommt es auf die Verwirklichung des Guten in Jesu Leben selbst an, auf seinen Glauben, sein Verhalten, und er wird deshalb dem Menschen zur Offenbarung. "Jesus enthüllt uns das Gute und macht den Anspruch, daß er das Gute in der Welt wirklich mache, das ist das eine. Das zweite ist dies: Er lebt in ungetrübter Zuversicht zu der Liebe eines Gottes, den er als die heilige Macht des Guten erkannt hat" (I, 135). Durch Jesus wird die "Macht des Guten" einmalig offenbar. Sie ist als Liebe und Güte, Demut und Gehorsam "an der Gesamthaltung Jesu deutlich" sichtbar (Demut, 571). Diese christologische Ausrichtung bestimmt das Religionsverständnis im Hauptwerk. Glauben heißt, der "Macht des Guten" zu vertrauen, die in Jesus als der geschichtlichen Offenbarung Gottes für den Menschen da ist und sein Heil bedeutet. "Der Zugang zu Gott, den uns Jesus eröffnet, liegt aber in diesem reinen Vertrauen zu ihm selbst, das uns aus dem Schrecken der inneren Vereinsamung erlöst" (I, 201).

Voraussetzung für die Relevanz des Christologischen bleibt die Einsicht der "Notwendigkeit des Guten" (V, 272) beim Menschen. Die Botschaft von Jesus als dem Erlöser trifft auf den Menschen, der nach dem Guten und seiner Macht Ausschau hält, weil seine Situation ihn dazu drängt. Die Situation ist sittlich unerträglich. "Je mehr uns das einzuleuchten beginnt, dass wir nur dann ein inneres Leben haben, wenn wir das Gute als das Notwendige erkennen und in uns herrschen lassen, desto schmerzlicher empfinden wir, dass die Mächte unserer Existenz mit dem Guten in Streit liegen" (V, 81 f.). Jesus überzeugt aber davon, daß Gott das Gute für den Menschen siegen läßt. Denn Jesu "Haltung gegen uns erhebt uns zu dem Vertrauen, dass die göttliche Macht, die mit ihm und seinem Werke sein muss, tatsächlich sich unser annimmt und uns zu Genossen seines Werkes macht, das auf nichts anderes geht, als auf die Verwirklichung des Guten, ein Kommen des Reiches Gottes" (V, 82). Religion, die sich auf Jesus beruft, ereignet sich als Befreiung aus der zwiespältigen Lage des Menschen, gibt dem Einzelnen Gewißheit von Gott, und sie ist nur dort verstanden, wo sie durch Jesus als der "Macht des Guten" zur Antwort auf die Frage der Sittlichkeit wird. Der sachlich doppelte Ansatz erscheint hier also in dem Verhältnis von Frage und Antwort. W. Herrmann gründet die Theologie auf das Sittliche, aber die Christologie zeigt, daß das Sittliche nicht in sich selbst der Grund für die Erfahrung und Gewißheit Gottes ist. Allein in dem Leben Jesu wird das Sittliche eindeutig und so wirklich annehmbar für das grundlegende Bedenken der eigenen Existenz, ohne daß die Existenz sich hoffnungslos in der Zweideutigkeit verliert[60].

Der Ort, an dem das Sittliche konkrete Anschauung wird, ist die Geschichte. In ihr bedeutet das Leben Jesu das wichtigste Ereignis für den Menschen.

Jesus als Verwirklichung des guten Willens schafft in der persönlichen
Begegnung Glauben. Religion ist Geschichte, das heißt jetzt Begegnung
mit der Geschichte. Der Aktualismus, der dieser "Christologie von unten"
zu eigen ist, meint diese persönliche Begegnung. Der Einzelne ist betrof-
fen von der "Macht des Guten", die ihm in Jesus begegnet. Gerade diese
Verwirklichung des Guten in Jesus, dem man in Jesus persönlich begegnen kann, ist das, was I. Kant christologisch überbietet. Mit der Christologie vermag W. Herrmann die Gedanken I. Kants abzuweisen, ohne sie
fallen zu lassen.

Die kantische Forderung, daß man Religion besitze, wenn man von der
Wahrheit des Gedankens des guten Willens erfüllt sei, ist falsch, weil man
sehr wohl einen Gedanken für wahr halten kann, ohne Religion zu besitzen.
"Den Ursprung der religiösen Anschauung in dem individuellen Leben des
Menschen hat Kant nicht genügend beachtet" (GA, 31). In der persönlichen
Lebenswirklichkeit erlebt der Mensch Gott selbst, ereignet sich das sittliche Erlebnis, das erhebt. "Das Sittliche gehört nicht in den Bereich der
Denknotwendigkeit, sondern den der Lebenswirklichkeit"[61]. Darum wird
im Spätwerk die Besinnung auf die eigene Existenz intensiviert, der Gedanke konsequent verfolgt, daß Gott selbst nicht erkennbar, aber erlebbar
sei. W. Herrmanns ethischer Gottesbeweis ist mithin ein existentieller.
Es ist die innere Selbstgewißheit des Glaubenden, die sich in der Wirklichkeit bewährt. Offenbarung wird so verständlich. Indem W. Herrmann in
seinen späteren Gedanken die Besinnung auf die eigene Wirklichkeit so in
den Vordergrund stellt, daß der Eindruck der besonderen Offenbarung in
Jesus nicht mehr als entscheidend erscheint, geschieht eine erhebliche Akzentverschiebung. Das zeigt der Vergleich der 4. und 5. Auflage des "Verkehrs" deutlich.

> 1904 heißt es: "Erstens können wir nur das als Offenbarung Gottes ver-
> stehen, was uns zu einem wirklichen Verkehr mit Gott bringt... Zwei-
> tens können wir auch das religiöse Erlebnis nur als die Zuwendung zu
> Gott darstellen, die unter dem Eindruck der Offenbarung Gottes in uns
> entsteht und in den Gedanken des Glaubens sich ausprägt" (V, 30 f.).

> 1908 heißt es auffallend verändert: "Erstens können wir nur das als Of-
> fenbarung Gottes verstehen, worin wir selbst ((!)) den auf uns wirken-
> den Gott finden... Zweitens kann aber auch das religiöse Erlebnis nur
> dann für uns selbst Wahrheit haben, wenn wir es in der Besinnung auf
> die Wirklichkeit, in die wir uns gestellt finden, entstehen sehen. Es
> muß sich darin vollenden, daß uns der Gehalt dieser Wirklichkeit ((!))
> eine Macht wird, die uns ganz überwindet und in der unser eigenes Da-
> sein sicher ruht" (5 V, 29).

Die Offenbarung Gottes wird verstärkt von dem eigenen Selbst und der alltäglichen Wirklichkeit her verstanden.

Die Entwicklung im Denken W. Herrmanns, die zur Darstellung seiner
Christologie berücksichtigt werden muß, steht sachlich im Zusammenhang der philosophischen Entwicklung. Ist es zunächst vor allem die Rück-
besinnung auf I. Kant, die W. Herrmann beeindruckt, so ist es nach 1900
die lebensphilosophische Gegenbewegung gegen Aufklärung und Rationalismus, mit der er in vielerlei Hinsicht übereinstimmt. Wie die Lebensphilosophie betont er das Leben, das durch sich selbst ist, die Lebendigkeit
als Quelle der Wahrheit. Die Diskussion W. Herrmanns mit H. Driesch
(vgl. I, 288; II, 260 f; Moderne Theologie, 183 f.) und H. Bergson (vgl. II,
260 f.) zeigt zugleich die Selbständigkeit des eigenen Denkens. Von lebensphilosophischen Elementen des Denkens kann man sprechen, wird die Wissenschaft als rationale Vergewaltigung der Wirklichkeit angesehen und
wird etwas Ursprüngliches intendiert, das den Menschen, indem es sich
der Wissenschaft entzieht, zu sich selbst kommen läßt. W. Herrmann folgt
diesem Irrationalismus in seinem Spätwerk. Er hat eine "Verabsolutie rung
des Begriffes Leben"[62] zur Voraussetzung.

Die grundlegende Bedeutung des Begriffs Erlebnis bei W. Herrmann kann
jedoch nicht auf einen direkten Einfluß der Lebensphilosophie zurückgeführt
werden. Die Betonung des Erlebnisses und seiner ethischen Explikation ist
einfach bedingt "durch die allgemeine Geisteslage"[63] und findet sich schon
im Frühwerk W. Herrmanns. Diese Theologie hat in ihrer Frontstellung
gegen Orthodoxie und Rationalismus relativ selbständig zu dem Gedanken
des persönlichen Erlebens der Wahrheit des Glaubens gefunden. Dabei
kann es als wahrscheinlich angesehen werden, "daß es u.a. frühe lebensphilosophische Elemente der Philosophie H. Lotzes waren, aus denen
Herrmann für seine neue Grundlegung der Theologie gewisse Anregungen
bezog"[64].

W. Herrmann beruft sich mit seinem Religionsverständnis in steigendem
Maße auf den jungen Schleiermacher. Mit diesem hat sich erst das richtige Verstehen der Religion durchgesetzt (vgl. GA, 31). Nicht bloß die Abhängigkeit des Glaubens von Geschichte hat F. Schleiermacher wieder erkannt, sondern auch die individuelle Lebendigkeit der Religion, in der der
Einzelne die gesamte Wirklichkeit als Universum erlebt. "Das geschieht
aber, wenn sich einem Menschen in der Wirklichkeit die Einheit eines unerschöpflichen Lebens vernehmlich macht". Religion ist hier zurückzuführen "auf das verborgene Leben der Seele, das stets nur vor dem Einzelnen
als ein Wirkliches stehen kann" (D, 14). An diese Deutung der Religion hat
W. Herrmann in seiner Spättheologie angeknüpft. Das Verständnis der Religion als des schlechthinnigen Abhängigkeitsgefühls hat er übernommen.
"Die Religion entsteht in dem Verlangen nach einer Wirklichkeit, von der
wir uns völlig abhängig wissen können, sobald wir uns einer solchen Macht
bewußt werden" (II, 55). Er sieht "in dem der Religion angehörigen Gedanken völliger Abhängigkeit des Menschen einen Ausdruck des religiösen Er-

lebnisses, aber nicht die Bezeichnung eines Faktums, das an jedem Menschen konstatiert werden könnte". Muß uns doch die völlige Abhängigkeit "als unser eigenes Erlebnis bewußt werden" (II, 56). Religion ist nur dem Frommen selbst sichtbar. So hat der junge Schleiermacher selbst "sie beschrieben, als durch ihre Verborgenheit in dem inneren Leben des Einzelnen gegen jede Profanation geschützt" (II, 56). Was W. Herrmann schätzt, ist die Schleiermachersche Einsicht in die Passivität und Innerlichkeit der Religion. Der allein hat Religion, der in seinem Inneren die eigene Offenbarung erlebt. Da es auf die selbst erlebte Frömmigkeit ankommt, haben alle theologischen Lehren sekundäre Bedeutung. Die Abneigung gegen die traditionellen Formeln teilt W. Herrmann mit F. Schleiermacher.

Von Anfang an betont W. Herrmann Religion als persönliches Erlebnis, und von Anfang an urteilt er daher über I. Kant: "Die Sorge um die Allgemeingültigkeit der religiösen Gedanken hat ihn gehindert, in den individuellen Erlebnissen der einzelnen den Ursprung der Religion zu suchen" (GA, 31, vgl. II, 57f.). Im Fortgang seines Denkens wird die Religion einseitig als "die Wahrhaftigkeit des Erlebens" (Moderne Theologie, 227) verstanden, und die "Wahrheit eines solchen unmittelbaren Erlebnisses", nach dem W. Herrmann fragt, "besteht darin, daß in ihm der einzelne die Wirklichkeit findet, in die er in seiner subjektiven Lebendigkeit sich eingeordnet weiß" (Moderne Theologie, 226f.). Von dem im Menschen bewahrten Grunderlebnis aus wird dann argumentiert. "Ein Leben in Wahrheit ist in uns begründet, wenn die Religion so aus dem in uns bewahrten Grunderlebnis unserer menschlichen Existenz oder der Geschichte in uns erwächst" (II, 245).

W. Herrmann hat im Spätwerk die religiöse Frage ganz und gar von der historischen getrennt. Es geht ihm nur noch um das Gegenwärtige, das das Leben des Menschen qualifiziert. Dabei überspielt er, daß er mit der Nennung des Namens Jesu auch eine Tatsache der Vergangenheit zur Sprache bringt. Die Wahrheitsbedeutung Jesu kann nicht ohne die Tatsächlichkeit seines Lebens ausgesagt werden. Der Versuch, Geschichte zu explizieren als das gegenwärtig Lebendige in uns, vermag sich gerade im Blick auf das Hauptwerk W. Herrmanns nicht der kritischen Rückfrage zu entziehen.

Es scheint W. Herrmann unmöglich, die Position seines Hauptwerks durchzuhalten. Sie erweist sich zur Vertretung des christlichen Glaubens in der modernen Kulturwelt für ihn als unzureichend. Ob nun aber das Spätwerk den christlichen Glauben überzeugender vertritt, wagt W. Herrmann selbst nicht eindeutig zu entscheiden. Gegen den Vorwurf, daß das Erleben des Wirken Gottes, wie er es beschreibt, "eine bloße Behauptung ohne jeden Versuch einer Begründung" sei, kann und will er sich nicht verteidigen (II, 335). Dafür gibt er jedoch die Begründung, daß das, was Theologen "vertreten sollen, ein Geheimnis ist" (II, 335). Durch Beweis und Begründung würde das Heiligtum des Frommen entweiht. Es ist den Menschen unfaßlich. Zum Wesen der Religion gehört es, die eigene Wahrheit in unbegründeten und unbewiesenen Behauptungen auszusagen. Mit dieser 1918 vorgetragenen Meinung gibt W. Herrmann sein Grundanliegen auf, die Wahrheit des Glaubens verständlich aufzuweisen, dem Unglauben in den Glauben zu verhelfen. Ein letzter Versuch stellt indes die Begründung für die Nicht-Begründung dar, ebenso die Erklärung: "Die unbeweisbaren Behauptungen des Dogmas sollen anderen freilich auch dienen, aber als Fragezeichen, um sie zur Besinnung auf das in ihnen selbst Verborgene zu bringen" (II, 336). Am Ende seiner theologischen Arbeit vermag W. Herrmann nur noch ein Fragezeichen zu setzen, das jedoch aufgrund seiner Zielsetzung selbst ein Fragezeichen hinter seine Theologie setzt. Geht man davon aus, daß die Christologie der Prüfstein jeder christlichen Theologie ist, dann ist die Christologie bei W. Herrmann differenziert zu untersuchen, und von ihr her sind die Fragen an seine Theologie zu stellen. Dabei kann deutlich werden, daß die Aporie, in die das Denken W. Herrmanns offensichtlich führt, in Voraussetzungen gründet, die von Anfang an nicht kritisch hinterfragt werden. Darauf wurde schon hingewiesen. Die Möglichkeiten zur Überwindung der Aporie können sachlich sowohl im Haupt- als auch im Spätwerk liegen. Die Entscheidung darüber fällt in der Christologie, weil sie das bedenkt, was den christlichen Glauben zum christlichen macht.

4. Der "geschichtliche Christus" (Hauptwerk)

4.1. Die geschichtliche Selbstoffenbarung Gottes als gegenwärtiges Erlebnis

Christlicher Glaube, für W. Herrmann die "absolute Religion" (R, 276f; I, 199), hängt an der geschichtlichen Tatsache der Person Jesu; aber nicht einfach der historische Jesus begründet den Glauben, sondern der historische Jesus als gegenwärtiges Erlebnis. Das meint W. Herrmann mit seinem Ausdruck "geschichtlicher Christus", der bewußt die Rede vom "historischen Jesus" vermeidet, weil das, "was historisches Problem ist", nicht die Kraft hat, "den Glauben zu erwecken oder zu begründen" (I, 167). "Das, worin der Glaube seinen Grund soll finden können, muß so beschaffen sein, daß es dem Menschen gegenwärtig bleiben kann" (I, 176). Das gilt "allein von dem im strengsten Sinne wunderbaren persönlichen Leben Jesu" (I, 176). Weil dieses Leben aber, das als "Macht des Guten" die Erfahrung von Güte vermittelt, der Geschichte angehört, das Leben eines Menschen vor vielen hundert Jahren ist, darum hat der Glaube sich nicht auf den gegenwärtigen, sondern auf den "geschichtlichen Christus" zu berufen, der aufgrund seiner wunderbaren Wirklichkeit dem Menschen gegenwärtig bleiben kann. Die gegenwärtige Erfahrung kommt von einem historischen Ereignis her, das sich als geschichtlich wirklich erweist. Das Problem der Geschichte "wird gelöst, indem das persönliche Leben Jesu geschichtliches Ereignis wird und geschichtlich wirkt" (Demut, 575).

W. Herrmann geht, spricht er vom persönlichen Leben Jesu, von der geschichtlichen Erscheinung der Person Jesu aus. Deshalb spricht er auch nicht von dem erhöhten und ewigen Christus, sondern von dem geschichtlichen. Der "geschichtliche Christus", der im Zentrum der christologischen Überlegungen steht, bedeutet das Heil für die Menschen, doch nicht "die historische Forschung findet ihn, sondern der in der Geschichte nach dem ewigen Leben ringende Mensch" (I, 173). W. Herrmann betont, daß der Mensch nur als sittlicher Jesus als das entscheidende Erlebnis seines Lebens erfährt. Das bedeutet jedoch nicht die Belanglosigkeit historischer Resultate, vielmehr deren Zweitrangigkeit angesichts des persönlichen Erlebnisses der Person Jesu. Die historische Forschung geht den Christen, der sich der Wahrheit verpflichtet weiß, etwas an, aber sie schafft nicht das Heil für den Einzelnen, der unter der Erfahrung sittlicher Ohnmacht leidet. Die religiöse Frage als sittliche läßt die historische Frage als nebensächlich erscheinen, doch schließt sie diese nicht völlig aus, denn Jesus ist mit dem Historischen zusammenzudenken, soll der Glaube nicht zur Mystik werden, zur reinen "Gefühlserregung" (V, 18). "Jene Meinung, daß der Glaube, weil er sich in dem Ewigen gründen wolle, die historische ((!)) Tatsache notwendig überfliege, war falsch" (I, 95). Der christliche Glaube an den Gott, der die Menschen liebt, beruft sich auf "ein ganz bestimmtes historisches Phänomen" (ThLZ 1884, 202). Mit diesen Voraussetzungen, der Erlebbarkeit und der Historizität Jesu, ist die innere Problematik der Christologie gegeben, jene Spannung im Denken, die W. Herrmann immer wieder zu lösen sucht.

Den Satz: 'Jesus Christus ist die Offenbarung Gottes' hat die Christologie überzeugend auszulegen. Sie geht davon aus, daß Gott "in der Geschichte zu uns gekommen ist" (V, 25) und durch die Erkenntnis dieser Geschichte es zu dem Erlebnis des Glaubens kommt. Das Erlebnis, das Gott als die Erfahrung einer einheitlichen Wirklichkeit vermittelt, wird als Offenbarung bezeichnet. Von Anfang an zielt W. Herrmann angesichts der orthodoxen Lehrmeinungen auf das Verständnis von Offenbarung als gegenwärtiges Erlebnis und auf dessen Bedeutung, die Gewißheit für den Glauben "selbst zu rechtfertigen". Die Offenbarung "bezeichnet für uns weder die auch einem indifferenten Erkennen erreichbare Ursache noch das Vorbild unserer religiösen Erlebnisse, sondern den innerhalb dieser Erlebnisse selbst ausdrücklich vergegenwärtigten Grund unserer religiösen Gewißheit. In diesem Sinne ist uns Christus die Offenbarung. Unser Vertrauen auf Gott ist beständig durch den Hinblick auf ihn vermittelt" (R, 382). W. Herrmann übersieht bei seiner Zielsetzung nicht, daß Jesus als Offenbarung Grund des Glaubens ist und deshalb als bestimmte Tatsache der Geschichte vergegen-

wärtigt werden muß. Offenbarung als Erlebnis impliziert eine besondere
Tatsache der Geschichte, denn in dem Menschen Jesus hat Gott in der Geschichte selbst gehandelt, haben "wir die entscheidende Kundgebung und
Bethätigung des göttlichen Heilswillens" erkannt, und zwar "an uns erkannt" (R, 383). Das besondere Vergangene ist immer im Blick auf das zu
sehen, was es am Menschen bewirkt, wie das gegenwärtige Wirksame immer von einer bestimmten geschichtlichen Tatsache her zu begründen ist.

W. Herrmann betont einerseits, daß die Offenbarung am Selbst des Menschen sich ereignet. Das Selbst bezieht er auf den Menschen und ist also
anthropologisch gemeint. Es kommt ihm nämlich darauf an, daß Religion
wirklich zu einer Sache des Individuums wird und nicht Sache der lehrgesetzlichen Theologie bleibt.

Er will dahin führen, "den Menschen die Augen dafür zu öffnen, dass
nichts ihnen Offenbarung sein kann, als was sie wirklich zum Verkehr
mit Gott erhebt" (V, 32).

Daß ein Theologe die Kraft hat, in Tatsachen zu leben, die andere berichten, bezweifelt W. Herrmann nicht. "Aber daß er in ihnen leben
kann, hat doch nicht darin seinen Grund, daß andere es gekonnt haben.
Wie bei jenen, so muß auch bei ihm ein Ereignis, das er selbst erlebt,
die Kraft haben, ihn in den neuen Stand christlichen Lebens und Denkens
zu erheben, indem es ihm als die Offenbarung Gottes an ihn selbst klar
wird" (I, 180).

Das hat besonders die Kritik K. Barths erregt, der die Offenbarung Gottes
in keiner Weise aus dem Erlebnis verstehen will. "Religion wird sichtbar
oberhalb alles Erlebten und Erlebbaren..."[65]. Für W. Herrmann dagegen
ist das mystische Offenbarungsverständnis hilfreich, weil es den Erlebnis-
charakter der Offenbarung betont. Es ist aber trotzdem klar von dem christlichen Offenbarungsverständnis abzugrenzen, weil dieses sich konstitutiv
an die geschichtliche Tatsache der Person Jesu gewiesen weiß, und der Offenbarung die Bedeutung inne wohnt, daß Gott selbst es ist, der in der Geschichte zu den Menschen kommt. Daher betont W. Herrmann andererseits
im Kontext der Geschichte Jesu das Selbst Gottes. Gott selbst ist es, der
in die Geschichte eingeht und die Menschen durch Jesus erlöst. Die Christen haben auf das Kreuz Jesu zu blicken. Jesu "Dasein in unserer Welt
wird uns als die Tatsache verständlich, in welcher Gott selbst ((!)) sich
uns zuwendet" (I, 136). Daß Gott selbst - das Selbst also streng theologisch
verstanden - dem Menschen begegnet, ist eine akzentuierte Aussage W.
Herrmanns, die sich in seinem ganzen Werk findet. Auch im Spätwerk vertritt er die These: "Gott wird uns nicht anders erkennbar als dadurch, daß
er selbst ((!)) sich uns offenbart" (II, 150; vgl. 153 den Zusatz: "indem er
auf uns wirkt".). Alle Religion ist für W. Herrmann supranaturalistisch!

(II, 156). Zu der Einsicht kommen: "Wir können Gott nicht anders erkennen als darin, daß er selbst sich uns enthüllt, indem er uns lebendig macht"
(II, 156 f.), das "ist der echte Supranaturalismus, in welchem ernster
Glaube und ernstes, sittliches Wollen einig sind" (II, 157). Diese suprana-
turalistische Position gibt der Theologie W. Herrmanns orthodoxe Richtigkeit. In den frommen Erfahrungen und Erlebnissen ist Gott selbst als
objektive Macht zu erkennen. Nur wenn man die objektive Macht erfaßt,
kann man den Glauben wecken und begründen (V, 37). Das Streben nach
objektiver Erkenntnis des Glaubens bedeutet nicht, das Gefühlsleben des
Glaubens zu mißachten. W. Herrmanns Darstellung richtet sich gerade
auf den "Zusammenhang des religiösen Erlebnisses mit der objektiven
Wirklichkeit" (V, 37). Die Gefühlsseite der Religion kommt nicht zu kurz,
"wenn man sich gegen Mystik und Pietismus im Wesentlichen ablehnend
verhält" (ThLZ 1884, 203).

Die Ablehnung der Mystik und des Pietismus im Früh- und Hauptwerk W.
Herrmanns gründet in der Erkenntnis der objektiven geschichtlichen Begründung des Glaubens. Gott hat sich in einem objektiven Faktum der Geschichte dem Menschen zugewandt, "gibt sich uns zu erkennen durch eine
Tatsache, um deren willen wir an ihn glauben können" (V, 48). Diese Tatsache ist die "geschichtliche Erscheinung Jesu" (V, 49), der Mensch Jesus
als "die objektive Macht, welche den immerwährenden Grund der religiösen Erlebnisse eines Christen bildet" (V, 38). Darum hilft zu einem rechten Verständnis des Glaubens "nur der bewusste Rückblick auf die Thatsachen der evangelischen Geschichte selbst" (ThLZ 1881, 139). Nicht von
abstrakten Gedanken und Anregungen der Phantasie und des Gefühls hat
man sich bestimmen zu lassen, sondern von der geschichtlichen Offenbarung. Die Offenbarung Gottes in dem Faktum des Lebens Jesu bezeichnet
W. Herrmann als die besondere Offenbarung, die Kirche konstituiert. "Für
uns Christen ist jene unsere Gemeinschaft konstituierende besondere Offenbarung Gottes in der Person Christi gegeben" (I, 62). Die besondere Offenbarung bedeutet sachlich den Ausgangspunkt aller christlichen Rede. Daher
muß man A. Ritschl recht geben, daß man zum Christentum kommt "durch
das Verständniss der geschichtlichen Person Christi als der vollkommenen
Offenbarung Gottes" (ThLZ 1882, 399), und daher ist A. Ritschl entschieden darin zu folgen, daß in der geschichtlichen Offenbarung Gottes der Glaube "allein den Grund seiner Gewissheit und die Gewähr seiner Wahrheit
hat" (ThLZ 1888, 572).

Die Christologie W. Herrmanns versteht man allein in ihrem Anschluß an
A. Ritschl. Es ist der christozentrische Ansatz, den W. Herrmann über-
nimmt und in der Diskussion um A. Ritschl verteidigt, vor allem in der
Zeit von 1882 bis 1888. Danach beteiligt sich W. Herrmann an der Dis-
kussion um seinen Lehrer kaum noch (vgl. die Äußerung GA, 255). Die
Zurückhaltung im Urteil gegenüber A. Ritschl geschieht im Fortgang sei-

nes Denkens nicht, weil ihm der christologische Ansatz weniger bedeut-
sam erscheint, sondern weil ihm mit der Verlagerung der Thematik im
eigenen Denken der Anschluß an A. Ritschls universalteleologisches Denken schwieriger wird. Die Konzentration auf das Selbst des Menschen bedeutet eine Umzentrierung des Systems A. Ritschls, das vom Universal-
zweck des Reiches Gottes her entfaltet wird. Systematisiert A. Ritschl
Gott und Welt im Begriff des Reiches Gottes, so W. Herrmann in dem der
Persönlichkeit[66]. Mit der Besinnung auf das sittliche Selbsterlebnis, für
das die Welt nicht mehr konstitutiv ist, kommt W. Herrmann zu einer kritischen Sicht der Theologie A. Ritschls. Nach 1905 heißt es: "Ritschl hat
keinen so ursprünglichen und über die Jahrhunderte leuchtenden Gedanken
erzeugt wie Schleiermacher in den 'Reden über die Religion' " (I, 333).
W. Herrmann beruft sich zunehmend auf den jungen Schleiermacher. In
den Schriften vor 1905 mit ihrem Thema der geschichtlichen Begründung
des Glaubens erweist er sich indes weitgehend als Schüler A. Ritschls. Er
folgt seinem Lehrer, wenn er die Abhängigkeit des Glaubens von der geschichtlichen Offenbarung Gottes in Jesus betont und "alle christologischen
Aussagen auf die geschichtliche Existenz Jesu konzentriert werden"[67]. Damit kommt es zu der signifikanten offenbarungstheologischen Begründung
des Glaubens.

W. Herrmann hält mit dem Bezug auf den irdischen Jesus die Offenbarung
in ihrer einmaligen Objektivität fest. Die Geschichtlichkeit dieser Tatsache ist nicht in der Gegenwart aufzulösen, denn der Glaube hat Grund, weil
Jesus eine "unleugbare Tatsache in der Geschichte der Menschheit" (GA,
243) ist, die "lebenswahrste Gestalt der Geschichte" (GA, 269), die menschlichem Leben Hoffnung gibt. Das "Vorhandensein jener Geschichte in unserer Welt" (ThLZ 1881, 139) beinhaltet den objektiven Glaubensgrund. "Das
Denken der Gläubigen wird niemals seinen letzten Halt in demjenigen finden, was Gott aus ihm selbst gemacht hat, sondern in der objektiven Tatsache der Offenbarung, die Gott für ihn in die Welt gestellt hat" (GA, 291).
Wir finden "die Objektivität dessen, woran wir glauben, in der geschichtlichen Gottesthat, welche uns als solche erkennbar geworden ist" (R, 429).
Daß der Glaube in der geschichtlichen Tatsache des Lebens Jesu seinen
objektiven Grund besitzt, ist die klare Einsicht, die die Christologie W.
Herrmanns in seinem Hauptwerk trägt. Die Probleme ergeben sich für W.
Herrmann gerade, weil er daran festhält. Ihnen kann man nicht ausweichen,
denn daß der Glaube an die Geschichte gewiesen ist, stellt die zentrale Aussage des Christentums dar. Der Glaube lebt von bestimmter Geschichte.

W. Herrmann findet sich mit seiner Verhältnisbestimmung von Glaube und
Geschichte im Gegensatz zu I. Kant, der die Trennung von Geschichte und
Religion postuliert und darin das Erbe Lessings antritt. So ist für I. Kant
der Geschichtsglaube eine "unvollkommene Art des Wissens" (I, 90). Die
Bindung der Religion an ein geschichtliches Faktum erscheint dem Philo-

sophen schädlich, weil dadurch der "Glaube nicht ein freies mit den sittlichen Überzeugungen verknüpftes Fürwahrhalten wäre" (I, 91), kein reiner Vernunftglaube, der seine Festigkeit in seiner Unveränderlichkeit hat. Die Abhängigkeit von Geschichte impliziert dagegen Unsicherheit. I. Kant "ist es um einen Glauben zu tun, dem keine wissenschaftliche Forschung, keine Erweiterung des Wissens etwas anhaben kann" (I, 91). Daß es W. Herrmann später selbst einseitig um einen Glauben geht, dem die wissenschaftliche Forschung nichts anhaben kann, ist von dieser seiner Distanzierung von I. Kant her zu kritisieren. Die kantische Mißachtung der Geschichte ist eine krasse Mißdeutung der Religion. Christliche Religion bekennt den Gott der Geschichte, nicht den Gott des Ewigen schlechthin, den man in allgemeinen Gedanken zu besitzen meint. Fromm ist nur der Glaube, der Gott in der geschichtlichen Erscheinung Jesu als die Macht bekennt, "die das Zeitliche mit dem Ewigen verknüpft" (I, 101). Die christliche Frömmigkeit scheut deshalb nicht die Geschichte und damit auch in der Neuzeit nicht die historische Forschung, sondern hält daran fest, daß der Glaube nicht einfach im Ewigen ruht, sondern von der besonderen Offenbarung Gottes her gegründet und frei in der Wirklichkeit lebt. Richtet sich die Hoffnung auf das Ewige, so rettet uns Menschen doch nicht das Ewige, "sondern der Gott, der des Zeitlichen und Ewigen mächtig ist" (I, 101), also der Gott, der in Jesus von Nazareth zu den Menschen gekommen ist. Nicht nur die angemessene Berufung auf das Ewige gibt dem Glauben Grund, sondern auch die eindeutige Berufung auf die geschichtliche Tatsache der Person Jesu.

Daß der Glaube in Geschichte gründet, läßt die Sorge wegen der historischen Forschung entstehen. Sie ist verständlich. "Wir sind selbst in der Versuchung, Schranken für die historische Forschung zu wünschen. Denn das Christenthum hat seinen Grund nicht nur in dem, was ewig ist, sondern auch in dem, was einmal gewesen ist ((!)) und als unauslöschliche Erinnerung in unsern Herzen lebt" (Sittlichkeit, 19). Die Bezogenheit des Glaubens auf Geschichte bringt den Glauben in der Neuzeit in Schwierigkeiten, weil die historische Forschung den geschichtlichen Glaubensgrund zerstören kann. Diese Möglichkeit, die vor der Aufklärung nie zur Diskussion stand, wünscht man auszuschließen, doch kann man es nicht tun, indem man die historische Forschung verbietet. W. Herrmann sucht dieses Problem in seiner Christologie zu lösen, wobei er nicht umhin kann, gewisse Spannungen in Kauf zu nehmen. Für ihn bietet sich aufgrund seiner dualistischen Wirklichkeitssicht an, die Geschichtstatsachen von der eigentlichen Glaubenssache zu trennen. So liegt für ihn zumindest die Glaubenssache über dem Bereich des Wissens von historischen Tatsachen (I, 91). Die Wirklichkeit des Glaubens ist anders als die gesetzmäßige Wissenschaft. Die Unterscheidung in eine nachweisbare und eine erlebbare Wirklichkeit ermöglicht es W. Herrmann anscheinend, sowohl die historische Forschung zu bejahen, als auch das Erlebnis des Glaubens an Jesus. Weil sich aber die hi- .

storische Forschung und das Glaubenserlebnis auf Jesus beziehen, können
sie nicht völlig unabhängig voneinander sein. Wie sehr ich als Christ auch
"in dem Erlebnis stehe, daß Christus mich den Gott spüren läßt, der meine gegenwärtige Not überwindet" (I, 178), so bedeutet meine Berufung auf
Christus in einem Sinn notwendiger Weise die Berufung auf ein historisches Faktum. Das erkennt W. Herrmann klar, und er betont es entschieden, wo es um die Abwehr des rationalistischen und mystischen Glaubens-
verständnisses geht. Das Historische am christlichen Glauben darf nicht
überflogen werden. Jesus war ein wirklicher Mensch, eine Tatsache der
Geschichte, die sich vor vielen Jahrhunderten ereignete. Darum hat der
Christ - sei er Theologe oder nicht - "über die gefühlsselige Nichtachtung
des Historischen an der Religion hinauszuführen" (ThLZ 1881, 138). Wo
die Theologie von der Christologie her entwickelt wird, die besondere Offenbarung ganz ernst genommen wird, erfolgt eine Infragestellung der dualistischen Wirklichkeitsschau. Daß Gott in der Geschichte und nicht in dem
Gefühl und der Phantasie zu den Menschen gekommen ist, macht es unmöglich, daß der Glaube sich selbst fern von der Welt und der Geschichte begreift. Christlicher Glaube ist zuerst der Glaube an den historischen Jesus.

In dem Vortrag: "Warum bedarf unser Glaube geschichtlicher Tatsachen?"
von 1884 bzw. 1891 ist zum Verständnis der Bedeutung der Geschichte
für den Glauben der Vergleich mit der Politik konstitutiv. Im politischen
Leben hat man die Bedeutung von historischen Tatsachen erkannt. W. Herrmann nennt hier die Ereignisse von 1870 als "Kraftquellen des National-
gefühls. Diese historischen Tatsachen greifen so in unser Herz, daß sie
Momente unseres eigenen Lebens und Grundlagen unserer Bestrebungen
werden" (I, 84). Dieses gegenwärtige geschichtliche Erleben bedeutet eine
gewaltige Macht, deren historischer Ursprung jedoch nicht übersehen werden darf. "Was in der Geschichte eine gestaltende Macht wird, entsteht in
der Geschichte, ist historischen Ursprungs" (I, 84). Also in historischen
Tatsachen sind dem Volk die Gründe seines Lebens gegeben. Hat man das
auf dem politischen Gebiet erkannt, so noch nicht auf dem religiösen. Hier
bestimmt noch ein Irrtum die Meinung. "Wir aber haben es unter uns noch
immer mit demselben Gegensatz zu tun, in welchen Lessing und Kant den
religiösen Glauben und die Geschichte gebracht haben. Im politischen Leben haben wir den Irrtum überwunden, daß die Einsicht in die Wahrheit ge-
schichtsloser Theorien das auf geschichtlichen Tatsachen beruhende Selbstgefühl eines Volkes ersetzen könne. In unserm religiösen Denken steht der
analoge Irrtum noch in kräftiger Blüte" (I, 88).

Sieht W. Herrmann auch die Grenzen des Vergleichs zwischen dem politischen und dem religiösen Glauben - ist doch religiöser Glaube "sicherlich
auf das Ewige gerichtet" (I, 88) -, so bestimmt er durch diesen Vergleich
eindeutig das Verhältnis des Glaubens zu Jesus als das zu einer historischen Tatsache. Es ist davon auszugehen, daß die Berufung auf Jesus die

Berufung auf ein historisches Ereignis ist. Der Glaube orientiert sich am historischen Jesus. Die Vergangenheit nehmen wir aber nur dann in ihrer Bedeutung wahr, wenn wir sie "als ein Element unseres gegenwärtigen Lebens in Betracht ziehen" (I, 102). Damit kümmern wir uns jedoch um das Historische.

In dem Vortrag geht es W. Herrmann um die grundlegenden geschichtlichen oder historischen Tatsachen. Eine Unterscheidung zwischen "geschichtlich" und "historisch" im Sinne M. Kählers wird hier nicht vorgenommen[68]. Aufgrund dieses Vortrages muß die Annahme einer durchgängigen Unterscheidung von "Geschichtlichem" und "Historischem" ausgeschlossen werden. Das zeigt sich schon daran, daß er sowohl von der geschichtlichen als auch von der historischen Forschung spricht (Vgl. ThLZ 1887, 578 und I, 91). So benutzt er auch beide Ausdrücke nacheinander für dieselbe Sache (Gewißheit, 10). Der geschichtliche Christus und die historische Forschung sind für ihn keine Alternative. Daß die Bibel "Gegenstand historischer Forschung" (I, 150) ist, wehrt der Glaube nicht, denn es "wäre lange nicht genug, wenn wir die Bibel nur als das unvergleichliche Erbauungsbuch würdigen wollten" (I, 151). Um der Wahrheit willen hat der Glaube darauf zu drängen, daß die historische Forschung sich mit der Bibel befaßt (I, 156. 150 f). Daher geht es jedoch nicht darum, den Glauben als Gabe Gottes "vermittelst historischer Beweise... zu sichern" (I, 161). Um den Eindruck der historischen Sicherung des Glaubens zu vermeiden, spricht W. Herrmann ja nicht vom historischen Jesus, sondern vom geschichtlichen Christus, doch das heißt bei ihm nicht, daß Jesus der historischen Kritik entzogen wäre. Er hat "ausdrücklich anerkannt, daß auch das innere Leben Jesu Gegenstand der Kritik werden könne"[69]. Der geschichtliche Christus als der Grund unseres Glaubens ist nicht kritiklos vorgegeben.

Zur Klärung dieses Grundes, den die Bibel darreicht (I, 152), beschäftigt sich W. Herrmann zunehmend mit der historischen Forschung, und noch 1912 urteilt er: "In der durch den Historiker durchwühlten Ueberlieferung" kann dem Christen ihr "Gehalt bisweilen deutlicher werden, als an den von keiner Wissenschaft berührten Worten" (Ueberlieferung, 1069). W. de Boor weist darauf hin, daß sich im Herrmannschen Denken das Problem der Geschichte "mehr und mehr in den Vordergrund schob, je mehr er selbst in Marburg gründliche historische Erforschung des Christentums vor Augen hatte (Jülicher!). Ja man darf sagen, daß ihm das Verhältnis des Christentums zur Geschichte und zur Historie allmählich das Problem der Theologie, die Not der evg. Kirche wurde, neben der die Auseinandersetzung mit der atheistischen und der kritischen Philosophie zurücktrat"[70]. Die "energische Betonung der Person Christi"[71] führt zu einer intensiven Beschäftigung mit den Ergebnissen der historischen Leben-Jesu-Forschung. Damit aber ist die Kritik der historischen Forschung zum entscheidenden Problem

für die Christologie und Theologie W. Herrmanns geworden. Von daher
erklären sich vor allem die Veränderungen in seinen Schriften. "Die Ergebnisse der Arbeiten der religionsgeschichtlichen Schule, der radikaleren Neutestamentler, und Albert Schweitzers <u>Geschichte der Leben-Jesu-
Forschung</u> fanden ihren unverkennbaren Nachhall im Gedankensystem Herrmanns"[72]. Dieses Faktum wird noch besonders erhellt und gewürdigt werden; jetzt kommt es zunächst darauf an, deutlich zu machen, daß angesichts
dieser Entwicklung bei W. Herrmann von einer radikalen Trennung zwischen Geschichte und Historie nicht ausgegangen werden kann.

Kommt es bei ihm nicht zu einer radikalen Trennung zwischen Geschichte
und Historie, so hebt er jedoch auf eine für ihn weiterführende Differenz
ab. Er verwendet oft "geschichtlich" in einem weiteren und umfassenderen
Sinn. Es bezeichnet dann das Wirkliche überhaupt, umfaßt Vergangenes,
Gegenwärtiges und Zukünftiges. Der geschichtliche Zusammenhang, in dem
wir stehen (V, 51), meint die jeweilige Zeit mit ihren gewachsenen Tradi-
tionen und neuen Hoffnungen, Erinnerungen und Erwartungen. Geschichtliches meint mehr als Vergangenes, schließt es aber wesentlich mit ein[73].
So unterscheidet W. Herrmann das "Geschichtliche" als das Wirkliche
überhaupt von dem "Historischen" als dem vergangenen Wirklichen. Weil
also das vergangene Wirkliche nicht das Wirkliche überhaupt ausmacht, kann
er von dem "bloß Historischen" sprechen (R, 313). Es bezeichnet das, was
"nur zum ersten Male wirklich geworden" (R, 313) ist. Das Interesse gilt
aber dem, was auch gegenwärtig noch wirklich ist. Die Wendung vom "bloß
Historischen" ist vornehmlich angesichts des rationalistischen Religions-
verständnisses benutzt, das die geschichtliche Offenbarung als ganz und
gar Vergangenes von dem gegenwärtigen Leben abschneidet, weil die ewige Wahrheit nur geschichtslos gedacht werden kann. Dieses "bloß Historische", das keine Bedeutung für ein wahrhaftiges Leben in der Gegenwart
hat, hilft dem Menschen in der Tat nicht, wohl aber die historische Erscheinung Jesu, die als ein ganz bestimmtes Historisches - bei der Offenbarung Gottes in Jesus als Liebe handelt es sich "um ein ganz bestimmtes
historisches Phänomen" (ThLZ 1884, 202) - nicht "bloß Historisches" ist,
weil sie für jeden Menschen zu einem gegenwärtigen, befreienden Erlebnis
werden soll und kann (Vgl. I, 102). W. Herrmann unterscheidet demnach
zwischen "historisch" und "bloß historisch". Mit seiner Betonung des Historischen wendet er sich gegen Mystik und Rationalismus, dabei nicht allein gegen den Rationalismus I. Kants, sondern auch gegen den F. Schleiermachers. Darin ist für W. Herrmann F. Schleiermacher rationalisti-
scher Metaphysiker, daß er die Gründe der Religion außerhalb ihrer selbst
sucht und sie damit in ihrer Positivität nicht würdigt, daß er die Religion
wie die altkirchliche Dogmatik im Allgemeinen und nicht im Besonderen
bestimmt (Vgl. R, 306 f). Der kantische Rationalismus, der ein ethischer
ist, zeigt sich darin, daß er "dem Christen zumuthet, in seinem guten Willen den Grund seiner Selbstgewißheit zu finden" (R, 310), den Glauben an

Gott als "einfache Folgerung aus der sittlichen Forderung" (I, 122) ansieht,
während doch die christliche Gemeinde weiß, "daß ihre religiöse Zuversicht nicht von der Kraft des individuellen Willens lebt, sondern durch die
geschichtliche Offenbarung in Christus erzeugt wird" (R, 310). Diese Einsicht bestimmt das Früh- und Hauptwerk W. Herrmanns.

I. Kant und F. Schleiermacher in seiner "Glaubenslehre" verkennen, daß
der christliche Glaube von einer historischen Tatsache lebt und machen so
das Metaphysische zum Gegenstand des Glaubens. Nicht der "geschichtliche Christus", sondern das Metaphysische beansprucht das Interesse. Der
"Sinn der Forderung, daß das Metaphysische der eigentliche Gegenstand
des Glaubens sei, nicht das Historische, findet sich z.B. ausgezeichnet
ausgesprochen bei J.G. Fichte. 'Nur das Metaphysische, keineswegs aber
das Historische, macht selig; das letztere macht nur verständig...'" (R,
312). Mit dieser Meinung ist für W. Herrmann "das Wesen der Religion
gänzlich ((!)) verleugnet" (R, 312). Die Religion gilt es also ganz anders
zu verstehen, weil es eben nicht so ist, "wie Fichte meint, daß der Rückblick auf den geschichtlichen Grund des Glaubens für den Glauben selbst
gleichgültig wäre" (R, 312). Daß es auch auf den Rückblick ankommt, bedeutet nicht nur die Relevanz des gegenwärtig Geschichtlichen, sondern
gerade die des vergangenen Geschichtlichen, des Historischen. Nur ein-
schließlich dieses Rückblickes, der Einbeziehung des Historischen also,
kann die "Hinwendung zu dem Wirklichen" (R, 313) geschehen, die für das
Christentum charakteristisch ist.

Das "Wirkliche aber ist für jeden Menschen nicht in der Gottesidee als
solcher zu finden, sondern in den Ereignissen, durch welche der Inhalt
derselben für ihn practisch wirksam geworden ist. In solchen Ereignissen hat der Fromme unter den besonderen Bedingungen seines weltlichen Daseins die auf ihn gerichtete Gesinnung des lebendigen Gottes erkannt. Und christliche Religion besteht nun eben darin, daß jemand in
der geschichtlichen Person Jesu Christi denjenigen Ausdruck der that-
kräftigen Gesinnung Gottes gegen ihn selbst gefunden hat, welcher ihn
zu seinem Frieden bringt und ihm die Augen für die fortlaufenden Offenbarungen öffnet, mit welchen Gott seinen Lebensweg umgibt. Wenn man
dagegen das religiöse Leben, welches man in sich zu hegen meint, als
etwas Selbständiges von der geschichtlichen Gottesoffenbarung ablöst und
diese zu einem bloßen historischen Factum degradirt, in welchem nur
zum ersten Male wirklich geworden sei, was man nun selbst zu eigen
habe, so hat man sich innerlich von der christlichen Gemeinde abgeschie-
den, deren Einheit ja eben auf der dankbaren Anerkennung Gottes, der
durch Jesus Christus unser Vater ist, beruht" (R, 313).

Die geschichtliche Offenbarung als ein bestimmtes historisches Ereignis
trägt den christlichen Glauben und verwahrt sich gegen die Interpretation,

"bloß Historisches" zu sein. Die besondere Offenbarung Gottes, von der
her alle anderen fortlaufenden Offenbarungen zu verstehen sind, hat grundlegende Funktion und muß in ihrer Historizität festgehalten werden, denn
die "Lebensabsicht Christi läßt sich freilich nur ((!)) als äußeres geschichtliches Faktum aufgreifen" (I, 62). Deshalb ist die Abgrenzung von dem theologischen Rationalismus notwendig. Es ist fehlerhaft "in der Person Jesu
Christi nur ein solches Vergangenes zu sehen, dessen man sich beiläufig
mit Bewunderung und Verehrung erinnern könne, während sie sich der eigentlichen Offenbarung Gottes in Gefühlserregungen ihres eigenen Subjects
versichern" (R, 313). Versichern kann man sich der Selbstoffenbarung Gottes allein im Blick auf die historische Erscheinung Jesu. Deshalb ist es
nicht richtig, wenn man wie J. G. Fichte das Metaphysische "von dem Historischen unterscheidet und jenes für das allein Werthvolle erklärt" (R,
314). Wie wertvoll das Historische ist, zeigt gerade die Frage nach einem
objektiven Grund des Glaubens. Trotzdem liegt "etwas Wahres in jener
Forderung" nach einer Trennung des Historischen von dem Metaphysischen,
nämlich der "berechtigte Drang, in dem Glaubensobjecte das Nothwendige
und Allgemeingültige zu finden" (R, 314). Freilich ist für W. Herrmann
das Notwendige und Allgemeingültige nicht aufgrund eines geschichtslosen
Ewigen zu erweisen, vielmehr auch aufgrund des historisch Bestimmten.
Deshalb muß die Theologie das geschichtliche Kriterium des Glaubens mit
Nachdruck nennen.

W. Herrmann geht davon aus, daß nicht im individuellen Denken und Fühlen, sondern "in dem Leben und Wirken Jesu Gottes volle Offenbarung gegeben ist" (R, 318). Gottes Offenbarung "ist uns der Mensch Jesus in seinem Lebenswerke" (R, 390). Jesu Leben ist "für uns in dieser seiner con-
creten Erscheinung das Offenbarwerden Gottes" (R, 394). Auf dieser Tatsache beruht die Objektivität des Glaubens. Die Wirklichkeit des Geglaubten ist "von den subjectiven Erlebnissen der Gläubigen unabhängig", ruht
sie doch sicher "auf der Thatsache der Person Jesu und ihrem Verhältniß
zu den Bedürfnissen des sittlichen Menschengeistes" (Gesperrt gedruckt;
R, 399). Jesu "sittliches Berufsleben" (R, 393) bedeutet in seiner Einzigartigkeit die Rettung für den unter der sittlichen Ohnmacht leidenden Menschen. Jesus richtet in seiner sittlichen Majestät den Liebeswillen Gottes
auf jeden, und er vereinigt "in seiner Person die anschauliche Vertretung
des absoluten sittlichen Endzwecks mit der vergebenden Liebe" (R, 397).
"Diese Vereinigung der absoluten sittlichen Autorität und der allem eigenen Thun des Menschen zuvorkommenden vergebenden Liebe in Jesus begründet die religiöse Gemeinde, die durch ihn an den Vater glaubt" (R, 396).
Die Gewißheit von Gott gründet allein in dieser einzigartigen Offenbarung
Gottes in Jesus. Diese geschichtliche Erscheinung erweist die Wahrheit
des Glaubens. "Wäre es unsere Aufgabe, die Objectivität der Glaubensobjecte noch in anderer Weise zu begründen, so wären wir in der Theologie
verpflichtet, das absolute Factum jener Offenbarung, welches durch sei-

nen inneren Gehalt die Menschen bezwingt, zu verleugnen" (R, 399). Indem W. Herrmann die geschichtliche Tatsache des Lebens Jesu als absolutes (!) Faktum bezeichnet, geht es ihm um das rein Historische der Erscheinung Jesu, womit ein metaphysischer Hintergrund jener Tatsache
ausgeschlossen werden soll. Die Rede vom absoluten Faktum ist von seiner Auseinandersetzung mit J. G. Fichte her zu verstehen, dessen Bestimmung des Gegensatzes des Metaphysischen und Historischen er bejaht[74].

"Aber schlechterdings unmöglich ist es, zu einem sogenannten metaphysischen Grunde dieser geschichtlichen Erscheinung vorzudringen,
ohne darüber ihr selbst die Bedeutung abzusprechen, welche sie sich
beilegt. Entweder wird die geschichtliche Erscheinung der Person Jesu
in ihrem Berufsleben als die absolute Offenbarung Gottes anerkannt,
hinter welcher es keine Tiefe des göttlichen Wesens giebt, wohl aber
in ihr -, oder es gilt als solche der Fund des theologischen Metaphysi-
kers, der metaphysische Hintergrund jener geschichtlichen Thatsache;
beides zusammen zu behaupten, ist ein merkwürdiger Widerspruch.
'Historisch nemlich und das rein Historische an jeder möglichen Erscheinung, ist dasjenige, was sich nur eben als bloßes und absolutes Factum, rein für sich dastehend und abgerissen von allem Uebrigen, auf-
fassen, keineswegs aber aus einem höheren Grunde erklären und ableiten läßt: metaphysisch dagegen und der metaphysische Bestandtheil jeder Erscheinung ist dasjenige, was aus einem höheren und allgemeine-
ren Gesetze nothwendig folgt, und aus demselben abgeleitet werden kann,
somit gar nicht lediglich als Factum erfaßt wird und, der Strenge nach,
nur durch Täuschung für ein solches gehalten wird, da es in Wahrheit
gar nicht als Factum, sondern zufolge des in uns waltenden Vernunftge-
setzes also erfaßt wird.' Damit hat Fichte sehr richtig den ausschlies-
senden Gegensatz des Metaphysischen und Historischen angegeben" (R,
399 f.).

Von den Bestimmungen J. G. Fichtes ausgehend gewinnt W. Herrmann seinen Ansatz bei dem historischen Leben Jesu als dem absoluten Faktum in
der radikalen Ablehnung der Metaphysik. Die Begründung des Glaubens in
der geschichtlichen Tatsache des Lebens Jesu bedeutet, die reine Historizität dieser Tatsache anzuerkennen und damit jede metaphysische Begründung abzuwehren. Diesen frühen Ansatz W. Herrmanns gilt es in seiner
ganzen Radikalität zu sehen. W. Herrmann beruft sich entschieden auf das
Historische. Ob diese in der Abwehr der metaphysischen Fehlinterpreta-
tion des christlichen Glaubens bezogene Position konstruktiv in allen ihren
Folgen durchgehalten werden kann, ist aufgrund der starken Abhängigkeit
von I. Kant von Anfang an zu bezweifeln. Die Problematik bricht bereits
auf, wenn W. Herrmann einerseits das freie Erkennen der geschichtlichen
Tatsache der Person Jesu betont, das "keines hochentwickelten Verstan-
des" bedarf und hierbei von der historischen Eindeutigkeit des Menschen

Jesus in seiner Sittlichkeit ausgeht, andererseits aber unterstreicht, daß
die Erkenntnis der Offenbarung Christi nicht "durch irgendwelche Resultate der Wissenschaft vermittelt" ist, denn diese Erkenntnis "setzt nichts
weiter voraus als das Bestehen sittlicher Gemeinschaft", in der dem Einzelnen das Verständnis "für den Werth des persönlichen Lebens erwachsen" ist (R, 397f). Die These vom Gegensatz des erkennbar Weltlichen und
des erlebbar Sittlichen wirkt sich hier so aus, daß Undifferenziertheit und
Inkonsequenz in der Herrmannschen Position festgestellt werden muß. Die
Einsicht, daß "die Resultate unseres Welterkennens zum Maßstabe des
Seins und Wirkens Gottes" (R, 383) nicht gemacht werden können, ist richtig, weil sie die Unverfügbarkeit Gottes festhält, sie wird aber falsch verstanden, wenn deshalb die Wahrheit der Wahrheitsvermittlung, die die Geschichtlichkeit bzw. Weltlichkeit der Wahrheit impliziert, nicht durch das
Welterkennen erwiesen werden darf und der Durchgang durch die Relativität wissenschaftlicher Erkenntnis abgelehnt wird, nicht aber der durch die
Relativität der sittlichen Gemeinschaft. Der Glaube begibt sich durch
eine solche Ablehnung außerhalb des Zusammenhanges, in den sich Gott
selbst durch die geschichtliche Offenbarung gestellt hat. Die Erkenntnis
der Offenbarung Gottes in einem bestimmten historischen Ereignis ist notwendiger Weise durch Resultate der Geschichtswissenschaft vermittelt.
W. Herrmann entzieht sich auch dieser Einsicht nicht, denn der Mensch,
"der in der Welt steht, um auf sie zu wirken, muß jedes Ereigniß, welches
seine Aufmerksamkeit erregt, in den Zusammenhängen zu erfassen suchen,
welche eben die Zugehörigkeit desselben zu der erkennbaren Welt ausmachen" (R, 384). Deshalb ist auch die historische Dimension nicht ausgeschlossen. Der "geschichtliche Christus" meint auch den historischen Jesus, doch das ist nicht das Wichtigste, denn Jesus muß das persönliche Erlebnis des Einzelnen in der Gemeinschaft sittlicher Menschen werden.
Trotzdem bleibt das Historische wichtig, weil, wird es verkannt, der
christliche Glaube sich grundlegend mißversteht.

Aus diesem Grund wendet sich W. Herrmann im "Verkehr", seiner zweiten Hauptschrift, gegen die Mystik, denn sie ist "eine Frömmigkeit, die
das Historische an den positiven Religionen als Last empfindet und abwirft"
(V, 22). Ebenso beruft er sich in der Auseinandersetzung mit der Orthodoxie
und dem Rationalismus in konstitutiver Hinsicht auf die Geschichte, weil allein "aus dem geschichtlichen Leben" Gott dem Menschen entgegentritt (V,
53). "In der Welt der Geschichte aber, die der Inhalt unseres persönlichen
Lebens werden soll, gibt es keine Tatsache, die wichtiger für jeden einzelnen wäre als Jesus Christus" (V, 53). Diese Behauptung ist jedoch den Orthodoxen und Rationalisten fremd. "Jene meinen von Lehren über Gott und
Christus zu leben, die ihnen durch andere verbürgt sind; diese dagegen
wollen ihren inneren Frieden nicht auf Autoritäten gründen und nicht auf
Dinge, die in der Geschichte vergangen sind, sondern auf die ewige Wahrheit, die sie gegenwärtig in ihrem eigenen Denken erfassen. Beide müssen

sich an unserem Satze stossen, dass die Person Jesu die Tatsache sei,
durch die Gott mit uns verkehrt. Beide sind geneigt, sich den Verkehr
Gottes mit uns als ein inneres Erlebnis vorzustellen, in das äussere Tatsachen überhaupt nicht hineinreichen" (V, 53 f.). Es besteht demnach Anstoß, weil W. Herrmann eine vergangene Geschichte als etwas Wichtiges
für den Glauben betont, somit das innere Erlebnis an eine äußere Tatsache knüpft, da diese in jenes hineinreicht (V, 49 ff). Diese Position W. Herrmanns bildet einen wesentlichen Grund seines Denkens überhaupt, den man
angesichts seiner Absicht, die Erlebbarkeit des Glaubens herauszustellen,
übersehen oder unterbewerten kann. Er findet sich so ausgeprägt auch nur
im Früh- und Hauptwerk, wo die christologische Argumentation dominiert.

In den Spätschriften mit der Auslegung der Wirklichkeit Gottes als geistigen Gehalts gegenwärtiger Erfahrungen rückt das Thema der Christologie
in den Hintergrund. Der Dualismus von Natur und Geschichte, Welt und
Selbst, radikal verstanden als der von objektiv erkennbarer und subjektiv
erlebbarer Wirklichkeit, nötigt W. Herrmann, die Wirklichkeit Gottes völlig mit dem individuellen Offenbarungserlebnis gleichzusetzen. Das liegt
insofern in der Konsequenz seiner Theologie, als er Religion von Anfang
an als individuelles Erlebnis verstanden hat, in dem der Mensch zu sich
selbst findet. Ist es zunächst der Protest gegen die orthodoxe und rationalistische Denkweise in ihrer abstrakten Allgemeinheit, der zu der Betonung
des Subjektiven der Religion geführt hat, so ist es später immer mehr der
Eindruck von der Relativität der Gründe und Inhalte der Religion. Besonders der Relativismus als die dem Historismus innewohnende Konsequenz
bringt W. Herrmann von dem Thema der Christologie ab, weil für ihn die
Christologie Geschichte nicht nur als theologisches, sondern damit auch
als hermeneutisches und historisches Problem bedenkt. Dem Sog des Relativismus muß er sich aber entziehen, da für ihn der Glaube absolute Gewißheit bedeutet. Die Forderung nach unbedingter Gewißheit erhebt er wie
selbstverständlich. Dadurch ist ein durch die Wissenschaft begründeter
Glaube von vorneherein unmöglich. Die axiomatische Voraussetzung, Glaube besitze absolute Gewißheit begrenzt die Frage nach dem Historischen
erheblich.

> "Ein durch die Wissenschaft begründeter Glaube wäre ein Glaube an die
> Welt, nicht aber ein Glaube an den überweltlichen, den Menschen über
> die Welt erhebenden Gott. Durch unseren Glauben soll unser Verlangen
> nach einem ewigen Gute gestillt werden. Dann muß aber dieser Glaube
> in seinem inneren Gefüge fest und unveränderlich sein. Wir müssen die
> Gewißheit haben, daß er ewige Gründe hat und daß seine Wahrheit durch
> keinen Wechsel der Zeit und der Umstände angetastet werden kann" (I,
> 120 f.).

In dem Verlangen nach ewigen Gründen, die durch keinen Wechsel der Zeit

angetastet werden können, teilt W. Herrmann den Rationalismus I. Kants.
I. Kant hat für ihn dem Glauben seine Würde gegeben. "Indem er dem Glauben der christlichen Gemeinde jegliche Begründung durch wissenschaftliche Beweise entzog, betätigte er in Wahrheit sein ernstes Verlangen nach
einem Glauben, der höhere Gründe für seine Gewißheit hat, als ihm die
Wissenschaft zu bieten vermag" (I, 117). I. Kant hat "das Verlangen nach
einem von der Wissenschaft unabhängigen Glauben" in W. Herrmann geweckt (I, 117). Damit kommt er in Konflikt mit seinem Verlangen, nicht
auf eine wissenschaftliche Begründung des Glaubens zu verzichten (vgl. R,
III) und objektive Gründe aufzuweisen. Die Berufung auf den "geschichtlichen Christus" zeigt sich als problematisch, weil dies in irgendeinem Sinne die Abhängigkeit von Historischem und damit auch von der Wissenschaft
bedeutet. Im Zusammenhang dieser Problematik ist das Auftreten von bestimmten Begriffen zu verstehen. So spricht W. Herrmann immer häufi-
ger von "unserem wichtigsten Erlebnis", der "Gewalt des inneren Lebens
Jesu" und der "geistigen Macht Jesu". Mit ihnen will er die Betonung des
Historischen ausschließen, und Religion als unmittelbares, mächtiges Erlebnis zur Sprache bringen. Die unmittelbare Begegnung mit Jesus als der
geistigen Macht verbürgt absolute Gewißheit. Das Historische an der Religion wird im eigentlichen Glaubenserlebnis zurückgelassen. Die Erfahrung
von Wahrheit verträgt für W. Herrmann nicht den Durchgang durch die Relativität. Der Glaube hat letztlich ewige Gründe. Aufgrund der mehr oder
weniger kritiklos übernommenen "Weltansicht Kants" (I,115) ist die Wende zum Spätwerk im Hauptwerk gegeben.

4.2. Der "geschichtliche Christus" als die sittlich vollkommene Persön-
lichkeit

Weil W. Herrmann zunächst sein Denken eindeutig christologisch orientiert,
konzentriert er sich auf den "geschichtlichen Christus". Er übergeht nicht
das Historische an der Religion, sondern thematisiert es. Freilich muß neben dem geschichtlichen Grund des Glaubens immer auch der sittliche genannt werden. "Denn das geschichtliche, d.h. überhaupt das spezifisch
menschliche Leben beruht ganz und gar auf der Voraussetzung, dass sich
die Menschen unbedingt verpflichtet wissen" (V, 85). Daher besteht die Sittlichkeit der Menschen in dem Gehorsam gegen eine unbedingte Verpflich-
tung. Das sittliche Gebot beansprucht jeden Einzelnen, damit jeder das,
was sittlich gefordert ist, selbst als unbedingt notwendig erkennt. Das sittliche Gebot soll "ein Ausdruck unserer eigenen Gesinnung sein" (Sittlichkeit, 28). Das "Verständniß für das unbedingte Recht des sittlich Geboto-
nen nennen wir Gewissen" (Sittlichkeit, 28).

Das Gewissen hat im Denken W. Herrmanns eine entscheidende Bedeutung.
"Denn wenn nicht das Gewissen in uns rege ist, wenn nicht das Verständnis für die Notwendigkeit eines sittlichen Lebens uns zu Suchenden gemacht

hat, so werden wir auch von der Offenbarung Gottes in Jesus nichts ver-
spüren" (I, 147). Das Gewissen führt auf den Weg zu Gott. Nur wer auf
sein Gewissen hört, findet zu sich selbst und damit auch zu Gott. So wird
bei W. Herrmann die Frage nach dem Menschen die Frage nach Gott.

Es "geht aber der Weg zu wahrhaftiger Andacht durch das Gewissen.
Denn ein aufrichtiges Erfassen unserer eigenen Wirklichkeit gelingt
uns nur dann, wenn wir selbst von dem sittlichen Gebot erfaßt sind.
Der Mensch muß vernehmen, was er tun und sein soll, um wahrhaft zu
sich selbst zu kommen" (I, 188).

"Es ist doch wahr, daß wir Gott nicht haben können, ohne seinem Gesetz zu gehorchen. Es ist doch wahrlich eine Erkenntnis christlichen
Glaubens, daß der Mensch, je aufrichtiger sein Gewissensernst ist,
um so ratloser werden wird, wenn er ohne Gott in der Welt ist" (I, 159).

Den Rationalisten und Traditionalisten ist "zu sagen, daß sie der einzigen Autorität, die es für solche Menschen geben darf, ihrem Gewissen
getreulich folgen mögen. Sie werden dann schon... in die innere Not geraten, in der sie nach der Offenbarung Gottes und damit nach der wirklichen Religion verlangen werden" (I, 175).

Mit dieser Einsicht, die von der Evidenz des Ethischen aufgrund des Ge-
wissensphänomens ausgeht, macht es W. Herrmann unmöglich, die Christologie autoritär und exklusiv zu verstehen. Gott und die Offenbarung werden von der Dogmatik dem Menschen nicht ohne Bezug auf die Existenz vorgegeben. Die Offenbarung Gottes in Jesus kann der Mensch verstehen, weil
er überhaupt von der Frage nach Gott bewegt ist. Die Sittlichkeit, d. h. die
Notwendigkeit, auf das Gewissen zu hören, bringt den Menschen auf den
Weg zu Gott und läßt ihn die besondere Tatsache des Lebens Jesu verstehen (Vgl. aus dem Spätwerk: I, 239. 278; II, 251 f. 297. 325. 329). Die Beanspruchung durch das sittliche Gebot ist für W. Herrmann eine Tatsache,
die kein ernsthafter Mensch leugnen kann und die ihm in der Gemeinschaft
persönlichen Lebens positiv begegnet (R, 398; GA, 50 ff).

Wie bei dem Leben Jesu spricht W. Herrmann hier von einer Tatsache.
Die zwei objektiven Gründe des Glaubens sind Tatsachen. Ein ganz bestimmtes Verständnis ist nun mit dem Begriff der Tatsache verbunden: die Evidenz einer Sache. Was Tatsache ist, muß der Mensch sehen. Als Tatsache
wird nur anerkannt, was sich dem ernsten Menschen aufdrängt. "Tatsache
ist für ernste Menschen nur das, was sie sehen müssen, sie mögen wollen
oder nicht" (GA, 92). Kann sich also der sittlich rege Mensch dem Eindruck
der Person Jesu nicht entziehen, so auch nicht dem der sittlichen Forderung. "Darin erfassen wir eine innerhalb des geschichtlichen Lebens geltende objektive Tatsache" (V, 84 f.).

Das Entscheidende ist allerdings nicht die Beanspruchung durch die sittliche Aufgabe, sondern daß der Mensch hinter seiner sittlichen Aufgabe
zurückbleibt und in eine Krise gerät. Die Forderung nach Selbständigkeit
und Wahrhaftigkeit führt in eine tiefe sittliche Not hinein, weil der Mensch
an ihr scheitert. Indem Sittlichkeit nicht zur Freiheit kommt, vielmehr
zur unausweichlichen Erfahrung von Schuld, steht der Einzelne, wie individuell auch seine Lage sich gibt, unter einem allgemeinen Schicksal. Das
sittliche Gesetz führt damit aber die Rede von Selbständigkeit und Freiheit
ad absurdum, denn der Mensch hat aufgrund des starren Gesetzes und seiner unausweichlichen Reaktion darauf keine Chance zur Freiheit. Er vermag diesem Gesetz seines Lebens: 'Du sollst, aber du mußt scheitern!'
nicht einmal zu widersprechen, da es unabänderlich ist. Dann aber kann
der Einzelne nicht verstehen, warum er Glück und Freiheit will. W. Herrmann unterliegt hier einem abstrakten Gesetzesdenken (vgl. E, 29 - 81),
das die Frage nach der Bestimmung des Menschen in keiner Weise positiv
aufnehmen kann. Das Phänomen der Angewiesenheit des Menschen erscheint nur als Tragik. In der Situation des hoffnungslosen Scheiterns tritt
dann Jesus bzw. das Evangelium als "deus ex machina" auf. Allein der
Glaube an Jesus bringt jetzt Rettung (E, 82 ff.), Religion verwirklicht die
Selbstbehauptung des Menschen in Wahrheit.

Jesus erlöst den Menschen, der scheitert. Der Ohnmacht des guten Willens
im Menschen steht die "Macht des Guten" in Jesus gegenüber, der Existenz
im Selbstwiderspruch die Person Jesu in der Klarheit und Einheit eines
Wollens, die den Einzelnen befreit. Die Erscheinung Jesu in ihrer Hoheit
bedeutet angesichts der Schuld und der Tragik des Lebens, "dem Zustand
der Angst vor Gott entnommen werden" (GA, 281). In Jesus siegt das Sittliche als Befreiung, in ihm ist "das Sittliche zu einer geschichtlichen Macht
geworden"[75]. Jesus als die Wirklichkeit des Guten schlechthin gibt dem
Menschen in ihrer Lauterkeit und Güte den Glauben an das Gute und damit
die Gewißheit, daß Gott die Schuld vergibt (GA, 281 f). "Der Glaube hat das
Gute lieb, weil er Gott darin findet, Gottes erlösende Kraft in dem sittlichen Kampfe erfährt" (V, 273). Der vollkommen sittlich reife, sündlose
Mensch Jesus ist der "geschichtliche Christus". Allein in diesem Menschen
kann der Einzelne Gott als seinen Erlöser, den Vergeber der Sünden finden.
"Der sonst in der Welt verlorene Gedanke, daß das Gute die Macht über das
Wirkliche ist, vollendet sich nun zu der Zuversicht, daß die Macht über al-
le Dinge mit Jesus ist, und durch ihn sich uns zuwendet, und unser sich an-
nimmt" (GA, 70). Hier hat die Christologie bei W. Herrmann ihre innere
Spitze. Den Schlüssel für ihr Verständnis enthält der eben zitierte Satz.
Weil der Mensch Jesus die "Macht des Guten" ist, kann er nur als die
"Macht über alle Dinge" bekannt werden. Diese Macht ist Gott, deren Er-
kenntnis in dem "geschichtlichen Christus" als dem sündlosen Menschen
Jesus begründet ist. Der Grund des Glaubens kommt in der Christologie
dort zur Sprache, wo an ihm die Erkenntnis von Gott als der "Macht über

alle Dinge" verständlich wird und Befreiung aus der sittlichen Not geschieht.

"Bei der Lösung jeder sittlichen Aufgabe durchschreiten wir einen Moment, in dem wir zwar die Notwendigkeit des Guten einsehen, aber uns
zugleich eingestehen müssen, dass... es uns kalt und unheimlich vor-
kommt. Durch diese innere Not trägt uns unser Glaube. Er sagt uns,
dass derselbe Wille, der uns jetzt an der Forderung der Pflicht erfahren lässt, wie fern wir ihm sind, uns in Jesus Christus als die Macht
über alle Dinge verständlich wird, die uns zu sich erheben will" (V, 272).

Kein Theologe kann daher auf Christologie verzichten. Sofern nämlich die
Menschen trotz der sittlichen Not durch Jesus an dem Ideal der Sittlichkeit
festhalten können, und sofern ihnen der in der sittlichen Forderung erfahrene Wille in Jesus als die Macht über alle Dinge verständlich wird, drängt
sich die christologische Begründung des Glaubens als unverzichtbar auf.
Durch die an der Frage nach der sittlichen Lage des Menschen sich erweis-
sende Relevanz Jesu wird manifest, daß Theologie die Christologie nicht
aus ihrem Zentrum entlassen kann. Die Bedeutung Jesu gründet darin, daß
er mit keinem anderen Menschen zu vergleichen ist. Die Begegnung mit
Jesus stellt das wichtigste Erlebnis dar, weil es zu der Erfahrung führt,
daß der Mensch grenzenlos vertrauen kann.

"Was dem Einzelnen in der Begegnung mit Jesus widerfährt, ist in seinen Anfängen dasselbe, was in der Begegnung mit ehrwürdigen Menschen geschieht. "Aber das Erlebnis wird dadurch ein spezifisch anderes, daß bei Jesus das fehlt, wodurch andere Personen die Stimmung
des Vertrauens und der Demut ihnen gegenüber stören, die sittliche Unvollkommenheit und Bedürftigkeit. Infolgedessen trifft es uns doch
schließlich, obgleich Jesus in derselben Weise auf uns wirkt wie ehrwürdige Personen im sittlichen Verkehr, wie eine überwältigende Offenbarung, wenn wir sehen, daß seine Seele das Einzige in der Welt ist,
dem wir uns in grenzenlosem Vertrauen hingeben und in völliger Demut unterordnen können" (GA, 69f).

Mit diesen Explikationen kommt es zum Verstehen der besonderen Bedeutung Jesu, freilich zu einem Verstehen, das sittlich geleitet ist, und nur
wenn so expliziert das Ideal der Sittlichkeit feststeht, kann man argumentieren wie W. Herrmann argumentiert. Der Glaube gründet in einem besonderen Vertrauenserlebnis. Kann man seinen Mitmenschen nur vertrau-
en unter der Voraussetzung, doch immer wieder enttäuscht zu werden, so
kann man Jesus vollkommen vertrauen. Der "geschichtliche Christus" ist
die einzigartige, nicht zu überbietende sittliche Persönlichkeit, der man
im Gegensatz zu den ehrwürdigen Mitmenschen, die zwar anregen, aber
aufgrund ihrer Unvollkommenheit nicht erheben, ganz vertrauen kann und

die darum zum wichtigsten Erlebnis wird, das den Einzelnen überzeugt.
Geschichte wird hier unmittelbare Wirklichkeit, der man vertraut und die
der Mensch persönlich miterlebt. W. Herrmanns Interesse gilt dem sitt-
lichen Horizont, in dem Jesus zur Geltung kommt und dem existentiellen
Mitvollzug, der Offenbarung als Erlebnis. Das einzigartige Erlebnis der
Person Jesu macht das Lebensgefühl wahr.

Sagt W. Herrmann, daß der Mensch allein Jesus grenzenlos vertrauen
kann, so geht er von zwei Voraussetzungen aus, der Einmaligkeit Jesu,
die dem Einzelnen in seinem sittlichen Kampf sich aufdrängt und der Tatsache, daß der Mensch vertrauen muß. Daß der Mensch genötigt ist zu vertrauen, gehört zu seiner Grundsituation. Es bezeichnet seinen Lebensvoll-
zug. Eröffnet sich nun der Glaube an Gott aus dem Vertrauenserlebnis,
dann ergibt sich für W. Herrmann die Begründung des Gottesgedankens
aus dem Wesen des Vertrauens. Indem W. Herrmann sich immer mehr
auf den Gehalt des Vertrauensvorganges selbst besinnt, zugleich die historische Frage nach dem Leben Jesu zurückstellt, droht ihm in seinen Spätschriften die Gefahr, daß die Bindung des Vertrauenerlebnisses an Jesus
überflüssig wird. Die Selbstfindung des Individuums ereignet sich in der
Besinnung auf das Grunderlebnis des Vertrauens, bei der die Frage nach
einem objektiven Ereignis der Vergangenheit, das für das Vertrauen konstitutiv sein soll, stört bzw. sich erübrigt. Damit stellt sich die Frage, ob
die Beschreibung und Deutung des Lebens Jesu als eines sittlich einmaligen Lebens genügt, um die grundlegende Bedeutung der Geschichte Jesu
für den Glauben an Gott einsichtig zu machen.

4.3. Die geschichtliche Tatsache des Lebens Jesu als objektiver Grund
des Glaubens

W. Herrmann legt in seinem Hauptwerk alles Gewicht darauf, daß der "ge-
schichtliche Christus" die sittlich vollkommene Persönlichkeit ist. Seine
Bedeutung erkennt man jedoch nur, wenn man bewußt nach Jesus als einer
Tatsache der Vergangenheit fragt. Die historische Erscheinung in ihrer
Tatsächlichkeit muß man sehen. Was Jesus wollte, kann "an der Gesamthaltung Jesu deutlich gesehen werden", deshalb haben wir, wollen wir die
"Hauptsache von ihm lernen", "auf ihn selbst und sein thatsächliches Verhalten" zu sehen (Demut, 571). Jesus wollte "vor vielen Jahrhunderten der
Messias Israels sein" (V, 70). Diese Tatsache "nötigt uns Bewunderung ab",
denn ein Mensch, "der Messias sein wollte", "bildete sich notwendig ein,
dass sein Dasein und Wirken die Welt vollende, dass die Zwecke der Schöpfung Gottes in seiner Person zusammengefasst seien" (V, 70). Daß Jesus
sich als Messias verstand und sein messianisches Werk vollbrachte, betrachtet W. Herrmann als historisch verifizierbar. Das Bild, das von Jesus aus der Überlieferung entsteht, basiert auf erkennbar Historischem.
So ist es für W. Herrmann ein historischer Satz, wenn er sagt: "Die Rich-

tigkeit jener Züge seines Bildes dagegen muss jedem feststehen, der die
Annahme für absurd halten muss, dass die Spur der Erdentage eines Menschen, der die gewaltigste geschichtliche Wirkung ausgeübt hat, gänzlich
verwischt sein sollte" (V, 58). Daß W. Herrmann hier mit dem historischen Urteil argumentiert, beweist die Änderung des Satzes in der späteren Auflage. Dort heißt es nicht mehr: "Die Richtigkeit jener Züge" des
Bildes Jesu, sondern: "Die Richtigkeit einiger ((!)) Züge seines Bildes"
(5 V, 55). Diese Korrektur entspricht seiner veränderten Meinung über die
Forschungslage. Er kann nur noch von der Richtigkeit einiger Züge des
Bildes Jesu ausgehen, da er die historische Forschung immer weniger zu
sicheren, positiven Urteilen kommen sieht.

Wird die Überzeugung, in Jesus "den Grund unseres Glaubens, die uns gegenwärtige Offenbarung Gottes" zu sehen, auch "durch ein historisches Urteil nicht begründet" (V, 59), W. Herrmann kann auf gewisse historische
Urteile nicht verzichten. Ist Gott "in dem gekreuzigten Christus in unsere
Mitte getreten" (ThLZ 1884, 199), "in dieser Leidensgestalt" (ThLZ 1884,
202), in "dieser einsamen Gestalt der Geschichte" (I, 102), dann haben das
Leben, Leid und Tod Jesu in ihrer Einmaligkeit auch historisch festzuste-
hen. Die historische Frage darf nicht gänzlich abgewiesen werden, will der
Glaube sich nicht schutzlos dem Verdacht aussetzen, "eine Illusion des bedrängten Menschen" (ThLZ 1886, 88) zu sein. Darum beruft sich W. Herrmann auch auf historische Gründe. Daß Jesus, wenn er vom Reich Gottes
sprach, "in erster Linie an Herrschaft Gottes dachte, wird auch durch historische Gründe ((!)) wahrscheinlich gemacht" (V, 78). Daß Jesus durch
die Einzigartigkeit seines Lebens auffiel, kann schon (!) der Historiker
sehen.

> Jesus lebte ein Leben in aufrichtiger Liebe mit dem Anspruch, daß
> durch sein Dasein, die Menschen "den Gott herausmerken sollen, der
> in ihnen herrschen, durch den Erweis seiner allmächtigen Liebe ihr
> völliges Vertrauen gewinnen will." Jesus führte die Menschheit auf die
> Höhe der sittlichen Erkenntnis. Er ist unfaßbar und wunderbar für die
> Sünder. "Daß dies alles eine geschichtliche Erscheinung ausmacht, die
> hoch über allem steht, was sich sonst in der Geschichte bewegt, das
> kann schon ein Historiker sehen" (GA, 284).

Wann immer W. Herrmann den Grund des Glaubens als gegenwärtige (!)
Wirklichkeit zur Sprache bringt, er setzt die in der Hauptsache positive
Antwort auf die historische Frage nach Jesus voraus, und die Tatsächlich-
keit des Wichtigsten des Lebens Jesu als das Beste in der Welt sieht auch
der Historiker. Denn fragt man die Historiker, "ob ihnen nicht auch das
Bild Jesu, das sie gewonnen haben, reich ausgeführt oder in wenigen ((!))
Zügen das Beste sei, was sie in der Welt kennen gelernt hätten, so sagen
sie unbedenklich: Ja" (GA, 93). Nicht nur, weil sich das Vertrauen auf Je-

sus gegenwärtig bewährt, sondern weil es auch durch historische Gründe
gestützt wird. Andernfalls wäre die Rede von der besonderen Offenbarung
in Jesus töricht und für eine reine, gegenwärtige Erfahrungsfrömmigkeit
überflüssig.

Die geschichtliche Begründung des christlichen Glaubens in der Neuzeit
gibt dem Christentum sein Recht und läßt seinen Wahrheitsanspruch nicht
auf eine unbegründete, nicht einsichtige Behauptung zusammenschrumpfen.
Die geschichtliche Tatsache des Lebens Jesu bildet das Faktum, auf das
sich der Glaube stützt. Die volle Menschwerdung Gottes, die Geschichtlichkeit der Offenbarung, bedeutet für W. Herrmann die Möglichkeit des
wahren Erkennens. Das christologische Problem ist ein noetisches Problem. Aufgabe der Theologie ist es, das reale Leben Jesu zu erkennen,
denn in dieser Geschichte hat sich Gott dem Menschen gültig zu erkennen
gegeben. Wie A. Ritschl entwickelt W. Herrmann eine 'Christologie von
unten' (vgl. V, 67), der es um den Erkenntnisgrund des Glaubens geht. Die
Frage nach dem Grund des Glaubens führt zu der geschichtlichen Erscheinung Jesu, die als "Macht des Guten" erkannt wird und Gott als die "Macht
über alle Dinge" glauben läßt. Der Glaube hat die Gewißheit, daß Gott sich
des Menschen annimmt. Die geschichtliche Tatsache des Lebens Jesu verbürgt ihm das und beweist sich im gegenwärtigen Leben. Unser Glaube bedarf also geschichtlicher Tatsachen, weil "wir nur aus Ereignissen unserer
Geschichte den Eindruck gewinnen können, daß Gott uns in unserm zeitlichen Leben aufsucht und sich unser annimmt" (I, 103). Daß in der Geschichte der Menschheit die Erscheinung Jesu das wichtigste Ereignis ist, steht
für W. Herrmann fest (I, 102), und er will dies für den Unglauben verständlich darlegen, nachdem die orthodoxe Theologie den wirklichen Menschen
Jesus weitgehend verdeckt hat. Nicht in Dogmen und Lehren, Träumen und
Mythen, sondern in dem einfachen Menschen Jesus von Nazareth ist die
"Macht des Guten" zu sehen, die Gott in seiner grenzenlosen Liebe offenbar macht. W. Herrmann ist in seinen Hauptgedanken "noch bestimmt
durch die Ritschl'sche Hinwendung zu Gott als zu einem ethischen Ideal
und zu Jesus als dem historischen Faktum, das dieses Ideal anschaulich
mache"[76].

Der christliche Glaube geht davon aus, daß Gott, da er "in der Geschichte
zu uns gekommen ist", nicht "eine verborgene rätselhafte Macht" ist, sondern "Christi uns verständlicher und vertrauter Wille" (V, 25). Im Gegensatz zum Spätwerk, das Gott die "verborgene Macht" und die Religion das
"unsagbare Geheimnis" nennt (II, 332), betont das Hauptwerk den in dem
Menschen Jesus offenbaren Gott. Weil der Glaube seinen Grund in dem "geschichtlichen Christus" als der besonderen Offenbarung Gottes hat (I, 62),
ist die Offenbarung Gottes nicht "in der nichtobjektivierbaren Subjektivität
im wehrlosen Dunkel des gelebten Augenblicks der Betroffenheit"[77] zu suchen. J. Moltmann interpretiert hier W. Herrmann zu einseitig. Er nivel-

liert die Differenz von Haupt- und Spätwerk. Zur Interpretation der Theologie W. Herrmanns kann man sich nicht allein auf dessen spätere Schriften stützen[78]. Die Wandlungen im Denken W. Herrmanns, die unterschiedliche Verwertung des christologischen Ansatzes und die Unausgeglichenheiten des christologischen Ansatzes selbst verlangen differenzierte Urteile.

Im Hauptwerk W. Herrmanns macht die geschichtliche Tatsache des Lebens Jesu das Glaubenserlebnis gerade nicht zu einem wehrlosen, unableitbaren und dunklen Akt. Der Spitzensatz der Christologie des Hauptwerkes
ist, daß die geschichtliche Tatsache der Person Jesu den objektiven Grund
des Glaubens bedeutet, auf den sich der Christ stützt (V, 84). Damit wird
die Grunderkenntnis des Glaubens bezeichnet. Von ihr geleitet wendet sich
W. Herrmann gegen die vorschnelle Berufung auf den Heiligen Geist (vgl.
Gewißheit, 8 f.) und die eigene Erfahrung (vgl. I, 145). Er polemisiert sogar gegen das Verständnis des Glaubens als persönliches Erleben und Fühlen, wenn die Abhängigkeit von der "von Aussen her gebotene(n) Offenbarung" (ThLZ 1887, 525) in ihrer grundsätzlichen Bedeutung verkannt und
das sektiererische Reden vom Heiligen Geist die Wahrheit des Glaubens
verdeckt.

"Der heilige Geist dagegen, den man in bestimmten Momenten als eine
besondere Erlösungsmacht zu erleben und zu begreifen meint, ist der
Irrgeist der Secten. Wenn" W. F. Gess "die Wirklichkeit des heiligen
Geistes sich nicht in einem Glaubensurtheil feststellt, sondern in seinen
eigenen Erfahrungen zu ergreifen meint, wenn er nicht im Glauben als
Glied der Gemeinde Christi und in bewusster Abhängigkeit von Gottes
Offenbarung in Christus des heiligen Geistes gewiss wird, sondern den
Contact des Geistes Gottes mit dem seinigen, wie er sagt, in einzelnen
Lebensmomenten erfährt und geniest: so müsste er bei consequentem
Denken zu der Person Christi dieselbe Stellung einnehmen, wie Biedermann und Pfleiderer. Er könnte ihn wohl noch als Mustermenschen und
kräftigen Erreger religiöser Gefühle würdigen, aber nicht als den Erlöser, der allein ihn zu Gott emporträgt. Ich wenigstens würde, wenn ich
als Individuum, also in einer für mich sinnlich fassbaren Weise mit dem
Geiste Gottes in Berührung und Verkehr stände, mich um keine von Aussen her gebotene Offenbarung, also auch um Christus nicht weiter kümmern. Denn ich suche nichts weiter, als ein Leben in und mit Gott. Habe ich dies nicht in der Form des Glaubensurtheils, sondern in Form
des individuellen Erlebnisses, was soll mir dann noch Christus?" (ThLZ
1887, 524 f.).

Fragwürdige Theologie ohne Christologie - diese Kritik ist gerade im
Blick auf das Spätwerk W. Herrmanns zu bedenken. Wendet sich nicht dort
W. Herrmann von seinen eigenen kritischen Grunderkenntnissen ab? Hier

sieht er deutlich, daß es nicht genügt, der Grundforderung, Gott in der
Tatsache der Person Jesus Christus zu finden, letztlich nur aus formal-
christlichen Gründen zuzustimmen, vielmehr ist dieser Forderung inhaltlich bewußt nachzugehen. Nicht dem individuellen Erlebnis ist alles zuzu-
trauen, sondern "der Person Jesu und der wunderbaren Thatsache, dass
wir in ihr mit Gott selbst zusammentreffen" (ThLZ 1887, 525). Der Christ
vertraut 'im Entscheidenden' nicht dem, was er in sich selbst erlebt, was
ihn unmittelbar berührt, sondern Christus als dem wichtigsten Ereignis
der Geschichte. Dies unterstreicht W. Herrmann mit einem negativen Beispiel: Ein Feldherr, "der sich zwar, sonst an der Erscheinung des Gottes-
mannes Jesu erbaut, aber bei Beginn der Schlacht von einem unmittelbaren
Berührtwerden mit dem Geiste Gottes eine Erhöhung seiner Einsicht und
Thatkraft erwartet, fällt in diesem wichtigen Momente von Christus ab und
wird ein Heide" (ThLZ 1887, 525). Den letzten Halt findet der Fromme auch
nicht "in einer Tatsache des subjektiven Lebens, in der geistlichen Erfahrung des Wiedergeborenen" (GA, 291). Wer an der persönlichen Erfahrung
der Wiedergeburt entscheidend festhält, der "muß dazu freilich vergessen,
daß das Bewußtsein der Wiedergeburt erlöschen würde, wenn die auch dem
Nichtwiedergeborenen faßbare Tatsache des Menschen Jesus aus der Geschichte verschwände" (GA, 290). Die Rede vom Heiligen Geist und der Wiedergeburt wäre bodenlos, hätte sie ihren objektiven Grund nicht in dem Leben des Menschen Jesus, das jedermann sehen kann. "Der Grund des Glaubens kommt von außen her an uns heran; wer ihn, nachdem das sittliche Bedürfnis eines Christen in ihm rege geworden ist, dennoch in sich selbst zu
finden meint, der ist verloren" (GA, 292). W. Herrmann sieht hier ganz
klar, daß ein Glaube an Gott, der die Tatsache des Lebens Jesu nicht als
seinen objektiven Grund erkennt, auf Jesus letztlich verzichten kann und
als christlicher Glaube verloren ist. Diese Einsicht richtet sich dann auch
gegen seine eigene Position im Spätwerk.

Wie sich allerdings die Objektivität des "geschichtlichen Christus" zu der
Subjektivität des Glaubenserlebnisses verhält, bleibt auch im Hauptwerk
insofern problematisch, als dem ganzen Denken W. Herrmanns der Dualismus von Welt und Selbst zugrunde liegt. Gehört das Nachweisbare, Objektive auf die Seite der Natur, die Frömmigkeit, das Subjektive auf die
Seite der Geschichte, und gibt es keinen Übergang von der Welt der Wissenschaft in die Welt des Glaubens (I, 115), dann ist schwer zu sehen, wie
der Fromme sich auf zwei objektive Glaubensgründe gründen kann. Die
Auskunft, daß solche Gründe im Glauben selbst präsent sind, der Glaube
innere Gründe besitzt, bedeutet keinen Ausweg aus dem Dilemma. W. Herrmann verknüpft nämlich jeweils eine andere Absicht mit der Nennung der
inneren oder objektiven Gründe. Er spricht von inneren Gründen, weil sie
die Gewißheit und Wahrheit des Glaubens im Bewußtsein des Glaubenden
als gegenwärtig und wirksam erweisen. Er spricht von objektiven Gründen,
weil sie die Gewißheit und Wahrheit des Glaubens unabhängig von der sub-

jektiven Überzeugung des Glaubenden erweisen. Das Problem ist damit keineswegs gelöst, sondern nur bezeichnet.

Jene Grundgedanken der Christologie, die Objektivität und Einmaligkeit des Lebens Jesu, an denen W. Herrmann zunächst ganz festhält, sperren sich gegen eine Theologie, die dem Grundgedanken der Philosophie I. Kants folgt. W. Herrmann sieht das nicht; er glaubt vielmehr mit Hilfe "der Weltansichts Kants" (I, 115) die Wahrheit des Christentums zu rechtfertigen. "Kant hat die Vorstellung von der Welt wissenschaftlich begründet, welche allein dem Evangelium entspricht" (I, 106). Die faktische Überbietung I. Kants im Werk W. Herrmanns durch Jesus Christus erscheint dann hoffnungslos. Der Rekurs auf den "geschichtlichen Christus" als eine Tatsache der Welt kann nur sinnvoll sein, wenn nicht die dualistische Sicht der Wirklichkeit zur Voraussetzung gemacht wird, wenn der Wirklichkeitsbegriff der klassischen Naturwissenschaft nicht kritiklos hingenommen wird, ein Übergang von der Welt der Wissenschaft zur Welt des Glaubens gedacht werden kann, Erkennen und Erleben nicht getrennt werden. Darum erweisen sich jene Gedanken als weiterführend, in denen nicht aus dem Dualismus konsequent argumentiert wird. Dazu zwingt aber die geschichtliche Erscheinung Jesu als Offenbarung Gottes. Die notwendige Rechtfertigung des Glaubens von Jesus her kann sich nicht einfach der Weltansicht I. Kants verschreiben. Sie muß die Frage nach der Einheit der Wirklichkeit als Frage nach der Wahrheit verfolgen unter der Voraussetzung, daß sich die Wahrheit geschichtlich vermittelt, somit der Durchgang durch die Relativität bejaht, die Relevanz wissenschaftlicher Resultate für den Glauben wesentlich anerkannt wird.

Sieht W. Herrmann ein, daß nicht nur vom unmittelbaren Erlebnis des Glaubens die Beweiskraft für die Wahrheit des Glaubens ausgehen kann, sondern von der geschichtlichen Tatsache des Lebens Jesu als dem objektiven Grund des Glaubens, dann vermag er nicht die historische Frage von der religiösen zu trennen und wissenschaftliche Ergebnisse für irrelevant halten. Wie wenig er das vermag, beweist die Tatsache, daß W. Herrmann sich auch im Spätwerk genötigt sieht, sich mit den Resultaten der historischen Wissenschaft auseinanderzusetzen. Es ist "jene Möglichkeit" (Not, 30. 27. 28), daß der Historiker "durch neue Entdeckungen" beweist, daß Jesus "nie in der wirklichen Geschichte gestanden habe, sondern der Phantasie religiös erregter Menschen entstamme" (Not, 27), die W. Herrmann bedrängt und der stärkste Grund ist, je größer diese Möglichkeit für ihn wird, seine Christologie zu ändern. Das zeigt in negativer Weise bei W. Herrmann gerade, daß der Glaube, will er sich in seiner Zeit verstehen, von der Wissenschaft abhängig ist.

4.4. Die Bedeutung A. Tholucks für die Christologie W. Herrmanns

Der Christologe W. Herrmann steht in seinem ganzen Denken in einer gewissen Distanz zu I. Kant. Das erkennt man an seiner Reaktion auf den Vorwurf, den "neukantischen Dualismus" zu vertreten. Er betont seine Kritik an I. Kant und hebt besonders den Einfluß A. Tholucks hervor.

"Frank schilt meinen Standpunkt 'neukantischen Dualismus', weil er
...sich das Christentum nur in der wunderlichen Umrahmung mit Gedanken Schellings und Baaders vorstellen kann. Luthardt hat meinen diesem Gegenstande gewidmeten Schriften entgegengehalten, auf solche Weise werde die Einheit unseres geistigen Lebens zerrissen und dem Glauben der sichere Boden entzogen" (GA, 256).

Für W. Herrmann hat J. Kaftan "den Beweis geliefert, daß die Selbständigkeit, welche ich dem religiösen Glauben zu erstreiten suchte, keineswegs...nur im Anschluß an Kant zu gewinnen ist" (GA, 257).

W. Herrmann muß gegenüber der Kritik von R. Grau darauf hinweisen, daß er "die Schwächen der kantischen Gedankenbildung" oft genug zu erweisen sucht (GA, 257). Ihm ist es dagegen vor allem "darum zu tun, daß der Glaube lediglich von Gottes Offenbarung abhängig sei, und daß die theologische Erkenntnis nichts weiter sein wolle als eine getreue Entfaltung dieses Glaubens" (GA, 258). In einer Anmerkung gibt W. Herrmann dann die wichtige Auskunft zum Verständnis seiner Position: "Grau erzählt von mir, ich hätte mich zuerst von Kant, dem philosophischen Genius der Neuzeit inspirieren lassen und hätte mich erst von ihm aus zu Luther gewendet. Damit erzählt Grau mir selbst etwas Neues. Denn erstens bin ich in einem christlichen Elternhause erzogen. Zweitens habe ich in meiner Studienzeit - ich habe nur in Halle studiert - zwei und ein halbes Jahr in Tholucks Hause im regsten Verkehr mit ihm leben dürfen. Die Einwirkungen, die ich an diesen beiden Orten empfangen habe reichen sicherlich weiter als irgend eine literarische, wenn auch noch so starke Berührung. Sie stehen ohne Zweifel mit dem Werke Luthers in sehr engem Zusammenhange; mit dem Werke Kants in gar keinem. Allerdings habe ich mich dann als Student nicht ohne Erfolg um das Verständnis der Wissenschaft Kants bemüht, während ich mir damals ein geschichtliches Verständnis Luthers in seinem Unterschiede von der sogenannten orthodoxen Dogmatik nicht erworben habe" (GA, 258).

Der Einfluß A. Tholucks auf W. Herrmann ist nicht zu unterschätzen. Sachlich bedeutet er, daß das Denken W. Herrmanns von Anfang an christologisch orientiert ist. A. Tholuck geht es vor allem darum, daß der Mensch Christus als seinen Erlöser findet. Der Christ hat deshalb über sein christologisches Grunderlebnis Rechenschaft zu geben. Dieses nennt er: "Wenn der Sterbliche in der Minute, die zwischen seinem ersten Lächeln liegt und seinem letzten, sich die Zeit nimmt, sich zu besinnen, warum er gekommen und warum er geht, wenn er zwischen dem Blitze des Lebens und dem Schlage des Todes seinen <u>Christus</u> findet, so steht er am Ziele..."[79]. Christus bedeutet für den Sünder das Leben, denn in der Totalität seiner Erscheinung erlöst er den Menschen von seinem Elend. Er ist die Rettung in einer Welt der Sünde. Von dieser pietistischen Christusfrömmigkeit ist W. Herrmann geprägt. Die Erscheinung des Christus in dieser Welt bringt, was den Menschen fehlt. Die Betonung der Geschichtlichkeit dieser Erscheinung bei A. Tholuck gegenüber Rationalismus und Idealismus muß hierbei deutlich gesehen werden. W. Herrmann übernimmt sie, mit ihr den Begriff des "geschichtlichen Christus". "Wer nun noch nicht fühlt, daß ihm etwas fehlt, was weder der rationalistische Menschensohn noch der idealistische Gottessohn, sondern der ganze ungetheilte, geschichtliche Christus allein zu geben vermag, der spotte nicht über den, der das fühlt"[80]. Nicht nur das pietistische Insistieren auf das Erleben und Fühlen des Heils hat W. Herrmann von A. Tholuck vermittelt bekommen, sondern auch das Festhalten an der Geschichtlichkeit Jesu. Es ist "Tholuck der die Glaubwürdigkeit der evangelischen Geschichte verteidigte"[81] und "der seinen Glauben von der Authentizität der johanneischen Verfasserschaft des vierten Evangeliums abhängig machte"[82].

Daß W. Herrmann von der Geschichtlichkeit des Lebens Jesu betont ausgeht, kann im Blick auf den Einfluß A. Tholucks verständlich gemacht werden. Durch den weiteren und bestimmteren Einfluß A. Ritschls ist dann die geschichtliche Begründung des Glaubens zum christologischen Programm erhoben worden. Das programmatische Element, daß W. Herrmann von A. Tholuck vermittelt bekommen hat, darf in der Hochschätzung der individuellen, sittlichen Erfahrung gesehen werden.

A. Tholuck führt in seinem theologischen Grundwerk: "Die Lehre von der Sünde und vom Versöhner oder die wahre Weihe des Zweiflers" (1823)[83] aus, daß der Mensch auf die Offenbarung angewiesen ist, doch die Offenbarung erweist ihre Bedeutung erst dort, wo sie die sittliche Krise löst, in die der Einzelne aufgrund des Widerstreits zwischen seiner Bosheit und der Sittlichkeit kommt. A. Tholuck geht kritisch über I. Kant hinaus, indem er den Konflikt als radikal unlösbar vom Menschen her darstellt. Dieser kann sich selbst keine Hoffnung geben, denn das Böse nimmt jeden Grund, weil es selbst ohne Grund ist. Das Böse "ist das Streben außer Gott zu seyn, sich selbst Gesetz des Lebens zu seyn" (25). Es hat die Eigenheit, "daß es keinen Grund hat." Im gegenwärtigen Leben tut der Mensch die Sünde wider bessere Einsicht. "Es ist eben die Natur des Bösen, daß es blind ist" (27 f). So wird das Böse "jener überwältigende, blinde Trieb in mir" (35). Auch für W. Herrmann gilt das Böse als die Selbstbehauptung gegen die Forderung der Sittlichkeit, doch es ist nicht blinde, sondern

"träge Lust am Natürlichen" (E, 70). A. Tholuck bestimmt das Gewissen
nicht als Grund der Hoffnung, denn es beweist nur die Sündhaftigkeit. Der
endliche, von Gott abgefallene Mensch erhielt "statt des göttlichen Bewußt-
seyns das Gewissen, das erst mit der Sünde entstehen kann, indem es nur
mahnend ist" (32). Daher muß jeder sich seine Unmöglichkeit und Unfähig-
keit vor Gott eingestehen. "Ohne die Höllenfahrt der Selbsterkenntniß ist
die Himmelfahrt der Gotteserkenntniß nicht möglich" (41, gesperrt gedruckt).

Diese Verbindung von Selbst- und Gotteserfahrung findet sich in W. Herrmanns Theologie der Krise. Voraussetzung der Erfahrung des Heils ist
die unerbittliche Wahrhaftigkeit sich selbst gegenüber. Daß das Leben des
Menschen die Ohnmacht des Guten zeigt, daß es durch Bosheit und Schuld
gekennzeichnet ist, dies gilt es einzugestehen. Wenn aber die Selbstbesinnung zu Christus führt, dann erfaßt ihn die ganze andere, selige Macht des
Herrn, die, wie A. Tholuck betont, nicht auf den "Maaßstab von mensch-
lich Großem auf göttlich Großes" paßt (74). Es kam "ein Erretter aus aller
Noth, von allem Uebel, ein Erlöser vom Bösen" (74). "Nun mag der Sturm
des Schicksals, der Welten ausweht und brennende Herzen, heranrauschen,
wir stehen auf den Fels gegründet" (65). W. Herrmann sagt: "Der Grund
des Glaubens, der uns wirklich rettet, muß ein Felsen sein, der gerade
dann standhält, wenn dem Menschen jene ganze Wirklichkeit, die der Glaube sieht, zerrinnt" (GA, 286).

Die Macht Jesu zeigt sich - und das stellt das Herzstück der Christologie
A. Tholucks dar - in seinem erlösenden Tod.

> Der Tod Christi soll nicht nur dazu dienen, "überhaupt dem Sünder Freu-
> digkeit und Muth und Kraft zu erneuertem Umgange mit Gott zu verlei-
> hen, sondern daß er zugleich sowohl als ein welthistorisches Ereigniß
> dasteht, durch welches Gott überhaupt die Verwerflichkeit der Sünde of-
> fenbart, als auch dem Einzelnen, in Verbindung mit dem freudigen Be-
> wußtseyn der Vergebung seiner Sünden, einen erneuerten Eindruck von
> der Majestät der göttlichen Heiligkeit geben soll" (114 f).

Entscheidend ist die Vorgegebenheit der Liebe Gottes, die in der Vergebung der Sünden erfahren wird (Vgl. GA, 282!). Diese Vergebung wird in
der "Wiedergeburt" empfangen (155), und auf diese Erfahrung muß sich der
Christ berufen, wenn er Grund und Inhalt des Glaubens darlegt (219). Daß
Gott "da ist für die, welche ihn suchen" angesichts ihrer "Erkenntniß der
überwiegenden Herrschaft der Selbstsucht", erfährt der Mensch "durch die
innere That Gottes in seinem Herzen, die Wiedergeburt, und so ist seine
Ueberzeugung auf eine unerschütterliche Basis gegründet, auf Facta seines
Innern" (221).

Diese Verankerung des Glaubens in dem persönlichen Erlebnis bejaht W.
Herrmann, denn nur so wird er als gegenwärtige Macht des Lebens aussagbar. Glaube hat sich im unmittelbaren Erleben und nicht im distanzie-
renden Erkennen zu finden. Im Zusammenhang dieser Einsicht ist die Subjektivität jeder (!) Erkenntnis herauszustellen (R, 444). In der eigenen Besinnung auf das lebendige Selbst in seiner erlösenden Erfahrung kommt es
zur Wahrheit, denn der Realgrund von allem, "die Macht des Seinsgrundes"
ist nicht objektiv erkennbar (R, 444). Wenn W. Herrmann sagt: "Das Wahr-
haftwirkliche der Religion liegt also nicht in der Tiefe der objectiv erkennbaren Dinge, sondern in der Tiefe unseres eigenen Daseins" (R, 441), dann
entspricht das der Meinung A. Tholucks: Die Basis, auf welche die Dogmatik ihren Turm baut, "liegt nicht in den lichten Höhen des Kopfes, sondern
in den dunkeln Tiefen des menschlichen Herzens" (218 f). Beide bestimmen
die erlöste Subjektivität inhaltlich durch die Erfahrung der Liebe Gottes angesichts der menschlichen Verderbtheit, durch das Erlebnis der Sündenvergebung angesichts der übergroßen Sünde. Diese Tatsachen sind unmittelbar
gewiß. "Thatsächlich wird die Sünde im Menschen erfahren, thatsächlich
ihre Vergebung" (285). Durch diese Tatsachenerlebnisse wird die Wahrheit
Bewußtsein im Menschen und läßt ihn die Wahrheit recht verantworten.

"So wird die Wahrheit Bewußtseyn in ihm, und daraus geht der Glaube
an jene äußerlich geschichtliche Offenbarung hervor, durch welche die
innerliche Wahrheit an das Gemüth des Menschen gekommen ist. Der
Glaube hat daher einen zwiefachen Charakter je nach den Glaubenswahrheiten. Der Glaube an Sünde und Versöhnung in Christo und die zugleich
mit der Versicherung bewirkte heiligende Einwirkung des Geistes ist unmittelbare Lebensgewißheit, unumstößlich wie der Odem des leiblichen
Lebens. Aus diesem - so zu sagen - unmittelbaren Glauben geht hervor
der mittelbare Glaube an alle übrigen Glaubenswahrheiten, welcher hie
und da unterstützt werden mag durch geschichtliche Data, immer aber
wurzelt und Kraft zieht aus jenem unmittelbaren Glauben, der Leben ist.
Daher kann Unglaube an den Geschichten des Neuen Testaments da seyn,
wenn auch alle Zweifel dagegen widerlegt sind, und wiederum können
tausend Zweifel vorhanden seyn, und doch wankt der Glaube nicht, der
aus dem innern unmittelbaren Glaubensleben Mark und Saft zieht" (285 f).

In dieser Position A. Tholucks, die zwischen dem Glaubensgrund und den
Glaubensgedanken unterscheidet, ist schon im Grundsatz die Christologie
W. Herrmanns formuliert. W. Herrmann nimmt jedoch eine wichtige Korrektur vor, die durch den späteren Kampf A. Tholucks gegen D. F. Strauß
um die Glaubwürdigkeit der Geschichte Jesu als notwendig erwiesen ist.
Der Glaube bedarf der objektiven geschichtlichen Begründung. Er muß sich
inhaltlich an der objektiven Geschichtstatsache des Lebens Jesu ausweisen
können. Hierbei kommt es nicht nur auf das Kreuz als unmittelbares Heils-
ereignis an, sondern auf das Bild Jesu, das in seinen wichtigsten Zügen uns

von der Einzigartigkeit Jesu überzeugen muß. Das Leben Jesu in seiner
sittlichen Hoheit ist zu sehen. Ein solches Sehen aber hat A. Tholuck nicht
gemeint und gewollt. Er beschreibt kein Bild Jesu, weil der Glaube kein
Schauen ist. So waren schon die Apostel "nur an den Glauben verwiesen"
(83). Das Schauen als Beweisen gibt eine Überzeugung "aus zulänglichen,
mittelbaren, objectiven Gründen" (83 f). Der Glaube aber ist eine Überzeugung "aus unumstößlichen, unmittelbaren subjectiven Gründen" (84).
Diese Auffassung korrigiert W. Herrmann, denn der Glaube gründet in gewissen, objektiven Gründen. Die Objektivität des Glaubensgrundes muß
nicht bloß durch die Besinnung auf die Korrelation von Sittlichkeit und
Selbstgefühl erbracht werden, sondern positiv durch die Selbstoffenbarung
Gottes in dem geschichtlichen Jesus. Die geschichtliche Gottestat ist objektiv erkennbar. "Wenn diese uns offenbare That Gottes nicht vorhanden
wäre, oder nicht den Inhalt hätte, den sie hat, so könnte eben von dem,
woran wir glauben, nicht die Rede sein; und zwar nicht bloß deshalb, weil
dann der geschichtliche Anfänger unseres Glaubens fehlen würde, sondern
vor Allem, weil wir dann außer Stande wären, jener Welt des Glaubens als
einer für uns geltenden gewiß zu werden" (R, 429). Gewißheit gibt es für
W. Herrmann nur durch den geschichtlichen Jesus, den der Mensch in der
Bibel sehen kann. Ist der Realgrund des Glaubens dem Erkenntnisgrund
vorgegeben, so vermittelt doch der Erkenntnisgrund den Realgrund. Diese
Einsicht impliziert, daß an dem geschichtlichen Datum des Lebens Jesu
die Wahrheit des Glaubens hängt. Wir sind auf die Glaubwürdigkeit der Geschichte Jesu angewiesen.

Die scharfe Form des Zweifels an der evangelischen Geschichte, die D.F.
Strauß 1835 vorträgt, läßt A. Tholuck die theologische Bedeutung des geschichtlichen Glaubensgrundes erkennen. Er erklärt 1837 in seiner Antwort an D.F. Strauß, daß die Wahrheit des Evangeliums nicht nur "auf
dem Weg des unmittelbaren Gefühls" darzulegen ist, sondern auch "auf
dem Weg der Reflexion durch die Begründung der geschichtlichen Zeugnisse"[84]. Sein Buch von der Sünde und dem Versöhner war ein "Erguß des lebendig im Gefühl ergriffenen Inhalts des Glaubens", das angesichts der rationalistischen Destruktion des christlichen Glaubens sich als ungenügend
erweist. So reicht die mystische Theologie D.F. Schleiermachers nicht
aus, da sie gar "zu wenig auf die geschichtliche Grundlage des Glaubens
gebe" (VII). Es ist jetzt dringend erforderlich, "die mit so schnöder Sprö-
digkeit behandelten geschichtlichen Beweisgründe mit Nachdruck hervorzu-
heben" (VIII). Es geht in der Auseinandersetzung mit D.F. Strauß um "Seyn
oder Nichtseyn der christlichen Religion" (X, gesperrt gedruckt), weil die
Bibel als Werk des Betrugs und der Illusion erscheint (50). Die Glaubwürdigkeit der geschichtlichen Grundlage des Christentums ist verlorengegan-
gen. Sie gilt es wiederherzustellen durch den Nachweis historischer Zuverlässigkeit (458).

Die Notwendigkeit der geschichtlichen Begründung des Glaubens als Reflexion darf jedoch nicht das Mißverständnis nähren, christlicher Glaube sei Glaube an ein Geschichtsbuch, vielmehr geht es um das Vertrauen auf Christus selbst, der dem Einzelnen innig naht und gegenwärtig bleibt. Deshalb ist das Zentralthema der Theologie der Weg zum Glauben an Christus, der den Einzelnen persönlich bezwingt. Das Gefühl, von Jesus erlöst zu sein, muß sich allerdings vor der Vernunft ausweisen können.

"Wer nur irgend mit gesammeltem Herzen dem Totaleindrucke der Evangelien sich hingiebt, dem geht jetzt wie je aus den Trümmern Palästina's eine Lichtgestalt hervor, wie keine sonst jemals in eines Menschen Herz gekommen - keine verlebte, fremde Gestalt, sondern eine Gestalt, die jedem so innig nahe wird und wirkend dem Herzen nahe bleibt".

Es geht um "einen recht menschlichen und klar verständlichen Weg zu jenem Beweise des Geistes und der Kraft". "Diese Antwort wird doch hoffentlich dazu beitragen, dein immer wiederkehrendes Grauen, daß dir eben nur der Glaube an ein Buch aufgenöthigt werden solle, nachdem man ihm sein Recht angethan, völlig zu beseitigen. Also - der Weg zum Glauben, zum Glauben an Christus, ist unser Thema. Ich fühle immer, als ob ich vor dem größten Thema der Menschheit stünde, wenn ich an dieses Thema komme."

"Der religiöse Glaube ist, wie es ja wohl auch in der Bibel heißt, eine feste Zuversicht - eine feste Zuversicht, möchte ich sagen, bei welcher die Stärke des innern Gefühls das ersetzt, was der Evidenz der Sinnenerfahrung oder des Vernunftbeweises abgeht. Ich komme also...auf mein früheres Zugeständnis zurück, ohne jedoch von der Forderung irgend etwas nachzulassen, daß auch die heiligsten in der Tiefe des Herzens geborenen Gefühle erst an das Tageslicht der Vernunft treten müssen, damit sie über ihre Berechtigung und Bedeutung Rede stehen"[85].

Dem Problem des historischen Jesus als theologischem Grundproblem stellt sich die Christologie W. Herrmanns im Anschluß an A. Tholuck in dem Bewußtsein, es lösen zu können. Die Tholucksche Einsicht in die Stärke des Gefühls läßt die notwendige geschichtliche Begründung des Glaubens so zum Zuge kommen, daß der Glaube nicht durch die historische Forschung selbst gesichert wird. Die notwendige historische Zuverlässigkeit ersetzt nicht die Gewißheit des Glaubens, die sich nur durch die Begegnung mit Jesus selbst einstellt. Um der freien Gewißheit und festen Zuversicht willen kann daher W. Herrmann nicht der "Forschung für die Erfassung der Thatsache, die der Grund unseres Glaubens ist, eine solche Bedeutung" geben (V, III, Vorrede 3. Auflage!), wie es O. Ritschl tut. Diesem geht es nämlich um ein eindeutig objektiv-historisches Bild Jesu als entscheidendes Kriterium für

die Wahrheit des Glaubens, der sich auf Jesus beruft. Ein solches ein-
deutiges Christusbild würde nach O. Ritschl "alle Vorstellungen der Christen von Christus normieren"[86]. Solche Normierung verdirbt für W. Herrmann die persönliche Begegnung mit Jesus, den jeder als geschichtliche
Persönlichkeit in der Bibel wahrhaftig erkennen kann. Das historische Urteil muß "aus eigner Forschung" hervorgehen. Kann die Kirche "nicht bestehen ohne gewohnheitsmäßige historische Urteile", so der Einzelne nicht
ohne sein eigenes historisches Urteil. Wäre dies allerdings "lediglich
durch einen Entschluß produzirt", dann ist es "eine Scheidung der Seele
von Gott, ein Sicheinspinnen in Lüge" (Apostolikum, 15. 17). Als grundlegend bei aller eigenen Forschung aber erweist sich, "dass der Grund des
religiösen Glaubens nicht technisch gesichert werden kann, sondern von
jedem in einem persönlichen Erlebnis gefunden werden muß" (V, IV, Vorrede 3. Auflage!). In dem Drängen auf den persönlichen, gegenwärtigen
Glauben folgt W. Herrmann der Herzensreligion A. Tholucks.

Als nach 1900 sich der Grundzweifel massiv ausbreitet, Jesus sei tatsächlich doch eine mythische Gestalt, ein Produkt der Frommen, da rekurriert
W. Herrmann auf die frühe Tholucksche Position der unmittelbaren Lebensgewißheit, die unumstößlich ist wie der Odem des Lebens. Von ihr her kann
der Einfluß bestimmter lebensphilosophischer Gedanken verständlich gemacht werden.

Das Problem der Begründung des Glaubens, das das ganze Werk W. Herrmanns bestimmt, ist für A. Tholuck insofern von Anfang an gelöst, als
die "Wahrheit unserer Persönlichkeit als Einzelwesen" und die "Objectivität des Sittengesetzes" als höhere Vernunfterkenntnis feststehen. Diese
Vernunft verbürgt auch die geschichtliche Offenbarung Gottes. Stellt "die
Vernunftmäßigkeit einer Religion" auch kein "positives Criterium der Offenbarung" dar, so geht doch A. Tholuck von der Übereinstimmung von
Vernunft und Offenbarung aus, die die Objektivität des Sittengesetzes setzt.
Damit wird Religion von der Subjektivität als geistig-sittliches Bewußtsein
her begriffen[87].

W. Herrmann glaubt wie A. Tholuck die innere Problematik seiner Thesen
zu bewältigen, indem er das sittlich geleitete Verstehen des Menschen, wie
das Spätwerk eindeutig belegt, zum Kriterium der Wahrheit macht. "Denn
Wahrheit... kann für den Menschen immer nur innerhalb seines allein im
Sittlichen zu sich selbst kommenden Selbstbewußtseins erscheinen"[88]. Die
Subjektivität vergewissert sich im Sittlichen, versteht sich doch der Rekurs
auf die sittliche Krise des Menschen als erste negative Möglichkeit, der
Rekurs auf die sittliche Persönlichkeit Jesu als zweite positive Möglichkeit
der Selbstverwirklichung der Subjektivität. Diese Möglichkeit, daß die Subjektivität sich im sittlich geleiteten Verstehen selbst vermittelt, entfaltet
das Spätwerk, doch auch dort zeigt sich noch als störend, was im Haupt-

werk thematisiert ist, daß nämlich die Subjektivität an der Objektivität gemessen wird, indem der Rekurs auf Jesus der Rekurs auf eine historische Tatsache ist, die dem sittlichen Verstehen vorgegeben ist. In ihrer geschichtlichen Vermittlung wird hier die Wahrheit gedacht, die nicht Ausdruck, sondern Erfüllung der Subjektivität ist. W. Herrmann kommt so in seinem Hauptwerk zu einer in sich unausgeglichenen Christologie, weil sie sowohl die im Sittlichen zu sich selbst kommende, als auch die an der Objektivität gemessene Subjektivität denkt. Indem das dem Glauben geschichtlich Vorgegebene zur Sprache gebracht wird, soll das rationalistische und mystische Mißverständnis des Glaubens ausgeschlossen werden. Das gelingt bei der streng christologischen Argumentation, indes vermeidet W. Herrmann zu Recht eine exklusive christologische Begründung. Doch damit setzen sich im Laufe seines Denkens immer stärker jene philosophischen Implikationen durch, die seine Christologie in Frage stellen.

Das Hauptwerk sucht der Intention nach die Theologie von der Christologie her zu entwickeln, weil es W. Herrmann um die Vorgegebenheit der Offenbarung geht, die Jesus verbürgt. Deshalb wird nach Jesus gefragt, von dem die Evangelien berichten. Bei dem "geschichtlichen Christus", dem Grund des Glaubens, handelt es sich nicht um "ein Phantasiebild von Christus", vielmehr um "den Jesus der Evangelien, wie er dem hilfesuchenden Menschen faßbar ist" (GA, 294). Als objektive Tatsache der Geschichte gibt er dem Denken der Gläubigen "seinen letzten Halt" (GA, 291). Darum darf mit gutem Grund der Christ beanspruchen, daß "unser Glaube nicht ein freischwebendes Ding ist" (GA, 291), kein Sprung ins dunkle Wagnis. Ein fester Grund wie die geschichtliche Tatsache der Person Jesu kann allein dem Glauben in der Gegenwart seinen Bestand geben, nicht aber die Gedanken des Glaubens.

5. Grund und Inhalt des Glaubens

W. Herrmann sieht eine erste Aufgabe darin, darzustellen, wie der Glaube besteht, nicht, wie er entsteht (Vgl. I, 162). Seine Anschauung nun über die Entstehung des Glaubens, das, was er mit dem "Weg zur Religion" meint, beinhaltet, daß der Inhalt des Glaubens nicht zum Grund des Glaubens werden kann. Jesu Bedeutung, seine Gottheit, erkennt erst der Glaubende. Daher ist es für W. Herrmann notwendig, zwischen Grund und Inhalt des Glaubens zu unterscheiden. In dieser Unterscheidung deutet sich die Lösung des Problems Glaube und Geschichte an. Nur der Grund des Glaubens ist objektiv, eine vom Glauben selbst unabhängige Tatsache; das zeigt die Reaktion des Ungläubigen. Da dieser Grund als von außen kommend dem Glauben in der Anfechtung seinen "letzten Halt" gibt, sichert er den Bestand des Glaubens, worauf es ankommt.

In der Verkündigung wird die Gewißheit des Glaubens ausgesagt, wie sie

sich aufgrund der geschichtlichen Tatsache der Person Jesu in den Gedanken des Glaubens ausprägt. Die Verkündigung umfaßt Grund und Inhalt des
Glaubens: "Die christliche Verkündigung umfaßt die Botschaft von dem gekreuzigten und auferstandenen, von dem geschichtlichen und erhöhten Christus" (GA, 288). Wird der Grund von außen gegeben, so der Inhalt von innen. Der Inhalt "muß in dem Glauben, der in seiner Wurzel Vertrauen auf
Jesus ist, entstehen. Er ist gewiß nicht unser eigenes Gebilde, denn er
wird dem Glauben durch Christi Kraft in uns hervorgetrieben" (GA, 292).
Dieser Inhalt ist für das Leben des Glaubens selbst notwendig, doch er vermag nie "der letzte Halt und Grund unseres Glaubens" (I, 166) zu sein, der
"auch dem noch nicht gläubigen, aber sittlich regen Menschen verständlich"
ist (GA, 292). Den Inhalt zum Grund des Glaubens zu machen, bedeutet, etwas äußerlich anzunehmen, was innerlich nicht überzeugt hat, nicht in freier Einsicht, sondern in stumpfen Gehorsam zu glauben. Der Mensch kann
einen "feinen", aber subjektiven Gedanken des Glaubens nicht als seinen
letzten Halt haben.

"Denn der um seine Existenz kämpfende Glaube muß etwas haben, was
ihm als etwas Wirkliches sichtbar bleibt und ihn hält in den Momenten,
wo er zum Letzten greifen muß. Diesen Dienst kann ihm Christus in
dem Glanze der Herrlichkeit, die der durch ihn erlöste Mensch sehen
lernt, nicht leisten. Denn das als etwas Wirkliches sehen, heißt eben,
in der Kraft des Glaubens stehen. Das ist Inhalt des Glaubens, aber
nicht sein letzter Grund. Wenn wir es als solchen gebrauchen, so werden wir doch wieder dazu verleitet, etwas äußerlich anzunehmen, was
uns innerlich fremd ist" (I, 166).

W. Herrmann erkennt, daß der Glaube sich nicht selbst begründen kann.
Er hat deshalb nach seinem Grund als objektivem Grund zu fragen, der
als solcher eben nicht den Stand des Glaubens voraussetzt, um zu bestehen.
Es kommt auf das objektiv Geltende des Glaubens an, das der kritischen
Nachfrage des Ungläubigen standhalten kann. Allein das trägt zu Recht das
Prädikat "letzter Halt". Das heißt aber nicht, daß in der Verkündigung
nicht die Gedanken des Glaubens darzubieten wären. "Wenn die Verkündigung lediglich das, was den letzten Halt des Glaubens bilden soll, darbie-
ten wollte, so würde das den Eindruck machen, als sollte der Glaube aus
möglichst einfachen und unzweifelhaften Elementen durch menschliche
Kunst zusammengesetzt werden" (I, 163). Der Christ hat zu bekennen, daß
sein Glaube von Gottes Macht lebt, nicht auf der Kunst des Menschen beruht. Die Glaubensgedanken sind Christi Kraft im Menschen, nicht Werk
des Menschen. Eine Predigt ohne die Gedanken des Glaubens würde daher
das Wesen des Glaubens verkennen. So betont F. Gogarten, daß man W.
Herrmann falsch verstehen würde, "wenn man dächte, er wolle die christliche Verkündigung auf die Botschaft von dem 'einfachen Menschen' Jesus beschränken. Vielmehr gehört zu ihr nach seiner Überzeugung die Bot-

schaft von dem 'erhöhten' Christus durchaus"[89]. Von einer Disqualifizierung der Glaubensgedanken kann bei W. Herrmann keine Rede sein.

Um der Verständlichkeit des Glaubens willen ist die grundsätzliche Trennung von Grund und Inhalt des Glaubens notwendig. Die Einsicht in diese Unterscheidung bezeichnet E. Fuchs als den "hermeneutischen Grundsatz" bei W. Herrmann[90]. Theologie hat um der Aufgabe willen, "wie dem Unglauben in den Glauben hineingeholfen werden könne"[91], den Grund deutlich vom Inhalt abzuheben, denn die Erkenntnis des Grundes ist nicht dem Glaubenden vorbehalten. Auch der Nicht-Glaubende vermag Jesus in seiner Einzigartigkeit zu erkennen. W. Herrmann geht hier von dem erkenntnistheoretischen Kriterium aus. Daß Jesus in seiner Einzigartigkeit der Grund des Glaubens ist, besagt, daß Gott in seiner geschichtlichen Offenbarung erkannt werden kann. Diese Erkenntnis führt in einer nicht verrechenbaren Weise zu dem Bekenntnis der ewigen Gottheit Christi, seiner Auferstehung und Wiederkunft. Der "geschichtliche Christus" aber bleibt der Erklärungsgrund für die Gedanken des Glaubens.

Die Christologie, die von dem einfachen Menschen Jesus als dem Glaubensgrund und der ewigen Gottheit Christi als dem Glaubensinhalt handelt, sucht sich dem Glaubenden und Nicht-Glaubenden verständlich zu machen. Dabei geht es ihr vor allem um die Begründung der Gottheit Jesu. Sie weist auf, daß an dem "einfachen Menschen Jesu" (vgl. GA, 283) die Frage nach seiner Einheit mit Gott sich stellt. In der Begegnung mit Jesus gelangt der Einzelne dazu, in der Tatsache der Person Jesu Gott selbst zu erkennen. "Wer aber Jesum Christum und in ihm Gott gefunden hat, kann der Mystik entbehren. Denn in den engen Erfahrungen, auf die sie sich zurückzieht, findet das Leben des christlichen Glaubens keinen Raum" (V, 164). Christlicher Glaube beruft sich auf Jesus als die wichtigste Tatsache der Geschichte, die den Menschen wahrhaft erhebt, ihn des Gottes gewiß macht, der "das Ewige und Zeitliche beherrscht" (V, 163).

> "Wir aber sind Gottes und seines Verkehrs mit uns gewiss, weil niemand das geschichtliche Faktum austilgen kann, dessen Verständnis uns in allen Beziehungen unseres Lebens die Gottesnähe spüren lässt, und weil die innere Verwertung dieses Faktums uns zur Freude am Guten und dadurch zur Teilnahme am Ewigen erhebt" (V, 162).

Die unaustilgbare, unleugbare geschichtliche Erscheinung Jesu in ihrer sittlichen Güte ist der feste Grund für das Bestehen des Glaubens. Durch das Wichtigste an dieser Erscheinung, das innere oder persönliche Leben Jesu, das uns "eine jedem Zweifel überlegene Gewissheit von Gott" begründet (V, 79), kommt es zu gegenwärtiger Gewißheit. In dem Vertrauen zu der einmaligen Persönlichkeit Jesu, die uns in ihrer Hoheit niederbeugt, ist der Gedanke von dem lebendigen Gott als einer "Macht über alles" enthalten.

Der Grund des Glaubens enthält den Inhalt des Glaubens. Damit fallen Erkenntnisgrund und Realgrund zusammen. Die Überzeugung von dem wirklichen, lebendigen Gott, der unmittelbar in unserem Leben mächtig ist, erwächst aus der Erkenntnis des sündlosen Jesus.

"Die Person Jesu, wenn sie uns einmal durch ihre Schönheit angezogen und durch ihre Hoheit niedergebeugt hat, bleibt uns auch in den tiefsten Zweifeln gegenwärtig als etwas Unvergleichliches, als die wertvollste Tatsache der Geschichte und als der wertvollste Inhalt unseres eigenen Lebens. Wenn wir dann dem Zuge zu ihm hin folgen und in tiefer Ehrfurcht erfahren müssen, wie seine Kraft und Reinheit uns unsere Willensschwäche und Unlauterkeit vor die Seele stellt, dann schlägt der gewaltige Anspruch, den er erhebt, bei uns ein. Wir fassen dann Vertrauen zu seiner Zuversicht, er könne die Menschen, die ihm nicht den Rücken kehren, emporheben und selig machen. In diesem Vertrauen zu seiner Person und seiner Sache ist der Gedanke einer Macht über alle Dinge enthalten, die dafür sorgen muss, dass der Jesus, der in der Welt untergegangen ist, den Sieg über die Welt behält. Der Gedanke einer solchen Macht haftet ebenso fest in uns wie der Eindruck der Person Jesu, der uns überwältigt hat. Es ist das der Anfang des Bewusstseins von einem lebendigen, wirklich überweltlichen Gott" (V, 79 f.).

In diesem Gedankengang, der das Zentrum der Christologie bei W. Herrmann darstellt und in einem späteren Abschnitt im Einzelnen untersucht wird (Kapitel II, 8), wirkt sich W. Herrmanns Verständnis des Sittlichen radikal aus. Weil Jesu geschichtliche Wirklichkeit die des Sittlichen ist und weil der Mensch durch den sittlichen Lebenskampf bestimmt wird, kann Jesus den Menschen zu dem Gedanken der "Macht über alles" führen. Ist er doch die "Macht des Guten". Jesu sittliche Größe stellt den Grund für die Erkenntnis der Einheit mit Gott dar.

E. Fuchs meint, daß der Glaube im Sinne W. Herrmanns nicht an der "Macht der sittlichen Güte Jesu" entstehe[92]. Richtig ist, daß Jesus nicht als Voraussetzung (Bedingung oder Mittel) verstanden werden darf, "aus der sich unser Verhältnis zu Gott mit logisch sicheren Schlüssen ableiten lässt" (V, 102). Doch es ist mit W. Herrmann gegen E. Fuchs zu fragen, ob ein Glaube, wenn er entstehen soll, nicht von der Überlegung abhängig ist, daß er auch bestehen kann? Insofern ist natürlich die Macht der Güte Jesu nicht nur der Grund für den Bestand des Glaubens, sondern sie wirkt auch die Entstehung des Glaubens (Vgl. GA, 292). Die Vorstellung von Jesus als Mittel taucht allerdings dort auf, wo W. Herrmann den Verkehr des Christen mit Gott skizziert. Mit Gott "wollen wir verkehren. Das Mittel dazu ist, dass wir uns an den geschichtlichen Christus halten und der Zuversicht leben, dass der Erhöhte bei uns ist" (V, 242).

Jesus kommt als Mittel in Betracht. Wird "einem die geistige Macht der Person Jesu zu einem Mittel göttlicher Offenbarung" (E, 106), dann muß man fragen, ob das Wort von Jesus als Mittel nicht die Gefahr birgt, Jesus bloß als notwendigen Behelf für den Verkehr mit Gott zu verstehen, der nach Erreichen des eigentlichen Verkehrs belanglos wird. Wenn im Menschen selbst Gott erfahren wird, der Inhalt des Glaubens in nuce also das bezeichnet, was im eigentlichen Verkehr sich vollzieht, so scheint der Grund des Glaubens, weil vom Inhalt unterschieden, weniger bedeutungsvoll. Das jedoch will W. Herrmann gerade nicht gedacht haben. Sein Hauptwerk stellt den Grund des Glaubens als Wichtigstes in den Mittelpunkt. Er ist unaufgebbar. Nur durch den "geschichtlichen Christus" erkennen wir nämlich Gott. Dann aber muß sich die Unterscheidung in Grund und Inhalt des Glaubens nachteilig auswirken. Gehört nicht der Grund zum Inhalt des Glaubens, kann auf den Grund verzichtet werden, denn das Eigentliche für den Frommen kommt im Inhalt zur Sprache. Der Hinweis auf den Grund erweist sich als nur noch für den Ungläubigen interessant. Daß der Glaube den Grund seinen letzten Halt nennt, ist eine allein bei der Herausforderung durch den Unglauben nötige Auskunft. Die Berufung auf den Grund im Unterschied zu dem Inhalt geschieht aus rein apologetischen Gründen, sofern sie Verständnis für das Recht des Christentums wecken will, aber über das Wesen des Glaubens letztlich nicht entscheidet. Eine wirkliche Begründung für den Glauben ist damit nicht gegeben, da der Inhalt als das Eigentliche für den Frommen vom Grund unterschieden ist. Hat der Mensch Gott im Grunde in sich selbst, so erscheint das Christologische am Inhalt einfach als Rahmen, den man abnehmen kann. Die Konzeption in den Spätschriften W. Herrmanns beweist das. Die Möglichkeit einer Theologie ohne Christologie ist indes ausgeschlossen, wenn zum Grund des Glaubens nicht nur der einfache Mensch Jesus gehört, sondern auch Jesus als der Auferweckte und Wiederkommende. Das macht die Herrmannsche Unterscheidung von Grund und Inhalt des Glaubens hinfällig.

An dieser Christologie, in der der sündlose Jesus als Glaubensgrund zu einem Verkehr mit Gott führt, nicht aber der Inhalt des Glaubens, stößt sich auch F. Gogarten[93]. Er konstatiert es als Widerspruch, daß der einfache Mensch das göttliche Prädikat erzeugt. Mit Nachdruck ist zu fragen, wie das möglich ist. Für W. Herrmann aber versteht sich das nicht als ein Widerspruch. Gerade in der Tatsache, daß der einfache Mensch als 'Sohn Gottes' erkannt wird, hängt sein ganzes christologisches Verständnis, indem er voraussetzt, daß der Mensch als sittliches Wesen zu begreifen und die Wirklichkeit allein sittlich zu bewältigen ist. Nur ein Gott, der sich in einem einfachen Menschen als die "Macht des Guten" offenbart, vermag dem Individuum in seiner sittlich unerträglichen Lage wirklich zu helfen. Die soteriologischen Wurzeln im Verständnis der Person Jesu sind bei W. Herrmann ganz markant und folgenschwer, droht sich doch die Soteriologie der Christologie vorzuordnen. Faktisch kommt W. Herrmann dazu, vom soteriologischen Interesse her die Christologie zu konstituieren, wenn er den Ausgangspunkt bei der geschichtlichen Tatsache des Lebens Jesu durch das einseitig sittliche Verständnis erweicht und somit den prinzipiellen doppelten Ansatz auf den ausschließlichen Ansatz bei dem Selbst des Menschen reduziert. So wichtig es ist, das christologische Interesse nicht von dem soteriologischen zu trennen, so gefährlich ist es, wenn die Christologie nur noch als eine Funktion der Soteriologie erscheint, denn dann verliert der Heilsglaube seinen objektiven Grund der Geschichte, der die Wahrheit des Glaubens erweist. Um diesen Erweis für die Wahrheit des Christentums zu erbringen, konzentriert sich aber W. Herrmann auf den geschichtlichen Grund des Glaubens und fragt in dem sittlichen Erlebnis der Person Jesu nach dem irdischen Jesus. Um der offenbarungstheologischen Begründung willen muß er den sittlichen Erlebnisbegriff "durch die Christologie allererst begründen"[94].

Angesichts der Zielsetzung, die christliche Wahrheit zu erweisen, ist der Wandel im Verständnis des Grundes gravierend. Im Spätwerk ist der erkennbare Glaubensgrund zum irrationalen geworden, weil er allein in der Tiefe der Existenz unartikulierbar erlebt wird. Dieses Verständnis des Grundes impliziert letztlich die Unangemessenheit aller Glaubensgedanken. Im Hauptwerk ist der irdische Jesus der erkennbare Grund, der die Wahrheit des Glaubens erweist. In dem Maße aber, in dem die Frage nach der Selbstwerdung des Menschen durch ihre totale sittliche Ausrichtung immer mehr die Antwort vorschreibt, verliert die besondere Offenbarung in Jesus ihre Bedeutung für den Menschen und seine Frage nach Gott, und sie erscheint nur noch als ein besonderes Beispiel für ein wahres Leben in Sittlichkeit.

Tendenzen werden hier sichtbar, die ihre Wurzeln in Voraussetzungen haben, die W. Herrmann nicht ernsthaft hinterfragt. Der Vorrang der Sittlichkeit ist selbstverständlich. Die Selbständigkeit der Religion gegenüber der Sittlichkeit hat ihren Grund darin, daß in ihr die Sittlichkeit nicht als Sollensforderung dominiert, sondern verwirklicht wird. Die Verwirklichung der Sittlichkeit in dieser Welt ist das Leben des Menschen Jesus, jene geschichtliche Tatsache, die den objektiven Grund des Glaubens bildet.

W. Herrmann nennt in seinem Hauptwerk zuerst den geschichtlichen Grund, den sittlichen Grund als zweiten[95]. Das, was die geschichtliche Tatsache jedoch so bedeutungsvoll macht, ist eben die Verwirklichung der Sittlichkeit in ihr. Religion hat Bestand, weil sie die "Macht des Guten" zu ihrem Grund hat und deshalb das göttliche Prädikat für den Grund weiß. Damit kommt inhaltlich die Religion der Sittlichkeit gleich. Der Grund des Glaubens sagt bereits den Inhalt des Glaubens aus. "Es scheint, daß es Herrmann nie ganz klar geworden ist, daß das, was er 'Grund' des Glaubens nennt, in Wahrheit bereits sein 'Inhalt' ist. Da er den Glauben von vornherein sittlich versteht..., kann dieser Glaube auch keinen 'Inhalt' haben, der zu der Wirklichkeit, die sein Grund ist, noch etwas hinzubrächte. Daher erklärt sich auch, daß Herrmann...gar kein Bedürfnis empfindet, die Wirklichkeit näher zu bestimmen, die in den sogenannten 'Glaubensgedanken' gedacht wird. Es ist ihm eben selbstverständlich, daß es die Wirklichkeit des Sittlichen ist, aber dieselbe, von der er sagt, daß sie der 'Grund' des Glaubens ist"[96].

Die Unterscheidung von Grund und Inhalt erweist sich somit als höchst problematisch. Darauf weist auch W. Pannenberg hin, nachdem er es abgelehnt hat, "daß die Glaubensentscheidung die Gewißheit des Glaubensinhaltes begründet", "weil damit die Gründung des Glaubens auf eine Wahrheit extra me faktisch zugunsten einer Selbstbegründung des Glaubens preisgegeben wird"[97]. "Daher ist die Unterscheidung zwischen Glaubensgrund und Glaubensgedanken in der von W. Herrmann getroffenen Weise mindestens zum Teil bedenklich. Jedenfalls soweit es sich um das den Glauben begründende Geschehen selbst handelt, formulieren die 'Glaubensgedanken' eben den Glaubensgrund, wenn auch nicht immer in derselben, sondern zu verschiedenen Zeiten in verschiedener Weise"[98]. Man kann sagen, daß sich die Glaubensgedanken und der Glaubensgrund nicht prinzipiell unterscheiden, weil sich beide auf Jesus beziehen. Den gekreuzigten Christus aber von dem auferstandenen so zu trennen, daß man damit einen "von außen gegebenen" Grund und einen "nicht von außen gegebenen" Inhalt (vgl. GA, 292) hat, bedeutet, den Grund, der das göttliche Prädikat erzeugen kann, zu verdecken und entgegen der eigentlichen Intention W. Herrmanns den Glauben sich selbst begründen zu lassen, weil der Inhalt, der nicht extra me gegeben ist, in Wahrheit bei W. Herrmann der Grund ist. Andererseits kann von der Erkenntnis, daß der Grund bereits den Inhalt aussagt, der Inhalt als "von aussen gegeben" gedacht werden. Dieser Konsequenz will aber W. Herrmann gerade mit seiner Unterscheidung entgehen. Die Vorstellung von Jesus als dem Auferweckten und Wiederkommenden erscheint ihm für den modernen Menschen unzumutbar. Sie kann nur im Frommen selbst entstehen. Weil für W. Herrmann aber der Grund nicht ohne den Inhalt wirklich ist und faktisch bei ihm die Wirklichkeit des Grundes mit der Wirklichkeit des Inhaltes zusammenfällt, sind entweder Grund und Inhalt beide "von außen gegeben" oder beide "nicht von außen gegeben". In der Konsequenz des objektiv geschichtlichen Ansatzes liegt die erste Möglichkeit. Sie scheidet aber schon darum aus, weil sich W. Herrmann die Auferweckung Jesu nicht als zum Grund des Glaubens gehörig denken kann. Die zweite Möglichkeit entwickkelt das Spätwerk. Es weist dadurch eine gewisse Konsequenz auf. Im Hauptwerk dagegen wird die Problematik aller christlichen Theologie, die Gott in der Geschichte Jesu für den Menschen denkt, sichtbar. Theologie wird nur bestehen können, wenn sie diesem christologischen Problem nicht ausweicht und den objektiven Grund des Glaubens in den Gedanken des Glaubens so aufweist, daß sie die Vorläufigkeit ihrer Erkenntnis des Grundes von der Endgültigkeit des Grundes unterscheidet, die in Gottes Handeln selbst liegt.

W. Herrmanns Unterscheidung von Grund und Inhalt ist in Frage gestellt,
weil gezeigt werden kann, daß Grund und Inhalt bei ihm zusammenfallen.
Für F. Gogarten liegt der Fehler darin, daß W. Herrmann den "geschichtlichen Christus" falsch versteht. Seine einseitigen und alles bestimmenden
anthropologischen Voraussetzungen werden ihm zum Verhängnis. In der Tat
sind an das Problem Glaube und Geschichte mit W. Herrmanns 'sittlicher
Lösung' erhebliche kritische Fragen heranzutragen. Daß das Verhältnis
zur Geschichte sittlich bestimmt wird, ist ein Gedanke, der nicht ohne weiteres abgewiesen werden kann, will man mit einer 'Christologie von unten'
ernst machen. Es ist aber nicht einzusehen, daß die Beziehungen der Christologie zur Anthropologie nur in dieser Weise zu gestalten und einzubeziehen sind. Für W. Herrmann ist das 'Unten' transparent für das 'Oben',
weil das Sittliche in seiner Qualifikation das Göttliche bedeutet. Hier hat
man jedoch zunächst daran zu erinnern, daß ein Glaube, der von dem historischen Jesus her kommt, in seinem historischen Anspruch wirklich
verstanden sein will. Theologie hat eine Christologie zu implizieren, die
die Bedeutung Jesu von der Geschichte Jesu in ihrer historischen Tatsächlichkeit her darlegt. In der Konzentration auf die soteriologische Bedeutung,
die Person und Werk Jesu zu eigen ist, muß die objektive Wirklichkeit des
irdischen Jesus als grundlegende inhaltliche Voraussetzung anerkannt bleiben. W. Herrmann läßt in seinem Hauptwerk keinen Zweifel darüber, daß
die Erscheinung Jesu in ihrer bestimmten Tatsächlichkeit unaufgebbar ist.
Seinem Denken liegt eben "die entschlossene Konzentration auf die eine
Thatsache der Offenbarung und Erlösung, die geschichtliche Gestalt Jesu
Christi" (Gewißheit, 16) zugrunde. Die Problematik dieser Position bricht
dort auf, wo die geschichtliche Gestalt Jesu einseitig sittlich verstanden
wird, und nicht zuletzt deshalb das Auferweckungsgeschehen im Gegensatz
zum Kreuzesgeschehen als der überzeugenden Veranschaulichung der "Macht
des Guten" uninteressant ist, weil es nicht die sittliche Reinheit und Güte
Jesu veranschaulichen kann. Jesus wird ausschließlich als der verstanden,
der mit seinem Leben die wahre Sittlichkeit verwirklicht. Entsprechend
wird Gott durch dieses historische Ideal Jesu im Rahmen sittlicher Kategorien ausgesagt.

Der Problemansatz W. Herrmanns ist nicht: Die Menschen stehen ganz in
der Geschichte. Was ist der Sinn dieser Geschichte? Läßt sich der Sinn in
der Erscheinung Jesu finden? Er ist vielmehr: Der Mensch leidet unter seiner sittlich unerträglichen Lage. Wie erfährt der Einzelne Befreiung aus
dieser Situation? Läßt sich die Erlösung in der Erscheinung Jesu finden?
Die Christologie W. Herrmanns hat keinen universal-geschichtlichen, sondern einen existential-geschichtlichen Ausgangspunkt. Die Auffassung von
Jesu sittlicher Hoheit setzt das Wissen vom sittlichen Bewußtsein des Menschen voraus, der sich in seiner sittlichen Ohnmacht erfährt und in Jesus
die "Macht des Guten" findet, die sein Leben heil und wahr macht.

6. Die Auferweckung Jesu

W. Herrmann hat in seiner Zeit die Diskussion um die Substanz des christlichen Glaubens auf die geschichtliche Erscheinung Jesu verwiesen. Das Urdatum der Christologie und damit der Grund des Glaubens ist nicht der Glaube der Jünger, wie er sich in dem ganzen Neuen Testament manifestiert, nicht die Auferweckung Jesu als besonderes Geschehen, sondern die geschichtliche Person Jesu, die den Menschen in seiner sittlich unerträglichen Situation erlöst. Mit dieser christozentrischen Position hat W. Herrmann einen Streit innerhalb der Theologie um die Begründung des Glaubens entfacht. Die theologische Diskussion, die sich an der wichtigsten These des Hauptwerkes entzündet hat, daß die historische Erscheinung des einfachen Menschen Jesu als persönliches Erlebnis der Grund des Glaubens sei, wirft um 1900 die Fragen auf, die immer wieder kritisch an die Herrmannsche Theologie herangetragen worden sind.

Auf einen Punkt der Kritik M. Kählers ist speziell einzugehen[99]. Er macht auf das entscheidende Mißverstehen der Tatsache der Auferweckung Jesu bei W. Herrmann aufmerksam. W. Herrmann hat das Problem der Auferweckung Jesu für das Problem der Glaubensbegründung ausgeklammert, indem er es zu den Gedanken des Glaubens rechnet. M. Kähler erkennt in der Auferweckung Jesu das Ereignis, von dem her alle neutestamentlichen Aussagen über Jesus bestimmt sind. Zu den Erinnerungen der Jünger an Jesus gehört wesentlich die Begegnung mit dem Auferstandenen, die das Bekenntnis der Jünger bis hin zu Paulus initiiert. Die Selbstbezeugung des Auferstandenen hat fundamentale Bedeutung. Sie wird mit der Selbstbezeugung des irdischen Jesus durch den Begriff der "persönlichen Wirkungen Jesu" zusammengesehen, so daß Leben und Auferstehen Jesu nicht getrennt werden. Mit dieser Auffassung hat M. Kähler die Frage forciert, ob die Auferweckung zum Glaubensgrund gehört oder nicht. Unter Beibehaltung des Unterschiedes zwischen Grund und Inhalt des Glaubens wird sie von den W. Herrmann nahestehenden Theologen vor allem diskutiert. Für M. Kähler selbst wird der Glaube nicht durch die Tatsache der Auferweckung begründet, sondern durch die Selbstbezeugung des Auferweckten, wie sie uns gegenwärtig ist durch die neutestamentliche Verkündigung. Der Glaube gründet in dem vorgegebenen Wort Gottes, das mehr ist als die Glaubenszeugnisse der Jünger.

W. Herrmann seinerseits hat den eindeutigen Standpunkt bezogen, daß die Auferweckung als ein Gedanke des Glaubens nicht zum Glaubensgrund gezählt werden darf. So glanzvoll und bestätigend sie auch dem Glaubenden erscheinen mag (R, 387 f), sie begründet nicht den Glauben. Denn - und das ist für W. Herrmann faktisch das wichtigste Argument - dem Nicht-Glaubenden begegnet in dem Bericht von der Auferstehung nicht die Macht, die ihn innerlich überwindet; "...es ist entweder ein Mangel an Selbstbesinnung oder eine Verleugnung der Wahrheit, wenn Christen der Gegenwart sagen, der Inhalt der Auferstehungsberichte sei für sie eine Tatsache, die ihren Glauben begründe" (E, 103). In Jesu Demut und Reinheit, in seiner einzigartigen Zuversicht angesichts des Todes, in seiner sittlichen Hoheit zeigt sich dem sittlich regen Menschen die "Macht des Guten", nicht aber in "irgendwelche(n) Berichte(n) der Evangelien", die erst dem religiösen Sinn verständlich sind (R, 389). Jesus kann nur zum persönlichen Erlebnis werden, wenn aus dem Zeugnis des Neuen Testaments jene Gestalt der Geschichte hervortritt, die durch ihre sittliche Majestät überzeugt, "weil sie sich innerhalb der sittlichen Gemeinschaft zu freier Anerkennung bringen läßt" (R, 389). Jesus als der sündlose, einfache Mensch "ist die einzige Tatsache, die Glauben fordern darf, weil er dem Menschen, der Gott sucht, sicherlich als eine zweifellose Tatsache aus der Überlieferung entgegentritt" (II, 193). Jungfrauengeburt und Auferweckung von dem Tod sind Glaubenshindernisse. In ihnen drängt sich nicht die "Macht des Guten" auf, sondern eine fremde, unglaubliche Macht, die bereits Glauben voraussetzen muß, um für die Menschen wirklich zu sein. Vertrauen in die "Macht über alles" gewinnt der Einzelne allein aus dem sündlosen Leben Jesu. Die in Jesus begründete "Gewißheit wird uns zu einer Erlösung, indem wir auf das Kreuz Jesu blicken" (I, 136), nicht aber auf die Auferweckung Jesu, die sich nicht als höchste Veranschaulichung und Vollendung des Guten erweisen kann. Darum hilft das Zeugnis von der Auferweckung Jesu nur den Gläubigen, nicht aber den Gott suchenden Menschen.

Die Zuversicht in das Auferweckungsgeschehen ist "eine Entwicklungsstufe des Glaubens, zu welcher der bereits Gläubige auf dem Wege des Glaubens gelangen kann. Es muss gesagt werden, dass christlicher Glaube vorhanden sein kann und muss, ohne bereits auf jener Stufe zu stehen. Er beruht nicht auf der Thatsache, dass damals Jünger den Auferstandenen gesehen haben. Sondern er beruht darauf, dass das innere Leben Jesu ein uns fassbares Element der geschichtlichen Wirklichkeit ist, in der wir stehen. Wenn unser Glaube aufrichtige Ueberzeugung sein soll, so kommt es doch wohl darauf an, dass seine Lebenswurzeln sich immer tiefer in dasjenige einsenken, was für uns selbst eine unleugbare Thatsache ist und eine so inhaltvolle Thatsache, dass wir in ihr den Gott finden, der uns erlösen will. Es ist wahr, was wäre die christliche Gemeinde, wenn nicht in ihrer Mitte Gläubige wären, die von der Auferstehung Jesu aufrichtig überzeugt sind! Ihr Zeugniss soll gewiss nicht verstummen. Sie bilden in diesem ihren Zeugnis eine Autorität für die Andern, welche mahnt und erzieht. Aber das ist unmöglich, dass Andere durch dieses Zeugniss oder auch durch historische Beweise gewaltsam auf diesselbe Stufe des Glaubens erhoben werden. Sie können dazu nur kommen, wenn sie...sich aufrichtig an das halten, worin ihnen selbst Jesus als der Erlöser fassbar ist.... Nicht der Glaube, der viel glaubt, ist das Senfkorn, das Wundermacht verleiht, sondern der Glaube, der wahrhaftig glaubt" (ThLZ, 1891, 208).

Das Zeugnis von der Auferweckung Jesu hat eine mahnende und erziehende Funktion für den bereits Glaubenden, die W. Herrmann jedoch nicht ausführt. So fehlt die Begründung für diese Auffassung. Einleuchtend hingegen ist seine Meinung, daß der moderne Mensch unwahrhaftig wird, wenn er den Bericht von der Auferweckung Jesu von vorneherein glaubt. Die Auferweckung kann jedoch für ihn keine den Glauben begründende Tatsache sein, wohl aber eine "unschätzbare Erquickung" werden (E, 103). Ihre eigentliche Bedeutung liegt dort, wo es um den Fortbestand des Glaubens geht. Dieser Gedanke findet sich gerade im Spätwerk. Verschafft insonderheit das Kreuz die Gewißheit der Erlösermacht Jesu, so die Auferweckung die zusätzliche (!) Gewißheit, daß der Tod Jesu die Erlösung bedeutet. Schon für die ersten Jünger war die Auferweckung eine letzte Hilfestellung zum Glauben an Christus, der dann erst den Weg in die Welt fand. "Erst dadurch, daß ihnen der Gekreuzigte als gegenwärtig lebendig erschien, ist ihnen tatsächlich sein Tod eine Erlösung geworden. Nun war doch schon vorher in ihnen das Vertrauen geschaffen, daß Jesus ihr Erlöser sei. Man darf also nicht sagen, daß ihr Glaube erst in diesen Erscheinungen seinen Grund gefunden habe. Wohl aber ist deutlich, daß ihr Glaube dadurch vor dem Untergange bewahrt wurde" (D, 82).

Die Bedeutung der Auferweckung liegt in der Gemeindebildung. Ohne die Erscheinungen des Auferstandenen wäre keine christliche Gemeinde entstanden, auch die Überlieferung wäre nicht in Gang gekommen. Doch das, was die Auferweckung nicht für sich allein leisten kann, die Gewißheit der Erlösung des Menschen, das besaßen die ersten Jünger schon. Hatten sie doch "unauslöschliche Erinnerungen" (D, 82), und offenbarte ihnen der Tod Jesu eindeutig eine einmalige, sittliche Persönlichkeit, die als "Macht des Guten" den überzeugenden Grund des Glaubens bildet. Daß es jedoch zur großen Gemeinde Jesu Christi gekommen ist, rührt daher, daß die Jünger in dem Auferweckten den sündlosen Jesus wiedererkannten. Durch "die Tatsache, daß die christliche Gemeinde in solcher Weise entstanden ist" (D, 83), erhalten die Christen noch heute ihre unentbehrliche, erquickende Stütze. Es macht der Inhalt der Osterbotschaft dem Frommen den Grund des Glaubens noch zudem gewiß. Als zusätzliche Vergewisserung hat die Auferweckung Relevanz für die Frage der Gemeindebildung, jedoch nicht für die Frage der Glaubensbegründung. Die Fragwürdigkeit dieser Meinung W. Herrmanns kommt daher, daß Entstehung der Gemeinde und Begründung des Glaubens sachlich nicht zu trennen sind. Will W. Herrmann nicht die Gemeindebildung ohne das begründete (!) Zeugnis der Glaubenden denken, dann 'degradiert' er die Auferweckung zu einem rein psychologischen Phänomen. Daß das einmalige Leben Jesu nicht isoliert von dem Auferweckungsgeschehen gesehen werden kann, beweist im übrigen die Weise, wie das Neue Testament von Jesus berichtet. Der Glaubende sieht in dem Auferweckungsgeschehen die Tat Gottes, in der sich Gott zu dem Leben Jesu bekennt und so seinen Anspruch bestätigt. Für W. Herrmann schließt jene einzigartige, sittliche Erscheinung der Person Jesu ihre Bestätigung in sich selbst schon ein, weil aus diesem wunderbaren Dasein der Mensch schon Gott herausmerkt (Vgl. GA, 284). Aus der Auferweckung kann der Mensch Gott nur noch zusätzlich herausmerken und das bestätigen, was bereits bestätigt ist, daß in Jesus Gott als Liebe zu den Menschen gekommen ist und es in Wahrheit gilt. Darum muß der Mensch Jesus in seiner sittlichen Hoheit isoliert von der Auferweckung als Grund des Glaubens anerkannt werden. Die Wahrheit verbürgt der sündlose Jesus in sich. Die Einheit Jesu mit Gott wird nicht durch die Auferweckung, sondern durch die einmalige Sittlichkeit der Erscheinung Jesu begründet.

Gegen die Isolation und Aussonderung des Glaubensgrundes aus der neutestamentlichen Überlieferung hat sich M. Kähler heftig gewandt. Er erkennt, daß W. Herrmann einen tiefen Einschnitt zwischen dem Kreuzestod und dem Auferweckungsgeschehen macht. Aber bestimmte Erinnerungen an Jesus und das Bekenntnis zu ihm kann man im Neuen Testament nicht trennen. Der Grund des Glaubens ist der ganze biblische Christus, also auch der Auferstandene. W. Herrmann muß hier um der selbständigen (!) Glaubensgewißheit willen widersprechen. Wird das "zusammengewobene Christusbild des Neuen Testamentes" (I, 165) der geschichtliche Christus und Grund des Glaubens genannt, dann vermag der Glaube nicht zu selbständiger Gewißheit durchzudringen. In dem Zeugnis des Glaubens muß das ausgesondert werden können, was dem fragenden und suchenden Menschen als unzerstörbarer Halt seiner Gewißheit selbst klar wird, was er selbst einsehen kann (I, 165). Andernfalls sind wir nicht davor geschützt, "daß wir in katholisches Wesen geraten" (I, 166). Der Auferstandene kann dem modernen Menschen nicht letzter Halt sein. Christus im Glanze seiner Herrlichkeit nicht als Inhalt, sondern als Grund des Glaubens zu nehmen, bedeutet, etwas Äußerliches zu glauben, was uns innerlich fremd ist.

"Denn der um seine Existenz kämpfende Glaube muß etwas haben, was ihm als etwas Wirkliches sichtbar bleibt und ihn hält in den Momenten, wo er zum Letzten greifen muß. Diesen Dienst kann ihm Christus in dem Glanze der Herrlichkeit, die der durch ihn erlöste Mensch sehen lernt, nicht leisten. Denn das als etwas Wirkliches sehen, heißt eben, in der Kraft des Glaubens stehen. Das ist Inhalt des Glaubens, aber nicht sein letzter Grund. Wenn wir es als solchen gebrauchen, so werden wir doch wieder dazu verleitet, etwas äußerlich anzunehmen, was uns innerlich fremd ist. Das ist aber katholischer Glaube" (I, 166).

Hier zeigt sich deutlich, daß W. Herrmann von dem tiefen Anliegen her argumentiert, dem Unglauben den Glauben in seiner Begründung einsichtig zu machen, und dafür erscheint ihm die Tatsache der Auferweckung ein gewaltiges Hindernis. M. Reischle folgt darin W. Herrmann, obwohl auch er die Wichtigkeit dieses Glaubensgedankens erkennt. Die Bedeutung der Auf-

erweckung sieht er insofern in ihrem ethischen Inhalt, als der Auferweckte der sündlose Jesus ist. Die Auferweckung wird ganz von dem einmaligen Leben Jesu her interpretiert. "Der Eindruck auf Herz und Gewissen
hängt vielmehr an dem ethischen Inhalt des uns entgegengebrachten Zeugnisses von der Auferstehung; und dieser ethische Inhalt ist konzentriert
in der Person dessen, von dem jenes Gewaltige ausgesagt wird, in dem
Geist seines Lebens und Wirkens"[100]. Nun bejaht M. Reischle auch die
Erscheinung des Auferstandenen als eine notwendige (!) Gabe an die Jünger; "...diese Gabe war ihnen auch besonders nötig, da sie unter den
furchtbaren Eindruck des Kreuzigungstodes Jesu Christi gestellt waren"[101].
M. Reischle zieht aber wie W. Herrmann aus dieser Tatsache nicht die
Konsequenz, das Auferweckungsgeschehen in seiner grundlegenden Bedeutung anzuerkennen. Das drängt sich aber doch auf, wenn man den Tod Jesu
in seiner furchtbaren Bedeutung für die Jünger erkennt. Jesus in seiner
Güte und Liebe unterliegt. Auch in dieser einmaligen Gestalt kann sich
letztlich die "Macht des Guten" nicht durchsetzen. Das Scheitern Jesu im
Tod erweist den Jüngern die "Macht des Guten" als Ohnmacht. Daß Jesus
sich zutraute, die Menschen zu erlösen, scheint das einzigartige, aber
ohnmächtige Zeugnis einer sittlichen Persönlichkeit zu bleiben. Erst vom
Auferweckungsgeschehen her können die Jünger begründet bekennen, daß
die Ohnmacht Jesu im Tod der tiefste Beweis der Liebe Gottes ist, die
grenzenlose und völlige Zuwendung Gottes zu dem sündigen Menschen, daß
die "Macht des Guten" die "Macht über alles" ist, auch über den Tod. Diesen Zusammenhang von Leben und Auferweckung Jesu beachtet gerade W.
Herrmann nicht. Er sieht nicht, daß von Jesus her nur begründet von der
"Macht über alles" gesprochen werden kann, wenn auch die Auferweckung
zum Glaubensgrund gehört. Das Unvermögen, in den Ansatz bei dem "geschichtlichen Christus" auch die Auferweckung wesentlich einzubeziehen,
ist mit Grund für den späteren Verzicht auf die notwendige Rückbindung
des Vertrauenserlebnisses an Jesus.

T. Häring will im Gegensatz zu W. Herrmann die Auferweckung Jesu zum
Grund des Glaubens rechnen[102]. Für ihn hat die Erweiterung des Glaubensgrundes ihre Ursache in der besonderen Stellung des Zeugnisses von Jesu
Auferweckung. Nur im Blick auf die Auferweckung ist der Glaube an die
Macht Gottes über die Naturwelt zu begründen[103]. T. Häring erkennt, daß
der sündlose Jesus den Glauben an die "Macht über alles" nicht begründen
kann. Prinzipiell ist damit im Kreise der Schüler A. Ritschls selbst Kritik geübt an der dualistischen Wirklichkeitssicht, mit deren Hilfe man das
Problem der Natur im Gegensatz zum Problem der Geschichte einfach erledigt zu haben schien. Grund für diese kritische Stellungnahme ist die Besinnung auf die Bedeutung der Auferweckung Jesu.

In dem Streit, ob die Auferweckung Jesu zum Glaubensgrund zu rechnen sei
oder nicht, finden allein M. Reischle und T. Häring zu einem abschließen-

den, gemeinsamen Wort. Beide Theologen sind sich darin einig, daß das Leben Jesu in seiner inneren Hoheit Vertrauen schafft und daß es dieser sündlose Jesus ist, der in der Osterbotschaft bekannt wird. Von dem Auferstandenen her kann jedoch nicht der Glaube an das innere Leben Jesu begründet werden, freilich kann der Glaube an die Offenbarung der göttlichen Macht in Jesus nicht auf die Auferweckung verzichten.

"Wenn der Glaube sich auf Christus gründet, so hält er sich nicht etwa nur an das Irdische, sondern auch an den Eindruck seines Sieges über den Tod, ... Vertrauen zu dem überweltlichen Wert seines Lebens und Wirkens will und kann ja der geschichtliche Jesus auch abgesehen von seiner Auferweckung auf sich ziehen; aber Heilsvertrauen im christlichen Sinn... wird erst in dem Augenblick geboren, in dem jenes Vertrauen auf das Charakterbild Jesu zum Vertrauen gegenüber der Osterbotschaft wird, zur Überzeugung von einer Offenbarung der göttlichen Erlösermacht in der Auferweckung Jesu"[104].

Dieses Schlußwort kann W. Herrmann nicht von seiner eindeutigen Position seines Hauptwerkes in Bezug auf das Verhältnis von Glaubensgrund und Auferweckung abbringen. Ist doch das moderne Bewußtsein von der Überzeugung geprägt, daß die historische Fragestellung die Auferweckung Jesu ausschließen muß. Sie ist ein Gedanke der Frommen, ein besonders kräftiges, subjektives Zeugnis für die Majestät Jesu. Im übrigen kann sich W. Herrmann auf F. Schleiermacher berufen, der die Auferweckung für die dogmatische Lehre von Christus in seiner "Glaubenslehre" ausgeschlossen hat (§ 99), denn diese ist nicht in der Grunderfahrung der Erlösung enthalten. Bei der Darstellung des Gesamtlebens der Erlösten hat die Auferstehung Jesu keinen Platz. Dem hat allerdings W. Herrmann widersprochen, weil für ihn die Auferweckung immerhin ein notwendiger Gedanke des Glaubens ist.

7. Die "geistige Macht Jesu" (Spätwerk)

7.1. Religion als individuelles Machterlebnis

Mit der konsequenten Verfolgung der Frage nach 1900, wie das Leben zu seiner Wahrheit kommt, erfährt die Christologie bei W. Herrmann ihre Wende. Der Duktus der Herrmannschen Argumentation verläuft jetzt anders, deutlich erkennbar nach 1904. An die Stelle der Konzentration auf den "geschichtlichen Christus" tritt die auf das eigene Leben. Damit ist das christologische Thema keineswegs aufgegeben, doch die wahrhaftige Selbstbesinnung wird jetzt als das Erste und Wichtigste angesehen. Wer etwas anderes für wichtiger hält, ist nicht frei von sittlicher Trübung. Aus diesem Grund wendet er sich auch gegen den zu seiner Zeit verbreiteten Ruf: "Von Paulus zurück zu Jesus" (II, 67), ohne damit freilich die Bedeutung Jesu für

das wahrhaftige Leben abstreiten zu wollen. Jesus besitzt eine "unvergleichliche Bedeutung" (II, 68), doch aus "unseren eigenen Erlebnissen
muß uns das erwachsen, was unserem inneren Leben die Kraft der Religion geben soll" (II, 66). Die Einsicht, daß Religion die "persönliche An-
eignung des Sittlichen" (R, 166) ist, wird verstärkt im Blick auf das Selbst
ausgelegt. Der doppelte Ansatz mit seiner offenbarungstheologischen Ausrichtung verwandelt sich in einen erfahrungstheologischen, dem die Bedeutung Jesu unsicher wird.

> "Nicht das ist nach unserer Meinung das Verderblichste, wenn sich die
> Menschen um Jesus Christus nicht kümmern, sondern das ist das Ver-
> derben, wenn sie nicht einmal den Versuch machen wollen, sich auf das
> zu besinnen, was in ihrer eigenen Existenz das Gewaltigste ist" (E, 107).

> "Wollen wir aber nicht auf diesem Wege wahrhaftiger Selbstbesinnung
> die Religion suchen, so kann es keinen großen Unterschied machen, ob
> wir die Vorstellungen, die wir uns von anderen aneignen wollen, bei Je-
> sus aufsuchen, bei Paulus oder bei den Reformatoren und der protestan-
> tischen Orthodoxie. Wir haben dann in jedem Fall die gleiche sittliche
> Unklarheit, die gewiß nicht die geeignete Verfassung zur Aufnahme
> wahrhaftiger Religion sein wird" (II, 67).

Von dieser Einsicht her versteht sich der Ruf W. Herrmanns: "Weder zu
Paulus noch zu Jesus, sondern zu uns selbst", der allerdings nur aus einem ungedruckten Fragment im Nachlaß W. Herrmanns zu entnehmen ist
(I, XXXIV). Der Mensch ist konstruktiv in seiner Subjektivität zu sehen,
soll es zur Religion kommen und Jesu Worte verstanden werden.

Dem konsequenten Ansatz beim Selbst entspricht der bereits dargestellte
"Weg zur Religion", der im Spätwerk breit thematisiert wird. Die Darstellung des "Weges zur Religion" hat ein ganz anderes Gewicht als die
des "Zugangs zur Religion" im Hauptwerk. Der Ruf zur Selbstbesinnung
ergeht ohne den konstitutiven christologischen Bezug. Das zeigt deutlich
die Wende im Werk W. Herrmanns. Nicht das Außerordentliche in der Geschichte überhaupt ist gefragt, sondern die gegenwärtigen Grundtatsachen
der menschlichen Existenz.

> "Unser Weg zur Religion geht nicht durch Außerordentliches, sondern
> durch die einfache Wahrhaftigkeit im Alltäglichen. Mit dem Anspruch
> auf Leben nicht bloß spielen, sondern mit ihm Ernst machen, die Tat-
> sachen, die ihm entgegenstehen, sich nicht verbergen, also die Erkennt-
> nis, daß der Wille, sich nicht durch Fremdes überwältigen zu lassen,
> nicht zu seinem Ziel kommt, das ist das erste. Und das zweite ist das
> ruhige Aufsichnehmen des Unvermeidlichen, das reine Empfinden des
> Schmerzes über die Haltlosigkeit dessen, was wir beständig zu behaup-

ten meinen. Diese Wahrhaftigkeit, die Grundtatsachen unserer Existenz
als das zu nehmen, was sie sind, können wir aufbringen; und die Wirklichkeit, an der sich Religion entzündet, kann uns nur aufgehen, wenn
wir es tun" (II, 48).

Dieser "Weg zur Religion" führt in das Private des Einzelnen. Das Individuum muß sehen, wie mangelhaft und gar hoffnungslos es selbst das Leben
besteht, ohne doch dabei zu verzweifeln. In sich selbst hat es wahr zu sein,
um Gott zu finden (vgl. II, 297), innerhalb der eigenen Geschichte hat es
nach der Wahrheit zu fragen. Wahrer Glaube kommt nicht von der Geschichte her, die uns die Tradition vermittelt, sondern aus "der Geschichte in uns"
(II, 245). Dieses private Geschichtsverständnis bestimmt die Entfaltung der
Christologie zunehmend in ihrem fortgeschrittenen Stadium.

Der existentiale Ansatz nimmt den christologischen in sich auf. Die geschichtliche Tatsache der Person Jesu geht ganz in dem individuellen Erlebnis des
Menschen auf. So scheint es. Der Akzent liegt auf keinen Fall mehr darauf,
daß der Mensch in seiner sittlichen Not durch die objektive Tatsache der geschichtlichen Person Jesu erlöst wird, sondern darauf, daß der Mensch in
der Selbstbesinnung er selbst wird. Daher kreist das späte Denken W. Herrmanns um den Ort der Selbstbesinnung. Der Gedanke, daß es auf die Besinnung des eigenen Selbst ankommt, ist keineswegs neu, doch sein Stellenwert ist ein anderer geworden. Indem betont wird, daß die besondere Offenbarung Gottes im ursprünglichen Erleben geschieht, hat der christologische
Gedanke seine kritische Funktion verloren. Es bedeutet eine wesentliche Po-
sitionsänderung, wenn die Offenbarung in jedem persönlichen Leben als besondere angesehen wird, alle Offenbarung eine besondere ist. "Für die lebendige Religion ist alle Offenbarung eine besondere, nämlich ein Reden
Gottes zu einem bestimmten Menschen" (II, 68; vgl. II, 291). W. Herrmann
hält zwar gegenüber W. Bousset an einer besonderen Offenbarung fest, doch
er verlegt sie in das gegenwärtige Leben jedes Frommen. Man kann von einer Vervielfältigung der Offenbarung darum nicht sprechen, weil immer der
eine (!) Gehalt - die Person Jesu - erfahren wird. In der eigenen Wirklichkeit erfährt der Mensch die Macht Jesu. Begegnet er Menschen, deren Güte
ihn beeindruckt, "ihn demütigt und aufrichtet," und besinnt er sich darauf
im "Verlangen nach Wahrhaftigkeit des eigenen Lebens", dann ist er "auch
erschlossen für die Verkündigung, daß die Macht, die ihm hier erscheint
und die ihn zum Leben bringt, Gott ist und diese Erfahrung seines Wirkens
die Religion. Sie wird ihm nun zur Wahrheit, weil sie ihm das ausdeutet,
was er selbst erfährt" (II, 71). Im Zentrum dieser Gedanken steht nicht
mehr die Offenbarung als die geschichtliche Gestalt der Person Jesu, sondern als "die selbsterlebte Tatsache" (II, 81) in jedem wahrhaftigen sittlichen Leben.

W. Herrmann bestimmt die Offenbarung als die Rede Gottes zu einem be-

stimmten Menschen (II, 68). Dieses 'Wortgeschehen' hat seinen ursprünglichen Ort im Erleben, nicht in der Verkündigung. Glaube lebt nicht pri-
mär aus dem Wort, sondern aus "den Momenten, in denen uns der Gehalt
unserer Erlebnisse zu einer Rede Gottes zu uns selbst wird" (II, 65). In
der Sprache des Erlebens begegnet uns die Macht Jesu, die uns überwältigt. Die Frage nach Jesus als die Frage nach dem Grund erhält jetzt einseitig den Charakter einer Machtfrage. In den Erlebnissen wird Jesus machtvoll erfahren. Jesus als das mächtigste Erlebnis ist der Grund des Glaubens.
Der Einzelne erkennt nicht Jesus, sondern erlebt ihn, denn Jesus ist nur
noch persönliche Macht. In der Hingabe an diese Macht als den Gehalt der
persönlichen Erfahrungen kommt das Leben zu seiner Wahrheit, geschieht
Gott. Es ist etwas ganz Individuelles.

> "Kein anderer kann ihn davon überzeugen, daß es geschehen sei oder ge-
> schehen müsse. Seine eigenen Erlebnisse müssen ihm bezeugen, ob er
> darin vor eine Macht gestellt wird, der gegenüber aller Widerstand aus-
> geschlossen ist, weil er sich von ihr völlig abhängig weiß in freier Hin-
> gabe. In dem Bewußtsein dieses innern Vorgangs steht der Mensch vor
> seinem Gott. Und damit allein, daß er das als den Inhalt seiner eigenen
> Erlebnisse in Wahrheit erfaßt, hat er ein Recht zu der Vorstellung eines
> eigenen Lebens. Denn er weiß sich nun ganz und gar durch etwas bestimmt
> das er zugleich von sich aus für sich haben will. Indem ihm das wider-
> fährt, wird ihm darin der Grund seiner innern Lebendigkeit bewußt. Die-
> se innere Befreiung des Menschen ist die Religion. Ist sie nun das, so un-
> terscheidet sie sich offenbar von den Gestaltungen des Denkens, die sich
> als allgemeingültig durchsetzen können, als etwas rein Individuelles. Nur
> der Weg zu ihr ist allgemeingültig, nämlich die Verpflichtung zu der Fra-
> ge, ob das eigene Leben, das wir tatsächlich zu haben meinen, nur eine
> nichtige Illusion sei, oder ob es dem menschlichen Individuum möglich
> werde, zu innerer Wahrhaftigkeit zu kommen" (5 E, 93).

W. Herrmann hat zu einem neuen Konzept gefunden. Was er hier in der 5.
Auflage der "Ethik" schreibt, findet sich überhaupt noch nicht in der 3. Auflage, also vor 1905[105]. Er geht jetzt entschieden von "der inneren Situation
des menschlichen Individuum" aus (5 E, 91). Er fragt dabei nach jener Erlebnistatsache, die sich an der eigenen Existenz unwiderstehlich als unleugbar
und wahr enthüllt. Auf dieses rein individuell Erfahrbare kommt es an. Daher ist der Satz: "Wer Gott finden will, muss in sich gehen" jetzt gesperrt
gedruckt (vgl. E, 90 mit 5 E, 106). Die Erfahrung von Religion gründet in einer Erlebnistatsache, die nicht allgemein nachgewiesen werden kann, sondern im ureigenen, persönlichen Bereich zu finden ist.

Die für das Spätwerk charakteristischen Gedanken hat W. Herrmann in einer Einzeldarstellung des Christentums von 1908: "Die religiöse Frage in
der Gegenwart" (II, 114 ff) vorgetragen und 1909 und 1913 in den neuen Auf-

lagen der "Ethik" verwertet. Im Gegensatz zum Hauptwerk lautet jetzt die entscheidende These, daß die Überzeugung von der Wirklichkeit Gottes "ihren Grund hat in dem, was wir erfahren. " Gott ist uns "nur ((!)) dann eine Wirklichkeit, wenn wir uns durch unsere eigenen Erfahrungen genötigt sehen, ihn für wirklich zu halten" (II, 128). Der Grund des Glaubens wird ausschließlich als gegenwärtiger Erfahrungsgrund verstanden. Darum wird der Fromme nicht mehr zuerst auf die besondere Offenbarung hingewiesen, die vor vielen Jahrhunderten geschah, sondern "auf die von ihm selbst erlebte Offenbarung Gottes" (II, 130). Denn: "Nur ((!)) wenn wir in uns selbst eine Quelle offenhalten wollen, kann das, was uns von außen zuströmt, unser Eigentum werden" (II, 132). Das heißt, daß die Wahrheit des Glaubens letztlich in dem, was der Mensch in sich für sich selbst hat, begründet ist. Die Einsicht von der Erlebbarkeit der Religion wird einseitig radikalisiert. W. Herrmann rekurriert ganz auf das Individuelle. Das steht im deutlichen Gegensatz zu der tragenden Erkenntnis des Hauptwerkes: "Für viel gefährlicher halte ich, daß Frank ((F. H. R. Frank, System der christlichen Gewißheit)) den letzten Halt für das Denken des Gläubigen in einer Tatsache des subjektiven Lebens ... findet. Das entspricht nicht den wirklichen Verhältnissen. Das Denken des Gläubigen wird niemals seinen letzten Halt in demjenigen finden, was Gott aus ihm selbst gemacht hat, sondern in der objektiven Tatsache der Offenbarung, die Gott für ihn in die Welt gestellt hat" (GA, 291). Das, was W. Herrmann hier für sehr gefährlich hält, findet sich später bei ihm selbst. Die christologischen Einsichten des Früh- und Hauptwerkes sprechen gegen die seines Spätwerkes. Er hält nicht den kritischen Ansatz durch, der eine objektive, einsichtige Begründung des Glaubens in der Moderne erstrebt. Seine Wendung gegen einen autoritären Glauben hebt er selbst auf, indem er nur die subjektive Erfahrung, das mächtige, persönliche Erlebnis betont, dem der Mensch sich unterwerfen muß.

7. 2. Die Begründung des Glaubens ohne den geschichtlichen Jesus

W. Herrmann geht es um das subjektive Erlebnis der Offenbarung. Daß das Leben der Gläubigen von Gewißheit getragen ist, hängt nicht mehr konstitutiv von dem "geschichtlichen Christus" ab, sondern "von der Kraft und Fülle solcher Erlebnisse", die selbstständiges Leben erzeugen (II, 146). Es kommt auf die "Erinnerung an eigene Erlebnisse" (5 E, 93f) an, nicht auf die Erinnerung an das geschichtliche Leben Jesu. W. Herrmann spricht von der Gegenwart und nicht mehr auch von der Vergangenheit, von den Möglichkeiten des eigenen Lebens und nicht mehr, wie noch 1904 von dem "Evangelium mit seinen Verheissungen" (E, 82). Heißt es ursprünglich nur: Was bei Paulus und Luther "das Evangelium von der Erlösung durch den Glauben bedeutet, zeigt am einfachsten der Ausdruck desselben Gedankens in der Verkündigung Jesu" (E, 86), so wird später hinzugefügt: "und seine Begründung in der von uns erfahrenen Wirklichkeit Jesu" (5 E, 98). 1904 schreibt W. Herrmann ohne diesen Verweis auf die eigene Erfahrung unmittelbar weiter: "In der Sprache seines Volkes hat Jesus den Zustand der erlösten Menschen Reich Gottes genannt. Zahlreiche Spuren in den Evangelien", die die Historiker sammeln, machen Botschaft und Leben Jesu anschaulicher (E, 86). 1913 schiebt er dagegen Ausführungen über 4 Seiten ein, denen dann erst das eben Zitierte folgt mit der markanten Veränderung: "Einige ((!)) Spuren in den Evangelien" (5 E, 102)[106].

Der wohl wichtigste Grund wird sichtbar, warum W. Herrmann nicht mehr die geschichtliche Begründung des Glaubens durch die objektive Tatsache des Lebens Jesu behauptet. Seine Auffassung von dem "geschichtlichen Christus", der den historischen Jesus miteinschließt, ohne freilich darin einfach der historischen Jesusforschung zu folgen, meint er angesichts der Ergebnisse der historischen Forschung nicht mehr aufrecht halten zu können. Nur einige Spuren in den Evangelien scheinen ihm noch sicher. Der historische Jesus wird ihm unklar. Trotzdem hält er an den wenigen Ergebnissen fest, denn er weiß, daß der christliche Glaube haltlos wird, wenn er überhaupt keine Auskunft mehr über Jesus geben kann. Deshalb verzichtet er auch 1913 nicht auf die Bemerkung von den "durch historische Forschung uns sichtbar gemachten Spuren" des "Erdenlebens" Jesu (5 E, 102). Die Spannung im Denken W. Herrmanns bleibt damit auch im Spätwerk. Nun kommt es ihm allerdings darauf an zu zeigen, daß diese wenigen Spuren des Lebens Jesu nicht die Macht Jesu erweisen, sondern die eigenen Erlebnisse, womit er faktisch ein ganz und gar negatives Ergebnis der historischen Forschung auffangen will. W. Herrmann spricht das nie in letzter Deutlichkeit aus (Vgl. aber Not, 27 ff). Was er sieht und aussprechen muß, ist, daß das historische Wissen von Jesus immer unsicherer wird. Von dieser Tatsache her ist ein gewisser Einfluß M. Kählers auch schon in seinem Hauptwerk trotz bestimmter Distanzierungen verständlich zu machen, wie es in der Schrift: "Der geschichtliche Christus der Grund unseres Glaubens" nachgewiesen werden kann[107]. Die massive Kritik an der Behauptung der Geschichtlichkeit Jesu in ihrem 'Was' und 'Wie' setzt aber erst nach 1900 ein.

W. Herrmann kommt also zu der Position seines Spätwerkes, weil ihm die historische Forschung, die Arbeit der radikaleren Neutestamentler und vor allem die Leugnung der Geschichtlichkeit Jesu durch A. Drews (1909· "Die Christusmythe", vgl. II, 278) den Boden entzog, an der objektiven Tatsache der Person Jesu gewiß festzuhalten. "Uns ist es doch nicht mehr möglich, die Person Jesu so als eine gesicherte Tatsache anzusehen, wie das noch vor wenigen Jahren selbstverständlich ((!)) war. So gesichert ist sie auf jeden Fall nicht mehr, wie man es damals noch annehmen konnte, nämlich durch wissenschaftlichen Beweis". - Der Ausgangspunkt des Hauptwerkes wird hier indirekt ganz deutlich! - "Es liegt offen zu Tage, daß die historische Forschung keinen zwingenden Beweis für bestimmte Umrisse der Person Jesu erbringen kann. Nicht einmal das ist mit ihren Mitteln sicher

zu entscheiden, ob in dem Kreuzestode uns der siegende Wille des Erlösers erscheint, oder ob das ein Schicksalsschlag war, der einen uns im
Wesentlichen unbekannten Menschen getroffen hat" (5 E, 99). Letzteres
aber muß gerade W. Herrmann getroffen haben, weil ihm von den sichtbar gemachten Spuren des Erdenlebens Jesu, die das Bild Jesu bestimmen,
das Tun und Reden Jesu im Gang zum Kreuz am wertvollsten ist. Da erweist er sich als der Erlöser für den Menschen in der höchsten Veranschaulichung der "Macht des Guten": "Angesichts eines Todes, dessen
Schrecken er empfand, hat er auszusprechen vermocht, dass dieser sein
Tod den Menschen, die seiner gedenken würden, die Last der Schuld von
ihren Herzen nehmen werde. Ueber den Tod, dessen Nahen ihn ängstigt,
vermag er hinwegzublicken auf die sittliche Not der in ihrem Schuldgefühl
befangenen Menschen" (V, 73 = 5 V, 70 f).

Die veränderte Forschungslage hat gravierende Folgen für seine Theologie,
da sie ihr Zentrum in der Christologie besitzt. Die vor 1900 entwickelte
christologische Konzeption muß er erheblich ändern. Er gibt zu, daß "alle
einzelnen Bestandteile" der christlichen Tradition "durch die historische
Forschung die Sicherheit verlieren, die sie als Elemente religiöser Gewißheit haben müßten" (Von der Glaubenskirche: ChW 26, 1912. Sp. 718). Es
ist nicht auszuschließen, daß wir durch die Ergebnisse der historischen
Forschung "gezwungen werden können, diese ganze Überlieferung nicht als
den Niederschlag von Erinnerungen anzusehen, sondern als ein Gewebe religiöser Motive, die in dem Zusammenbrechen der antiken Kultur wirksam
waren" (II, 337). Da eine "schneidende Kritik sich über die Evangelien her-
gemacht" hat (Ueberlieferung, 1069 f), kann nicht mehr wie früher von dem
inneren Leben Jesu ausgegangen werden. Die Bedeutung des Lebens Jesu
ist radikal in Frage gestellt. In dieser Tatsache gründet der Wandel des
Herrmannschen Denkens. Darauf hat J. M. Robinson hingewiesen: Im Gedankensystem W. Herrmanns haben sich die Ergebnisse der historischen
Forschung ausgewirkt. Dringt doch "die Kritik zum inneren Leben Jesu
selbst vor, und auch solche 'Selbstverständlichkeiten' wie Jesu Stiftung
der Kirche, sein messianisches Bewußtsein, und vor allem seine ethische
Orientierung werden nicht mehr allgemein anerkannt. Herrmann muß sich
mit der Stellungnahme solch hochangesehener Neutestamentler wie Schmiedel auseinandersetzen, der es z. B. für gleichgültig hält, ob Jesus Schwär-
mer gewesen ist oder ob er überhaupt gelebt hat. Gerade in Marburg ging
zu dieser Zeit Jensen daran, die Existenz Jesu aus dem Gilgameschepos
abzuleiten, so wie A. Drews ihn als Gestalt des Gnostizismus erweisen
wollte". "Angesichts der Infragestellung seines ganzen Christusbildes
macht das Denken Herrmanns einen merkwürdigen Wandel durch[108]".
Das Problem der Geschichtlichkeit Jesu erweist sich als das treibende Motiv bei W. Herrmann. Die Frage stellt sich, ob das Neue Testament nicht
mehr das Bild des geschichtlichen Christus, sondern "das Bild uralten
Glaubens" liefert (Ueberlieferung, 1069). Damit steht die Christologie des
Hauptwerkes zur Diskussion.

Das Bild Jesu hat W. Herrmann in das Zentrum der Christologie gerückt.
Ihre Angefochtenheit durch die historische Kritik ist der kritische Punkt
besonders in seinem Spätwerk, weil das "Bild der Person Jesu" (II, 338)
eben das Bild eines Mannes ist, der "vor vielen Jahrhunderten im jüdischen Lande" (I, 88) gelebt hat. W. Herrmann begegnet dieser Kritik, indem er den Gehalt dieses Bildes in seiner überwältigenden gegenwärtigen
Bedeutung aufweist, die dem religiös Fragenden aufgeht, nicht dem Historiker als Wissenschaftler. In dem Verlangen danach, daß uns das Wirkliche eine Macht wird, der wir uns frei ergeben können, lassen wir uns "an
das Neue Testament fesseln"; dann "werden wir auch erfahren können, wie
aus den zunächst vereinzelten Stücken dieser Ueberlieferung uns das Bild
eines geistigen Lebens erwächst, bei dem wir das Eine finden, was uns
still und getrost macht" (5 E, 100). Dem Gott suchenden Menschen begegnet in der Bibel diese "geistige Macht Jesu", die als der Gehalt der persönlichen Erlebnisse in der Gegenwart erfahren wird. "Der Zweifel an der
historischen Tatsächlichkeit wird schließlich nur durch das überwunden,
was sich jedem einzelnen in seinen eigenen Erlebnissen als die Macht des
persönlichen Lebens Jesu offenbart" (5 V, 91). 1903 heißt es noch: "Der
Zweifel... wird... durch den Inhalt dessen überwunden, was wir als dass
innere Leben Jesu kennen lernen" (V, 93). Es ist "die geistige Macht des
Menschen Jesus" (5 V, 100), die den Menschen im gegenwärtigen Erlebnis
erhebt. Es wird nicht mehr wie früher gesagt, daß "das innere Leben des
Menschen Jesus" (V, 102) durch seinen Inhalt den Menschen erhebt. W.
Herrmann ersetzt in diesem Zusammenhang den Begriff des inneren Lebens Jesu durch den der "geistigen Macht Jesu", weil für ihn bisher das
innere Leben Jesu das äußere impliziert. Diese Änderung signalisiert den
Wandel in der Christologie. In der Frage der Begründung des Glaubens
kommt nicht mehr wie ursprünglich der Erkenntnisgrund des Glaubens zur
Sprache, sondern der Erfahrungsgrund in seiner Unmittelbarkeit. Es geht
nicht mehr auch um das nüchterne Erkennen, sondern allein um das machtvolle Erleben. Indem W. Herrmann ausschließlich nach dem gegenwärtigen
Erfahrungsgrund fragt, kann die geschichtliche Erscheinung Jesu nicht der
Erkenntnisgrund sein. Der Glaube ist einzig an die gegenwärtige Erfahrung
gewiesen, die frommes Erkennen wirkt. Jesus allein als gegenwärtiges Erlebnis begründet den Glauben. Weil Jesus insofern der Realgrund ist, ist er
dann auch der Erkenntnisgrund. Das Erkennen bedeutet hier ein besonderes
Erkennen, weil es in einer ursprünglichen Sphäre von Machtergriffenheit geschieht. Da jedoch W. Herrmann von dem Erleben des Menschen her denkt
und so das göttliche 'Oben' durch das menschliche 'Unten' vermittelt, behält
sein Denken den Charakter einer Existenztheologie. Aber er vertritt in seinem Spätwerk jetzt eine 'Christologie von oben', weil er nur von der unmittelbaren Glaubenserfahrung ausgeht und die geschichtliche Person Jesu
keine konstitutive Bedeutung mehr besitzt. Der Mensch ist nicht mehr auf
die Tatsache des Lebens Jesu angewiesen, weil er in sich selbst Gott erfährt. Die späte Existenztheologie W. Herrmanns impliziert ein Denken

'von oben'. W. Herrmann geht von der unmittelbaren Gotteserfahrung aus.
Jesus kann nur zusätzliche Bedeutung haben. Der Gegensatz zwischen
Haupt- und Spätwerk ist insofern der einer 'Christologie von unten' und ei-
ner 'Christologie von oben'.

Im Spätwerk wird dem Erlebnis selbst alle Beweiskraft zugemutet. Das
Glaubenserlebnis in seiner Mächtigkeit und Unmittelbarkeit rechtfertigt
die Wahrheit des Glaubens. In einer Behauptung, die nur der nachprüfen
kann, der das gewaltige Erlebnis hat, besitzt der Glaube nun seine Begründung. Er verweist auf Jesus als Erlebnis, dem eine Evidenz inne wohnt,
die nicht bestritten werden kann. Daß Jesus und nicht Paulus oder Petrus
zum bezwingenden Erlebnis wird, hat seinen Grund in dem Gehalt dieses
persönlichen Lebens. "Es handelt sich ja darum, daß durch ihn die auf uns
wirkende Macht des Guten über alle Dinge deutlicher und sicherer werden
soll, als durch alles, was wir sonst erleben. Wir müssen also vor allem
sagen können, daß er in dieser seiner Kraft uns gegenwärtig ist, als unser
eigenes Erlebnis" (5 E, 119). In der Kraft, das Gute deutlicher und sicherer werden zu lassen, besteht der entscheidende Gehalt des persönlichen
Lebens Jesu, denn Jesus ist "in der Klarheit seiner sittlichen Erkenntnis
und in der Kraft seines Wollens unvergleichlich" (5 E, 120 = E, 103). Jesus
ist das höchste, weil einmalige Beispiel für die "Macht des Guten über alle
Dinge". Läßt W. Herrmann Jesus auch ganz in das Erlebnis aufgehen, so
beruht seine Bedeutung doch faktisch darin, daß er auch wirklich dieses
Beispiel ist, also ein einmaliges Leben gelebt hat. Nur unter dieser Voraussetzung hat er gegenwärtig Bedeutung. W. Herrmann kann, solange er
christologisch argumentiert, das im Grunde nicht bestreiten. Er stellt es
jedoch als eine unwichtige Voraussetzung dar, da Jesus als gegenwärtiges
Erlebnis und nicht als vergangenes Ereignis seine Bedeutung unmittelbar
erweist. Das Erlebnis in der Unmittelbarkeit, das das Leben zur Wahrheit
bringt, vollzieht sich ja nicht in der Wirklichkeit, die die Wissenschaft beherrscht, sondern in einem ureigenen Wirklichen, das der Mensch allein
ursprünglich erleben kann. Denn das, was der Mensch in Wahrheit ist, vermag man nicht zu begreifen, weil es "jenseits alles dessen liegt, was die
Erfahrung hergibt" (5 E, 75). W. Herrmann behauptet so eine irrationale
Sphäre, in der der Mensch wahr und frei wird, das Eine findet[109]. Das
Denken an Historisches kann hier nur hinderlich sein. Förderlich ist die
Selbstbesinnung.

Das individuelle Leben muß in seiner Verborgenheit erfahren werden. Die
das eigene Leben wahrhaftig machende Erfahrung ist "nicht durch Gedanken
zu gewinnen, deren ewiges Recht wir einsehen, sondern muß in der Verborgenheit des individuellen Lebens aufgesucht werden. Wir können sie nur erleben, wie unsere individuelle Existenz selbst" (II, 58).

Der Glaube an die "Macht des Guten" als die wirkende Macht in allem Wirklichen, die in der eigenen Existenz uns entgegentritt, verliert alle Unsicherheit, "so bald uns die Tatsache der Person Jesu ein eigenes Erlebnis geworden ist" (5 E, 122 f; 1904 heißt es noch· "sobald uns die Tatsache der Person Jesu aufgegangen ist" E, 105). Die Relevanz Jesu erweist sich allein im Erlebnis. Dieses christologische Grundverständnis des Spätwerkes bedeutet, daß dort, wo von dem inneren Leben Jesu die Rede ist, es nun ohne das äußere verstanden werden muß. Dadurch wird es aber völlig fraglich, wie W. Herrmann imstande sein will, "den Grund unseres Glaubens von unserem eigenen Erleben als eine objektive Macht zu unterscheiden" (II, 196), was seine Intention auch im Spätwerk noch ist, damit der Glaube nicht "an einer inneren Haltlosigkeit" leidet (II, 196). Daß der Glaubensgrund eine Macht ist, versteht sich aufgrund seines Charakters als überwältigendes Erlebnis, daß er aber eine objektive Macht ist, bleibt eine reine Behauptung des Subjekts, weil er sich aller wissenschaftlicher Nachfrage entzieht. Die Ausführungen in dem Vortrag: "Der Christ und das Wunder" von 1908 zur Notwendigkeit der Objektivierung des Grundes erscheinen jetzt inkonsequent, nachdem die Position der ganz individuellen Frömmigkeit bezogen ist. Die Kritik an der Meinung, "als Christ sich bei der Frage nach dem Grunde seines Glaubens schließlich ganz auf ein inneres Erlebnis zurückziehen zu müssen" (II, 196), stellt seine eigene Position in Frage, weil es sich für ihn in dem Glauben um Erkenntnis handelt, die "in dem Leben des Individuums als sein verborgenster Besitz verbleibt" (II, 217). Ist das Erlebnis als Erlebnis, das jedes äußere Erkennen ausschließt, einziges Kriterium des Glaubens, dann vermag der Fromme von ihm alles auszusagen. So kann das Objektive des Glaubensgrundes behauptet werden, ohne es nachweisen zu können und zu müssen. Das gegenwärtige Erlebnis in seiner Selbstevidenz wird als nicht hinterfragbar dargestellt. Angesichts der Intention W. Herrmanns in seinem ganzen Denken, die Rechtfertigung des Glaubens im Horizont der Wahrheitsfrage zu leisten, genügt die Berufung auf das rein subjektive Erlebnis nicht, auch nicht auf die menschliche Pflicht, die Frage nach der Wahrhaftigkeit des eigenen Lebens zu stellen, denn die darauffolgende, entscheidende Frage, ob das eigene Leben zur Wahrheit kommt, "muß jeder für sich selbst beantworten" (5 E, 93).

Mit dieser Auskunft bleibt das Reden über Gott in letzter Unverbindlichkeit. Mit der Ablehnung des wissenschaftlichen Denkens in der Frage nach Gott und Glaube wird diese Frage in das Private abgedrängt. Die Theologie W. Herrmanns hat, aus welchen wichtigen Gründen auch immer, die Aufgabe eines dogmatischen Beweises für die Allgemeingültigkeit des Christentums nicht bewältigt. Die Tendenz auf Individualität, die von Anfang an vorhanden ist, hat sich in einem solchen Maß verstärkt, daß jede andere Tendenz von ihr aufgelöst wird. Daß der Grund unseres Glaubens eine objektive Macht ist, kann nur noch als eine subjektive Beteuerung verstanden werden, die dem Nicht-Glaubenden wenig hilft.

Der Subjektivismus und Irrationalismus im Spätwerk, der als einseitige
Konsequenz des Ansatzes beim Selbst des Menschen zu begreifen ist, rückt
das Denken W. Herrmanns in die Nähe der Mystik. Die Folge, daß die Besinnung auf die persönlichen Erlebnisse nicht dem Rückzug der mystischen
Existenz gleichkommt, schließt er bloß deshalb aus, weil er die Abhängigkeit von der Welt als der gegenwärtigen Wirklichkeit aufzeigt. Da das vergangene Wirkliche unwichtig ist, wird jetzt das Historische überflogen. Bedeutung hat allein die Erscheinung Jesu als geistige Macht der Gegenwart,
nicht als historische Erscheinung, von der in Einzelheiten berichtet wird.
Wirklich ist, was das Individuum gegenwärtig betrifft, was Erlösung in der
gegenwärtigen Not bedeutet. In der Besinnung auf das Gegenwärtige ist das
soteriologische Interesse bestimmend. Für W. Herrmann darf auf keinen
Fall die "Sorge um die Rettung der Überlieferung" die "Sorge um die Rettung der Seele" überwiegen (II, 197).

Die realen Tatsachen der Vergangenheit, auf denen der christliche Glaube basiert, sind "für uns jetzt lebende Menschen ganz und gar nicht das
Wichtigste". "Das Wichtigste aber ist uns nicht dieses Vergangene, was
für uns zum größten Teil im Schatten liegt, sondern die gegenwärtige
Not und Erlösung unseres eigenen Lebens" (II, 197).

Je weniger W. Herrmann den historischen Jesus als gegenwärtiges Erlebnis bedenkt, sondern die "geistige Macht Jesu" als erlösendes Erlebnis,
desto stärker wird die These vom "Weg zur Religion" entwickelt, weil sie
zur Besinnung auf das Individuelle und nicht auf das Historische führt. Diese These soll nämlich den späten christologischen Darlegungen ihre Verbindlichkeit geben. Sie ist für das Spätwerk unbedingt notwendig. Das zeigt
- wie ausgeführt - der große Einschub in der 5. Auflage der "Ethik" (S. 88
- 95; 98 - 102). Er läßt sich auch in der 5. Auflage des "Verkehrs" nachweisen (S. 65 - 66; 77 - 79). Betont W. Herrmann bereits 1903 gegenüber
der lehrgesetzlichen Orthodoxie, daß es darauf ankommt, was den Einzelnen innerlich umwandelt, und empfindet er das persönliche Leben Jesu auch
als geistige Macht, so daß er das Problem der Vergegenwärtigung des Vergangenen, nicht einseitig am Historischen orientiert, zu einer Lösung führen kann, so hat er mit der Änderung des Textes 1908 die entscheidende
Akzentverschiebung vorgenommen. Es gibt allein noch den persönlichen Zugang zu Jesus. Das innere Leben Jesu impliziert nicht das äußere. Die eigenen Erlebnisse sind entscheidend. Heißt es zunächst einfach: "Heilstatsache kann für einen Menschen...nur das sein, was ihn innerlich umwandelt. Das kann aber nur das bewirken, was er selbst erlebt, nicht das, was
ihm bloss ((!)) erzählt wird. Deshalb nennen wir das innere Leben Jesu die
Heilstatsache. Denn das können wir jetzt, wie die Jünger aller Zeiten, selbst
als ein Wirkliches erfassen" (V, 68). Der veränderte Text lautet: Wir nennen
"das uns selbst ((!)) an der Überlieferung offenbar gewordene innere Leben
Jesu die Heilstatsache. Denn das können wir jetzt, wie die Jünger aller Zei-

ten, in eigenen Erlebnissen ((!)) als ein Wirkliches erfassen" (5 V, 65).
Diese scheinbar kleinen Änderungen zeigen den großen Wandel im Denken
W. Herrmanns an. 1908 ist die Zielrichtung des Schreibens eine andere.
W. Herrmann muß daher dem alten Text Neues hinzufügen.

"Ein unverlierbarer Besitz kann uns auf jeden Fall nur das werden, was
in uns selbst entsteht, aus allgemeingültigen Gedanken, die wir selbst
erzeugen, oder aus individuellen Erlebnissen, auf die wir uns besinnen.
Hier handelt es sich um beides. Als bewußt lebendige Wesen erzeugen
wir in uns notwendig die Frage nach einer Wirklichkeit, der wir uns als
solche Wesen, also in freier Hingabe einordnen können. Indem wir frei
sein wollen, suchen wir notwendig einen Herrn, dem wir in Freiheit dienen können. Aber als Menschen, die in der Geschichte leben, können
wir uns darauf besinnen, daß nichts anderes eine solche Macht über uns
hat, als die Person Jesu, wenn sich uns die Herrlichkeit dessen enthüllt,
was wir selbst von ihr erleben können, ihre geistige Macht" (5 V, 65 f).

Jesus als geistige Macht steht im Zentrum der Christologie im späteren
Stadium. Jesus als reine, machtvolle Gegenwart schiebt alle Zweifel und
Bedenken beiseite. Darum ist nicht mehr schlicht vom inneren Leben Jesu
und seinem Inhalt die Rede, sondern von der "geistigen Macht Jesu" im individuellen Erleben. Nicht "was wir als dass innere Leben Jesu kennen
lernen" (V, 93) hilft jetzt - das Kennen, das auch das Erkennen von Vergan-
genem meint, wie es das Hauptwerk darlegt, vermag W. Herrmann nicht
mehr zu nennen -, vielmehr das, "was sich jedem einzelnen in seinen eigenen Erlebnissen als die Macht des persönlichen Lebens Jesu offenbart"
(5 V, 91). Theologie kann für W. Herrmann es sich nicht mehr leisten, das
Richtige am Standpunkt der Orthodoxie und der 'Leben-Jesu-Forschung' zu
betonen, denn nur wo die Besinnung auf die mächtigen, eigenen Erlebnisse
geschieht, ist Religion Wahrheit. Mag dieses Verständnis ruhig als "ein
Wiederaufleben eines engen Pietismus" (Moderne Theologie, 232) angesehen
werden, in diesem Pietismus liegt heute allein das Heil der Theologie. Der
Ansatz bei dem nach persönlicher Gewißheit fragenden Menschen wird in
einer solchen Weise radikalisiert, daß der Ansatz bei der geschichtlichen
Erscheinung Jesu als der besonderen Offenbarung Gottes faktisch aufgegeben ist.

7.3. Die Offenbarung Gottes in persönlichen Vertrauenserlebnissen

Der Verlust der geschichtlichen Vorgegebenheit Jesu wird aufgewogen durch
die verstärkte Betonung mitmenschlicher Güte.

"Wir können uns nur der Macht völlig hingeben, in deren Gewalt über uns
sich unser Wille zur Freiheit vollzieht. Das können wir allein an der
Macht des Guten erleben, wenn wir sie als eine uns rettende Macht in

unsere Existenz eingreifen sehen". "Kann nun jeder einsehen, daß er
das, was die Religion sein will, das Bewußtsein reiner innerer Abhängigkeit, also freier Hingabe, nur erleben kann in einer Erscheinung der
ihn rettenden Macht des Guten, so hat er sich einfach zu fragen, wo in
seiner eigenen Existenz ihm das entgegentritt. In jedem Moment, wo er
eine für ihn sich opfernde Liebe sieht, kann er Gott vor Augen haben,
wenn er den Gehalt dieser Erfahrung tief und rein auf sich wirken läßt"
(II, 59).

Öffnet sich dem Menschen der Blick für Gott, für die Wirklichkeit des Lebendigen, in der Erfahrung von Liebe in der Welt, so gilt, daß diese Wirklichkeit dem Einzelnen "nur in den Regungen reiner Ehrfurcht und reinen
Vertrauens aufgeht" (5 V, 78). Er sieht Gott als eine andere Wirklichkeit
jedoch erst vor sich offen "in dem Moment, wo er nicht anders kann als
vertrauen" (II, 59). Dem Ereignis des Vertrauens legt W. Herrmann grundlegende, offenbarungstheologische Bedeutung bei, weil es das Leben wahr
macht, es innerlich einigt und damit Geschichte konstituiert. In ihm hat der
Mensch das Geschenk eines in Selbständigkeit und Abhängigkeit geeinten Lebens. Geschichte wird für den Menschen im vertrauensvollen Zusammenleben
von Menschen. Sie ereignet sich allerdings nur da, wo Einzelne sie "in einer individuell bestimmten Weise miterleben" (II, 232) und der Vorgang des
Vertrauens sich einstellt. Die Vertrauenserlebnisse schaffen so die Geschichte, die der Mensch zu seinem Heil erlebt. Die Vertrauenserlebnisse
sind der Ursprung von Geschichte als Religion.

Erfahrung von Liebe und Güte gibt es nicht nur in der christlichen Gemein-
de, sondern überall, "wo Menschen in den Regungen der Ehrfurcht und des
Vertrauens zu der Anschauung persönlichen Lebens kommen, können diese
Erfahrungen so stark werden, daß sie daraus die Anschauung der wirklichen
Macht über ihr eigenes Leben und damit die Macht über alles gewinnen" (5
V, 78). Kommt Gott in dem Vertrauenserlebnis zur Erfahrung, so deshalb,
weil für W. Herrmann in dem Vertrauenserlebnis sich Sittlichkeit verwirklicht, realisierte Sittlichkeit aber die Anwesenheit Gottes in jenem Geschehen aussagt. Die exklusiv sittliche Fassung des Gottesbegriffs im Anschluß
an I. Kant ermöglicht W. Herrmann dieses Verständnis. Gott als die Macht
über alles offenbart sich in Güte und Gerechtigkeit, weil in Gott "dasselbe,
was in dem sittlichen Gesetz als Forderung ausgesprochen ist, uns als Macht
über alles anfaßt" (5 E, 127 = E, 110).

Gott als der im sittlichen Erleben wirksam erscheinde Wille, "in dem un-
beugsame Gerechtigkeit und unerschöpfliche Güte geeint sind" (Not, 23), ist
überweltlich. "Daß dieses Überweltliche, das wir sittlich verstehen können,
wirklich ist als die Macht über alles und das Leben in allem Lebendigen, das
läßt uns Jesus glauben, wenn wir in ihm selbst die reine Güte verehren und
den Mut des Überwinders empfinden" (5 E, 127 = E, 110). Daß Jesus als rei-

ner Mensch uns Gott glauben läßt, ist ein Gedanke, der in den späteren
Schriften in seiner christologischen Zuspitzung relativiert wird, denn das
wichtige Vertrauenserlebnis erzeugen alle persönlichen Leben, die sich
ehrwürdig verhalten. Das Erfahren Gottes ist nicht nur an Jesus gebunden.
"Der Herr über unsere Seele erschien uns in der Einigung von Gerechtigkeit und Güte, die sich uns durch ehrwürdige Menschen offenbart" (II, 316;
vgl. 313). Mit dieser Einsicht des Spätwerkes kann die Christologie als
Zentrum der Theologie nicht mehr gedacht werden[110].

Der Glaube kommt nicht mehr konstitutiv von der Person Jesu her, weil
nicht die Rückfrage nach der Geschichte Jesu als der Offenbarung Gottes
entscheidend ist, sondern die Vertiefung in Leben und Gehalt personaler
Begegnung im Vertrauenserlebnis. Die Konzentration auf Jesus wird auf-
gefangen in der Konzentration auf alltägliches Leben überhaupt, was zur
Anschauung gehaltvoller Wirklichkeit führt. Freundschaft und Opferbereit-
schaft, Erziehung und Anteilnahme sind alltägliche und doch besondere geistige Vorgänge, in denen uns das Eine aufleuchtet, "was wir ohne weiteres
von aller Natur unterscheiden" (II, 242). Die dualistische Wirklichkeitssicht
wird so durchgehalten, daß auf die Seite das alltäglich Ehrwürdige kommt,
wo das Erleben Gottes geschieht. Wo Ehrfurcht und Vertrauen das Verhältnis der Menschen untereinander bestimmen, offenbart sich Gott. Jedem
Einzelnen tut er sich auf, "wenn er mit einem anderen in Ehrfurcht und
Vertrauen verbunden ist und so an ihm die Offenbarung eines Lebendigen
erlebt" (II, 243). Die Verbundenheit mit Jesus als geistiger Macht kann hier
nur noch verdeutlichen, was man bereits erfahren hat. "Mit dem herzlichen
Vertrauen zu anderen Menschen sind wir in die Wirklichkeit eingetreten, die
allein die Heimat eines wahrhaftigen Lebens sein kann" (II, 244).

Wo das wahrhaft Lebendige angeschaut wird, kommt es zu einem Leben in
Wahrheit. W. Herrmann unterstreicht, daß wir nicht einfach durch das sittliche Gebot "zu einem Leben in Wahrheit erhoben werden. Vor ihm wissen
wir uns schuldig" (II, 249). Wir dürfen uns hier nichts vormachen und "eine verkrüppelte Sittlichkeit" gar für Religion nehmen (II, 243). "In der sittlichen Aufgabe allein haben wir daher noch nicht die Macht vor uns, von der
wir uns völlig abhängig wissen könnten" (II, 249). Diese Macht finden wir
nur da, wo sie uns selbst als auf uns gerichtet begegnet "und doch zugleich
als die Verwirklichung des Guten erkannt wird" (II, 249). Solche Erfahrung
vermag jeder im Alltag zu haben, weil ihm dort Erziehung und Freundschaft
widerfährt. In der Anschauung der sich für ihn opfernden Güte geht ihm Gott
auf, in "dieser Erfahrung, in der der Mensch in uns zu wahrhaftigem Leben
erweckt wird, hat die Religion ihre Wurzel" (II, 250). Versteht der Mensch
dieses Erlebnis als sein wichtigstes und ist ihm sein unleugbarer Gehalt
klar, dann öffnet er sich dieser geistigen Macht willig. "In diesem inneren
Vorgang erleben und ergreifen wir das, was uns retten kann. Wir sehen uns
in einem solchen Moment von einer Wirklichkeit umfaßt, in der wir nicht
mehr uns selbst verlieren" (II, 309).

In der Darstellung des Vertrauensvorganges setzt W. Herrmann das sittliche Gebot als unbedingte Forderung und aufweisbare Tatsache voraus. In der eigenen Besinnung auf das Vertrauensgeschehen erfährt der Einzelne die Bestimmung durch die sittliche Forderung, die er annimmt.

"Indem wir der Frage nachgehen, was für Gedanken uns bewegen, wenn wir Menschen vertrauen, bemerken wir deutlich, daß wir uns selbst sowohl wie sie durch eine unbedingte Forderung bestimmt denken. Aber wir bemerken auch, daß diese unbedingte Forderung uns nur dann im Innersten bestimmt, wenn das, was sie uns vorschreibt, ein Ausdruck unserer eigenen Erkenntnis ist. Wenn wir es uns nicht selbst sagen, so kann auch kein anderer, weder Gott noch Mensch uns sagen, was die unbedingte Forderung gebietet, die der letzte Grund unseres sittlichen Verhaltens sein muß" (5 E, 52).

Der Mensch muß selbst (!) erkennen, was sittlich gefordert ist. Der Evidenz des Ethischen kann er sich dann nicht entziehen. Die Besinnung auf den Vertrauensvorgang weist das sittlich Notwendige auf, nämlich Mitmenschlichkeit in Gemeinschaft zu üben und dadurch die innere Selbständigkeit zu erhalten (Vgl. 5 E, 51 f). Die Einsicht von dem Sittlichen als dem Notwendigen aber erwacht "bei dem Einzelnen in einer Erfahrung des menschlichen Verkehrs, in dem Vertrauensverhältnis" (5 E, 53).

Da Religion das Erleben von Vertrauen und das Lebendigwerden des Selbst im Vertrauen ist, kann W. Herrmann sagen: "Einen breiteren Boden für die Religion können die für ihre Erhaltung Besorgten nicht finden, als er in der zur Geschichte bestimmten und aus der Natur sich emporkämpfenden Menschheit gegeben ist. Vielleicht lassen sie sich nun davon abhalten, in ihrer Angst um die Religion sich zu ihren Trieben und 'Werten' zu flüchten, die ihnen zwar unentreißbar sind, aber ihnen auch nicht emporhelfen können. Vielleicht lassen sie nun auch davon ab, die Quelle der Religion in dem wissenschaftlich Nachweisbaren zu suchen" (II, 243 f). W. Herrmann geht jetzt davon aus, mit seiner Analyse des Daseins dem Glauben seine eigentliche Begründung gegeben zu haben, die auf keine anderen Mittel mehr angewiesen ist. Er will mit dem Vordringen in den Lebensbereich der eigentlichen Geschichte - die historische Erscheinung Jesu ist eine Tatsache der uneigentlichen Geschichte, somit Objekt der wissenschaftlichen Forschung - und "der Teilnahme an ihrem Urphänomen" (II, 243) die Menschen "zu einem neuen Anfang ihres Nachdenkens bewegen" (II, 244). Sie haben sich in der Besinnung auf ihre persönlichen Erlebnisse der unwiderstehlichen Kraft auszusetzen, die sie überwindet. Es ist "die befreiende Macht einer uns im Innersten bezwingenden Güte" (II, 250), und indem diese geistige Macht als Gehalt des Vertrauenserlebnisses erfahren wird, behauptet W. Herrmann das Zusammenfallen von Grund und Gehalt. Gott kommt im Vertrauenserlebnis unmittelbar zur Erfahrung, weil Gott die geistige Macht bedeutet,

die in dem Moment des ursprünglichen Vertrauens sich 'beweist'. Sind wir
uns "in der herzlichen Hingabe an die persönliche Kraft der Gerechtigkeit
und Güte" (II, 310) der Wirklichkeit Gottes bewußt, so offenbart sich diese
geistige Macht eben in den einfachen Erfahrungen der Ehrfurcht und des
Vertrauens. Sie 'beweist' sich als das, was bleibt, wenn wir in unserem
"Vertrauen zu Menschen wieder unsicher werden" (II, 245). Trotz Enttäu-
schungen durch Menschen, denen wir vertrauten, "bleiben wir doch an das
gebunden, was uns in dem Vorgang des Vertrauens geschenkt war" (II, 245).
Das Erfahren der geistigen Macht im Vertrauenserlebnis ist unvergeßliches
und unleugbares Geschehen. Die einmal erlebte Macht entschwindet nicht
mehr.

> "Die Verbindung von Abhängigkeit und Freiheit, die Berührung mit einer
> uns erneuernden geistigen Macht, die sich uns doch als etwas aus uns
> selbst Erwachsendes darstellt, entschwindet uns nicht, wenn das Ganze
> auch nicht mehr an dem Bild bestimmter Menschen, an denen wir es zu-
> erst erfuhren, haften kann. Indem aber das Ganze als eine Macht, die
> uns nicht losläßt, auf uns wirkt, stehen wir in einer inneren Situation,
> in der uns nichts anderes übrigbleibt, als darin das Walten eines Willens
> zu sehen, in dem sich uns das Geheimnis der Schöpfung des Lebens of-
> fenbart. Wir stehen dann vor dem Gott, der, indem er uns schafft, uns
> dazu bringen will, sein Leben aus uns heraus zu schaffen. Ein Leben in
> Wahrheit ist in uns begründet, wenn die Religion so aus dem in uns be-
> wahrten Grunderlebnis unserer menschlichen Existenz oder der Geschich-
> te in uns erwächst" (II, 245).

In der konsequenten Verfolgung des Ansatzes beim Erleben des Selbst ist das
Verhältnis von Sittlichkeit und Religion so als das von Geschichte und Religion interpretiert, daß Geschichte nicht mehr Tatsachen der Vergangenheit be-
deuten kann, sondern den persönlichen Lebensbereich meint, in dem Religion
sich ereignet. Daß Religion von Geschichte her kommt, heißt jetzt, daß der
Glaube seinen Grund im Vertrauenserlebnis hat, weil in ihm die geistige
Macht zur Anschauung kommt. Droht das Erlebnis durch menschliche Un-
treue und Schwäche verdunkelt zu werden, "dann gerade strahlt die geistige
Macht um so heller, die in dem Moment des Vertrauens über uns leuchtete.
Indem sie uns gegenwärtig bleibt als das einzige, was uns in Freiheit atmen
ließ, löst sie sich von den sichtbaren Trägern ihres Wirkens ab" (II, 310f.).
Damit behauptet W. Herrmann eine unabhängige, sich in jedem Fall durch-
setzende Macht, die alle welthaften Vermittlungen hinter sich läßt. Wesentlich ist, daß die Erlebnisse uns dadurch Offenbarungen werden. "Darin enthüllt sich uns jedesmal in besonderer Weise etwas von dem einzigen, was
wir aufrichtig Gott nennen können" (Not, 22). In der geistigen Macht finden
wir aber nur Gott selbst, wenn wir uns zu ihr stellen wie im ursprünglichen
Erlebnis. Daher können wir Menschen "die Ueberwindung unserer Nöte nur
bei ihr suchen", anderenfalls "wären wir unwahrhaftig und treulos" (Not, 22)

und würden uns selbst verleugnen. Im Sehen des Gehaltes des eigentlichen Lebens offenbart sich dem Einzelnen Gott, in der Erfahrung von Gerechtigkeit und Güte. Dieser Gehalt ist "die in der Schöpfung des Vertrauens erlebte geistige Macht. Sie wird dem aufrichtigen Menschen der lebendige Gott" (Not, 22 f). Der Fromme kann sich auf seinen persönlichen Erfahrungsgrund berufen. Diese Tatsache bestimmt für W. Herrmann die Durchführung der Aufgabe einer Grundlegung der Theologie.

Der Gedankengang W. Herrmanns hat einen <u>Bruch</u>. Es heißt, Gott setzt sich als Macht dort durch, wo der Mensch im mitmenschlichen Verkehr versagt. Das Strahlen der geistigen Macht geschieht gerade als ein Vorgang nach dem Vertrauenserlebnis, wenn der, dem man vertraut, enttäuscht. Die Macht wird wahrgenommen, wenn sie vom menschlichen Vertrauensvorgang abgelöst ist. Daß sie im Vorgang schon da ist, wird erst im Hinterher deutlich und eindeutig. Verzweifelt man am Mitmenschen, dann zeigt sich Gott. Gott als geistige Macht erscheint wieder als 'deus ex machina'. Das Vertrauenserlebnis selbst gibt im Grunde dem Menschen nicht die Kraft, ein Leben in Liebe und Wahrheit wider allen Haß und Neid zu wagen und so auf Verwandlung aus zu sein, Gott als Liebe in der Welt selbst ernst zu nehmen, als die Wirklichkeit, die menschliches Leben zu Verwandlung bestimmt, sondern das Vertrauenserlebnis macht durch den folgenden Zweifel an der Vertrauenswürdigkeit des Mitmenschen die Not im Grunde um so schlimmer und tragisch, in der Gott nur noch unerwartet mit Hilfe einer nachträglichen Erhellung des Vertrauensvorganges rettend sichtbar wird. Verdunkelt die menschliche Schwäche das Erlebnis, dann bedeutet das helle Strahlen der geistigen Macht einen gerade nicht im mitmenschlichen Erlebnis begründeten Erweis der Macht, sondern die Macht setzt sich durch sich selbst, entgegen der mitmenschlichen Erfahrung, durch. Wo dem Vertrauenserlebnis alle Beweislast zugemutet wird, kann in ihm Gott nur als 'deus ex machina' gefunden werden, der die Not wendet, die durch das mitmenschliche Vertrauenserlebnis letztlich nur vergrößert wird. Wenn aber Gott immer in der Not, alle weltlichen Vermittlungen hinter sich lassend, als die das Individuum bezwingende Macht gedacht wird, dann geschieht in der Welt keine Veränderung. Not erscheint als Schicksal, Freiheit und Gerechtigkeit sind Vorstellungen einer isolierten Innerlichkeit und keine in der Welt sichtbar werdenden Möglichkeiten. Das Verständnis von Jesus als rein gegenwärtigem Erlebnis schließt die Geschichtlichkeit Jesu aus, damit die Bedeutung Jesu, die Welt verändert und der Geschichte ihren Sinn geoffenbart zu haben. Während in der Geschichte nichts passiert, ist in der reinen Innerlichkeit alles möglich. Der Verzichts darauf, die Subjektivität an einer nachweisbaren Objektivität zu messen, läßt die Aussagen W. Herrmanns derart unverbindlich werden, daß sie allein den Frommen bestätigen, der sich auf sein Selbst zurückgezogen hat. Im Privaten geschieht die Selbstvergewisserung der Subjektivität.

W. Herrmann betont, daß Jesus als Erlebnis "durch sich selbst" Gewißheit

Gottes schenkt, weil er das unleugbare Wirkliche ist. "An das allein müssen wir uns halten, also an den Jesus, der durch sich selbst uns von seiner Wirklichkeit überführt, ohne daß wir ihm erst durch unsern Entschluß
die Bedeutung des Wirklichen verleihen" (5 E, 112 = E, 96). Indem Jesus als
selbstevidente Tatsache den Menschen aber überführt und überwältigt,
kommt es zu einem Glauben, der den Menschen fraglos vereinnahmt. Das
bedeutet jedoch, daß der Glaube Glaube aufgrund von Macht ist, die weder
im Weltlichen, noch im Kontext der Glaubensgedanken verstehbar, dennoch
für das Individuum im ureigenen Erleben von fragloser Bedeutung ist. Dieses Glaubenserlebnis setzt sich selbst. Daß Jesus als 'guter Mensch' gelebt
hat, kann man weder erfragen noch nachweisen. Es ist im Erlebnis fraglos
vorausgesetzt, da es kein Gegenstand des religiösen Fragens sein darf. Die
Folgen des kritischen Ansatzes des Früh- und Hauptwerkes sind jedoch auch
im Spätwerk nachzuweisen. W. Herrmann erkennt, daß das persönliche Leben Jesu den Menschen nicht zu einer Tatsache werden muß, sondern kann.
Die radikale Trennung der religiösen Frage von der historischen erlaubt
keinen Beweis, den der vernünftige Mensch einsehen muß. So etwas zu behaupten, wäre ganz und gar unkritisch. "Wohl aber wird niemand bestreiten
können, daß uns selbst das persönliche Leben Jesu eine von uns erlebte Tatsache werden kann" (Not, 26). Jesus kann zur Heilstatsache werden.

7.4. Jesus als geistige Macht und unerkennbarer Glaubensgrund

Daß W. Herrmann überhaupt das Erlebnis der Person Jesu im Spätwerk betont zur Sprache bringt, hat seinen Grund darin, daß die geistige Macht den
Menschen gerade in diesem Erlebnis nicht mehr losläßt. Es ist die "geistige Macht Jesu", die ohne Vorbehalt überwältigt. Das Erlebnis Jesu übt die
"größte Gewalt" aus (II, 68). Jesus ist "die einzige Erscheinung des Geistes,
der kein Vertrauen täuscht und der reines Vertrauen fordert" (II, 193). In
Jesus begegnet man der geistigen Macht in ihrer ganzen Klarheit und Reinheit. Darum öffnet sich der Ausweg aus aller Not, "wenn uns in dem Jesus
des Neuen Testaments ((!)) eine übermächtige, zunächst schier unglaubliche
Wirklichkeit faßbar wird, in der uns so, wie nirgens sonst, das Einzige erscheint, dem wir uns in reinem Vertrauen hingeben können" (II, 256). Nicht
der "geschichtliche Christus", sondern der "Jesus des Neuen Testaments"
hat die gewaltige Bedeutung. W. Herrmann beruft sich bei seiner christologischen Argumentation nicht mehr auf die Geschichte, sondern auf das Neue
Testament! Damit hat sich im Spätwerk W. Herrmanns deutlich der Einfluß
M. Kählers weiter verstärkt. Es heißt nicht mehr einfach, daß der Einzelne
durch das Bild Jesu die "Macht des Guten über alles" kennt, vielmehr daß
"dies Eine durch das von uns selbst erfaßte neutestamentliche Bild Jesu geschenkt wird" (D, 28). "Eine wirklich in der Geschichte stehende Macht wird
uns also die Person Jesu nicht durch historische Beweise, sondern durch unsere Erfahrungen an dem Bilde des geistigen Lebens Jesu, das wir selbst
aus dem Neuen Testamente gewinnen können" (D, 29). Der Christologie des

Spätwerkes geht es um die "geistige Macht Jesu" und den "Jesus des Neu-
en Testaments". Sie findet sich vor allem in ihrer neutestamentlichen Fundierung gedrängt in dem Abschnitt von 1912: "Jesus Christus als der Befreier des Glaubens an Gott von der Gefahr der Geschichte" (bei W. Herrmann gesperrt gedruckt, II, 255).

Dem "Jesus des Neuen Testaments" können "wir uns in reinem Vertrau-
en hingeben". "So wie dieser Jesus hat niemand vor oder nach ihm den
Inhalt der sittlichen Forderung ausgesprochen, zumal in bezug auf die
Feindesliebe (Mt. 5,44 par. Lk. 6,27).... Ferner aber berichten uns
die Evangelisten niemals einen Zug aus dem Leben Jesu, der uns einen
Abfall von seiner eigenen, höchstgespannten sittlichen Forderung erkennen ließe. Er steht vor uns in reinem Wollen und in reinem Tun, unvergleichlich. Unerfindbar, sagt man uns, sei keine Kategorie der Wissenschaft. Das mag sein. Aber es ist eine Kategorie des lebendigen Menschen. Unerfindbar, ja im tiefsten Grunde unerkennbar ist immer das
lebendige Geistwesen, das wir vor uns haben, wenn wir uns vor einem
Menschen in herzlicher Ehrfurcht beugen oder ihm vertrauen. Bewiesen
werden kann dieses Lebendige nicht; man muß es selber sehen und dieses Leben in seiner Kraft an sich erfahren. So ist es auch in bezug auf
Jesus. Wer erfahren hat, was wirklicher Glaube ist und wie er allein
entstehen kann, wird in der Berührung mit dem Jesus des Neuen Testaments dessen innewerden, daß das Vertrauen, mit dem er die von ihm
ergriffenen Menschen erfüllt, Wahrheit ist, und daß in ihm unser Leben
ein wahrhaftiges wird. Mit Frohlocken wird er zu dem greifen, was das
Neue Testament bietet. Damit ist aber zugleich die Not der Geschichte
überwunden und der Grund gewonnen für den christlichen Glauben" (II,
256).

W. Herrmann spricht hier fünf Gedanken aus, die für die Christologie seines Spätwerkes charakteristisch sind: die Kraft und Macht Jesu, der "Jesus
des Neuen Testaments", die Unvergleichlichkeit Jesu, Jesus als im tiefsten
unerkennbarer und unbeweisbarer Grund, Jesu Worte. Die beiden ersten Gedanken sind bereits dargelegt worden. Nicht ist jedoch bisher ausgeführt
worden, daß W. Herrmann nun an Jesus nicht dessen Leben, sondern dessen Worte betont. Das Wort Jesu ist von höchster Relevanz, nicht die Geschichte Jesu. Daher wird kaum noch von Jesu Verhalten und Tun, seinem
Beispiel und Wirken gesprochen, wenn W. Herrmann auch nicht ganz darauf verzichten kann. In der Schrift "Die Wirklichkeit Gottes" von 1914 ist
nichts von Leben und Werk Jesu erwähnt, wohl aber ein "besonders teures
Wort Jesu" (II, 315), denn das Wort verweist auf das Entscheidende. Es sagt,
daß es auf "die schlichte Anerkennung einer von uns erlebten Tatsache" ankommt, "in der wir den Herrn über unsere Seele... gefunden haben" (II, 315).
Haben wir um Jesu willen uns auf unsere selbst erlebte Geschichte zu besinnen, dann bedeutet das, um Jesu Worte willen. Wenn der Mensch in seiner

persönlichen Geschichte, auf die die wesentlichen Worte Jesu vor allem
hinweisen, Gott gefunden hat, "so kann ihm in der neutestamentlichen Überlieferung die Person Jesu begegnen, und er wird dann in ihr mit Frohlocken
den Erlöser begrüßen, dessen gerade er von nun an ((!)) bedarf" (II, 317).
Für die Erkenntnis der Wirklichkeit Gottes hat das Leben Jesu keine konstitutive Bedeutung. Allein das Hören auf die Worte Jesu ist wichtig; stellen auch sie nicht erst die Menschen vor Gott, weil sie schon Gott kennen,
ihn aber zu vergessen suchen, so fordern die Worte Jesu zur Vergegenwärtigung der eigenen Erfahrungen auf. "Die Worte Jesu von dem Vater im
Himmel enthalten also die Aufforderung, sich die Erfahrungen zu vergegenwärtigen, die diesen Worten ihren Inhalt geben" (II, 247). Für W. Herrmann
bleibt besonders das Wort Jesu unüberhörbar, weil es einmalig den Inhalt
der sittlichen Forderung ausgesprochen hat. Durch die Worte Jesu ist das
sittliche Wollen zur vollen Klarheit gekommen. Diese Worte sind unaufgebbar.

Aus dem Leben Jesu ist aber von Interesse, was die höchstgespannte sittliche Forderung in ihrer Realisierung zeigt. W. Herrmann kann nicht umhin, vom Leben Jesu selbst zu sprechen, weil die Worte in ihrem Anspruch
auf das Leben verweisen. Die Unvergleichlichkeit und Einzigartigkeit des
Wollens und Tuns Jesu müssen genannt werden, und W. Herrmann muß in
Kauf nehmen, daß man hier den Gedanken der Historizität dieses Lebens
massiv sich vor Augen führt. Jesus wird faktisch zum persönlichen Erlebnis, weil er die Macht des Guten am reinsten darstellt. Der Grundgedanke
der Christologie des Hauptwerkes setzt sich hier durch. Das Glaubenserlebnis verdankt sich einer ganz bestimmten, inhaltlichen Tatsache, die unabhängig von dem Erlebnis ist. W. Herrmann spricht ganz selbstverständlich von der Einmaligkeit des Lebens Jesu, ohne freilich diese Tatsache in
ihrer Objektivität anzuerkennen und zu thematisieren. Dieses Dilemma im
Spätwerk verweist zurück auf die Grundproblematik des Hauptwerkes, die
durch die christologische Argumentation auch im Spätwerk auftaucht. Sie
wird jedoch jetzt gewaltsam gelöst, indem W. Herrmann nur auf die Offenbarung als Erlebnis aus ist und so trotz der notwendigen Rede von Jesu einmaligen Leben die Objektivität dieser Tatsache übergeht. Statt die Geschichte zu nennen, wird das Neue Testament genannt, womit die historische Frage nach Jesus selbst ausgeschlossen wird und der Auflösung der geschichtlichen Faktizität in existentielle Bedeutsamkeit nichts mehr im Wege steht.
Aus der biblischen Überlieferung, die "als das Ausdrucksmittel des Evangeliums zu gebrauchen" (II, 203) ist, erstrahlt die "geistige Macht Jesu" in
ihrer Wunderbarkeit. Jesus erscheint aus dem Neuen Testament als das einmalige Wunder. Dies darf nicht als unverbindlicher Eindruck angesehen werden. Nicht nur "die immer rege Frage nach der Macht, der wir uns ganz unterworfen wissen könnten", ist als allgemeingültig zu behandeln, sondern
auch, wenn auch in zweiter Linie, "die Erfahrung, daß uns diese Macht nirgends so begegnet, wie in der aus der Überlieferung uns offenbar gewordenen

Person Jesu, also in dem Wunder, daß sich mit der Vollendung sittlicher
Kraft und Reinheit der Wille verbindet, sich für die Sünder zu opfern, die
durch sie gerichtet sind" (II, 203). Damit bleiben zumindest christologische Gedanken im Zentrum der Theologie W. Herrmanns. Daß Jesus als
geistige Macht im Vertrauenserlebnis den Menschen wahrhaft lebendig
macht, setzt die Einmaligkeit der Person Jesu voraus, wie sie aus dem
Neuen Testament zu entnehmen ist. Insofern kann auf die "Rückbindung
des Vertrauenserlebnisses an die Person Jesu"[111] nicht verzichtet werden, als allein an ihr selbst das Wunder zu sehen ist, das Menschen im
Innersten in reinem Vertrauen überwindet (Vgl. II, 167. 203). Bei Jesus
geschieht nicht das, was bei anderen Vertrauenspersonen sich ereignet,
daß wir nämlich an ihnen irre werden, zweifeln, enttäuscht sind. Wird
unser Vertrauen zu Menschen, wie es im unmittelbaren Erlebnis erwächst,
erheblich getrübt, bei Jesus nicht. Darum ist er das einmalige Wunder, die
geistige Macht selbst. Die Macht, die im Vertrauenserlebnis anwesend ist,
löst sich nicht von der Person Jesu ab, um trotz und gerade wegen des Ver-
trauensschwunds sich als bleibend und wahr zu erweisen und den Gedanken
einer "Macht des Guten über alles" zu erzwingen, denn bei Jesus gibt es
keinen Vertrauensschwund, er ist die Macht selbst, sie ist gleichsam in
ihm und durch ihn verkörpert. Der Mensch bleibt bei Gott im Bleiben bei
Jesus. Das Gewicht der christologischen Argumentation in der Spättheologie ist hier nicht unerheblich. W. Herrmann will sich weiterhin als Christologe verstehen, so daß sich auch im Spätwerk bestimmte Gedanken gegen die Theologie sperren, die ihren Ausgang ausschließlich beim Erleben
das Selbst nimmt. Wenn man sich dem hingibt, was aus dem Neuen Testament "von der Wirklichkeit und der Macht Jesu an uns herandringt", dann
werden wir erleben, "daß je klarer uns das Bild Jesu wird, desto mehr uns
das Eine ergreift, vor dem in uns selbst aller Widerstand vergeht, das all-
mächtige Wesen. Wer den in dem Leben und in der Überlieferung der christlichen Gemeinde bezeugten Jesus Christus kennenlernt, steht vor dem Gott,
dessen Macht ihm als unentrinnbar klarwerden kann" (II, 167). W. Herrmann
unterstreicht hier die Bedeutung Jesu, aber es ist nicht die geschichtliche
Erscheinung Jesu, sondern der "Jesus des Neuen Testaments", von dem er
ausgeht.

Indem W. Herrmann den neutestamentlichen Jesus völlig als unmittelbares
Erlebnis versteht, nimmt er sich die Möglichkeit, eine kritische Theologie
vorzutragen, die nicht behauptet und nötigt, sondern hinterfragt und einsichtig erweist, zugleich gibt er es damit auf, die Theologie von der Christologie her zu entwickeln. Der christologische Rekurs hat seine kritische Funktion gegenüber der Erlebnistheologie verloren. Will W. Herrmann auch Jesu Bedeutung deutlich herausstellen, so hat er im Grunde nur 'zusätzliche
Bedeutung'. Die Einmaligkeit Jesu sagt nicht mehr aus, als das in Jesus
das klar und einzig erfahren werden kann, was in anderen Menschen weniger klar und einzig erfahren wird. Im unmittelbaren Vertrauenserlebnis

geht dem Einzelnen Gott auf. Im unmittelbaren Erlebnis unterscheidet sich Jesus nicht von anderen Vertrauenspersonen, weil dort Gott zur Anschauung kommt, wo der Mensch Güte und Gerechtigkeit erlebt. Erfährt der Mensch die "Macht über alles" im unmittelbaren Vertrauenserlebnis, dann kann er "von nun an" (II, 317) Jesus als seinen Erlöser begrüßen. Warum aber Jesus als Erlöser bekannt wird, bleibt unbegründet. Der Christ zieht sich auf sein selbst erlebtes Wunder zurück. Unerfindbar ist ihm Jesus, womit er ihn als "im tiefsten Grunde unerkennbar" (II, 256) behauptet. Jesus als Grund des Glaubens ist unerkennbar und unbeweisbar. Jesus ist nur in der Tiefe der Existenz erlebbar; die Konsequenz aus diesem Satz zieht W. Herrmann in seinem späten Schriften radikal.

Der Grund des Glaubens ist nicht von außen gegeben. Der Fromme kommt von einem inneren Erlebnis her, das ihm ein Leben in Wahrheit gibt. Er ist nicht an der Vergangenheit, sondern nur an der Gegenwart interessiert. "Die lebendige Seele wohnt nicht in dem, was ihr von außen zukam ((!)), sondern in dem, was aus ihr selbst aufquillt ((!))" (II, 249). Im gegenwärtigen Dasein des Individuums ist der Quellgrund für das persönliche Lebendigwerden. In der Existenz drängt die geistige Macht als die Quelle des Glaubens zum Leben. Das wahrhaft Lebendige aber ist letztlich unerkennbar. Jesus als geistige Macht sehen, seine Kraft wahrnehmen, kann daher allein bedeuten, sich der Macht im Erleben hinzugeben. Das Individuum erkennt nicht, sondern wird überwältigt, was es innerlich bejaht. Die "geistige Macht Jesu" übt Zwang aus, ohne damit den Betroffenen zu befremden. Das versteht nur der, der es erlebt. Glaube als Erlebnis der Macht Jesu bedeutet Verstehen. Im Erleiden geschieht Verstehen. Daß also die geistige Macht zum Ziel kommt, heißt zu verstehen. Diese Argumentationsreihe klärt, daß Glaube nicht ein äußerliches Geschehen ist, in dem Sachen sich durchsetzen, die uns fremd bleiben, "denn eine innere Umwandlung können wir nur durch das erfahren, wozu wir innerlich erhoben werden, indem wir es geistig erfassen oder verstehen. Die Rettung des persönlichen Lebens ... kann uns nicht aus Sachen, sondern nur aus persönlichen Leben kommen" (5 E, 97 = E, 85). Die radikale Trennung des inneren von dem äußeren Leben im Spätwerk hat zur Folge, daß es nur ein Verstehen von Innerem, Persönlichem gibt, das im Glauben sich ereignet. Die Macht des Persönlichen aber ist das Geistige, das im Erleben anwesend ist. Dadurch kommt im persönlichen Erlebnis Gott als der Grund aller Wirklichkeit zur Erfahrung. Die Kritik K. Barths ergeht also insofern zu Recht, als sie diese Erlebnistheologie des Spätwerkes trifft[112].

Den 'Beweis des Lebens', mit dem W. Herrmann jetzt faktisch argumentiert, bezeichnet er als das Sich-Erweisen des eigenen Lebens, weil der Beweis eine Kategorie der Wissenschaft ist. Demütigt und erhebt Jesu Einmaligkeit und Unvergleichlichkeit als Erlebnis den Menschen, so erweist sich unwiderstehlich die Kraft des eigenen Lebens. "Bewiesen werden kann dieses Lebendige

nicht; man muß es selber sehen und dieses Leben in seiner Kraft an sich
erfahren" (II, 256). Für W. Herrmann ist damit der unbeweisbare Grund
des Glaubens gewonnen. Die Entscheidung für den christlichen Glauben
wird nicht mehr auch rational, mit einsichtigen Argumenten, dargelegt,
weil sie in der tiefsten Verborgenheit des eigenen Lebens fällt (Vgl. II, 251).
"Die Gründe des Glaubens liegen im Verborgenen. Ihre Wahrheit kann sich
nur in dem Erwachen des eigenen Lebens erweisen" (II, 274). Dieser Erweis schließt objektive Gründe des Glaubens aus. W. Herrmann hat sich
auffällig von der Christologie seines Hauptwerkes abgewandt. Von dem im
Hauptwerk wichtigsten Grund des Glaubens, der geschichtlichen Tatsache
der Person Jesu, spricht er später so, daß der Grund des Glaubens "die
in einem individuellen Erlebnis erfaßte geschichtliche Tatsache der Person
Jesu und ihre Macht" ist (gesperrt gedruckt bei W. Herrmann, 5 V, 83;
anders V, 84). Hier werden noch in der Sprache des Hauptwerkes (geschichtliche Tatsache der Person Jesu) die Gedanken ausgedrückt, die das Spätwerk tragen, deutlich sichtbar in dem Zusatz: "und ihre Macht". Der Glaube bewahrheitet sich nicht mehr aus einem Erkenntnisgrund, vielmehr aus
einem unerkennbaren Machtgrund. Gründet der Glaube in der unmittelbaren
Erfahrung der geistigen Macht Jesu, dann nennt die Christologie den Realgrund. Der Glaubensgrund überzeugt in seiner geistigen Selbstevidenz den
von ihm Ergriffenen und ist in dieser Funktion nicht mehr gegenständlich
zu beschreiben. Daß in Jesus die "Macht sittlicher Reinheit" erscheint, gehört als Aussage nicht mehr zum Grund, sondern zu den Gedanken des Glaubens (D, 77). Das Sittliche als Überzeugungsmacht ist unbegründbar, uner-
klärbar, weil Gott in ihm als unverfügbare Macht ist.

Da die Spättheologie W. Herrmanns es sich nicht mehr zutraut, den geschichtlichen Grund des Glaubens als die objektive Tatsache des besonderen Lebens Jesu aufweisen zu können, begibt sie sich nun sachlich in den
Bereich lebensphilosophischer Gedanken und gibt einen 'Beweis des Lebens',
der sich faktisch beweist durch den Nicht-Beweis des wissenschaftlichen Beweises. "Denn das Lebendige in seiner Eigenart ist stets irrational" (D, 39).
W. Herrmann hat den streng christologischen Ansatz aufgegeben, weil seine
Voraussetzungen und Folgen nach seiner Meinung dem neuzeitlichen Menschen unzumutbar sind, soll diesem der christliche Glaube noch eine wirkliche Möglichkeit sein. Vornehmlich durch die moderne historische Forschung ist der geschichtliche Christus eine fragwürdige Größe geworden,
so daß sich der Glaube auf ihn nicht mehr in einem konstitutiven Sinne berufen kann. Trotzdem hält W. Herrmann noch daran fest, daß Glaube als
christlicher sich auf die Person Jesu zu beziehen hat. Daß "Jesus Christus
unser Erlöser ist", "Gott allein durch sein Nahen uns erlöst", weiß er auch
1918. (Soll es eine besondere theologische Geschichtsforschung geben?:
ChW 32, 1918, 293). Doch es fehlt ihm die Kraft, dies überzeugend auszuarbeiten. Immerhin bleibt die Christologie ein Thema seiner späten Vorlesungen. Die Veränderung, die sie jedoch von der programmatischen Äus-

serung von 1879 (R, X) bis zu der resignierenden Äußerung von 1918 (II, 337) genommen hat, zeigt deutlich, daß es im Denken W. Herrmanns zu einer Rückbildung der Christologie gekommen ist. Es soll jetzt noch versucht werden, die unterschiedlichen christologischen Positionen weiter zu profilieren. Dabei sollen vor allem die tragenden Gedanken des Hauptwerkes zur Sprache kommen.

8. Das Leben Jesu und die historische Kritik

8.1. Die Problemstellung durch die Aufklärung

Die Bejahung der Geschichte zur Begründung des Glaubens bringt der Theologie erhebliche Probleme, weil sie in der Neuzeit die Bejahung der historischen Forschung mit einschließt. Mit dem Aufkommen der historischen Kritik ist wesentlich der Autoritätsschwund der Bibel verbunden. Die Autorität der Bibel war bisher durch das Inspirationsdogma gesichert. "Die orthodoxe Inspirationslehre hatte den Zaun um die Bibel gemacht, der die wissenschaftliche Forschung ausschloß" (I, 153). Mit der Bibel als dem göttlich inspirierten Buch hatte die Theologie ein Instrumentarium, mit dem sie letztlich alles erklären konnte. Aber "nach der Entkräftung der orthodoxen Inspirationslehre" (I, 157) durch die Aufklärung wurde sie genötigt, sich der Offenbarung als ihres Grundes neu zu vergewissern. Das Anliegen W. Herrmanns ist es, anstelle der Autorität der Bibel die Autorität der Person Jesu selbst zu erweisen. Wir haben nach Jesus selbst zu fragen, nach der Geschichte eines Lebens, das sich - wie sich zeigt - wunderbar, in besonderer Weise von anderen Leben unterscheidet. Wie M. Luther im Kampf mit der römischen Kirche "sich von der heiligen Schrift zurückzieht auf Jesus Christus selbst" (II, 160), so auch W. Herrmann in der Auseinandersetzung mit der aufklärerischen Kritik. Indem er "diesen richtigen Weg" (II, 160) zu Jesus selbst hin einschlägt, will er die Aufklärung innerlich überwinden. Der christologische Ansatz ist entscheidend. Nach seiner Meinung haben Theologie und Philosophie des 18. Jahrhunderts "die Aufklärung nur äußerlich überwunden; in sich verarbeitet hat sie diesselbe nicht" (Gewißheit, 10).

Mit der Aufklärung haben sich vor allem zwei Probleme ergeben. Wie ist mit der Infragestellung des Gottesglaubens und mit der historisch-kritischen Forschung fertig zu werden? Begegnet W. Herrmann der "moralischen Begründung der Religion durch die Aufklärer" (I, 159 f) mittels der Betonung des Historischen am christlichen Glauben, so wird für ihn das Problem der historischen Kritik aufgrund ihrer destruktiven Ergebnisse besonders brennend. Dem Aufklärungsdrang auf dem Gebiet der Geschichte kann und will er sich jedoch nie entziehen. Er bejaht die historische Forschung.

"Denn unser Glaube hält es nun einmal mit der Wahrheit und deshalb

auch mit der Forschung nach der Wahrheit. Es ist daher ganz aussichts-
los, evangelische Christen dadurch schützen und beruhigen zu wollen,
daß man ihnen einredet, mit der Bibel dürfe sich die historische Forschung nicht befassen. Denn dadurch wird etwas in sie eingeführt, was
gegen den eigenen Trieb ihres Glaubens geht und durch dessen Kraft,
wenn sie nicht erstickt wird, wieder ausgestoßen werden muß" (I, 156).

Wahrheit wird nicht nur erfahren und erlebt, sie will auch erforscht sein.
W. Herrmann sucht in seinem Früh- und Hauptwerk prinzipiell die rationale Problematik der Aufklärung auch mit rationalen Mitteln zu bewältigen.
Das persönliche Erlebnis verbürgt nicht in sich selbst die Wahrheit. Es
muß einen objektiven, nachweisbaren Grund besitzen. Nach ihm ist in der
Bibel kritisch zu suchen. "Durchaus billige ich die Absicht, einen Gebrauch
der Bibel zu befürworten, bei welchem die Wahrhaftigkeit unverletzt bleiben kann und unleugbare Thatsachen der geschichtlichen Forschung nicht
ignoriert, sondern verwerthet werden" (ThLZ 1887, 578).

Im Hauptwerk W. Herrmanns findet sich noch nicht die unzulässige Verengung der Wahrheitsfrage. Die Reaktion auf die Aufklärung führt zunächst
keineswegs zu Individualismus und Irrationalismus. Das Recht der Fragestellung der Aufklärung wird anerkannt, und W. Herrmann hat dort Verständnis für die durch die aufklärerische Kritik hervorgerufene Feindschaft
gegen die Religion, wo Religion autoritär gefordert und begründet wird wie
im Katholizismus. "Wenn daher die in rein katholischen Ländern aufkom-
mende Aufklärung von einer Feindschaft gegen alle Religion erfüllt zu sein
pflegt, so ist das nicht immer eine Erscheinung des Bösen, sondern sicherlich oft eine Auflehnung des gequälten Gewissens" (I, 191).

Die katholische Weise zu glauben, wie sie auch in der protestantischen Orthodoxie zum Teil gepflegt wird, muß abgelehnt werden. Christlicher Glaube kann nicht die Unterwerfung unter eine uneinsichtige, irrational begründete Autorität sein. Deshalb hat gerade der Glaube als Erlebnis sich bewußt zu machen, daß er allein in einer geschichtlichen Tatsache seinen
letzten Halt hat, die der historischen Kritik ausgesetzt ist. Der Glaube
kann daher der Wissenschaft nicht den Rücken zukehren. In dem Einge-
hen auf die historische Wissenschaft ist ja der Unterschied zwischen Religion und Wissenschaft nicht aufgehoben. W. Herrmann kann hier die richtige und notwendige Unterscheidung zwischen dem Grund des Glaubens und
dem Glauben selbst zugrunde legen.

Es muß zunächst klar gesehen werden, daß die historische Forschung grundsätzlich dem Glauben gefährlich werden kann, weil bestimmte negative Ergebnisse den Glauben grundlos machen könnten. Der einseitige Rückzug auf
das eigene Erlebnis hilft hier nicht, da "die geschichtliche Person Jesu" -
nicht eine ewige, persönliche Idee - "die von uns selbst erlebte Macht unse-

rer Erlösung oder der Grund unseres Glaubens ist" (GA, 339). Damit "scheinen wir gerade in unsrer Zeit in einen gefährlichen Konflikt zu geraten. Die Wissenschaft, von der wir lernen und lernen müssen ((!)), macht die geschichtliche Erscheinung Jesu zum historischen Problem. Wir dagegen wollen in ihr den Grund unsers Glauben finden" (GA, 339). Die eigentliche Problematik besteht für W. Herrmann jetzt darin, daß die als notwendig erkannte historische Frage der religiösen Frage Schwierigkeiten bereitet, da das historische Urteil "von vornherein nichts weiter als Wahrscheinlichkeit" beansprucht (V, 57), der Glaube aber auf absolute Gewißheit drängt, einen zweifelsfreien, festen Grund haben muß. Bleibt Jesus ein historisches Problem, hat er nicht die Kraft, den Glauben zu begründen (Vgl. I, 167). W. Herrmann sieht sich gezwungen, sowohl das Recht des historischen Urteils für die Grundlagen des Glaubens zu unterstreichen, als auch diesen Anspruch zu beschneiden. In dieser Tatsache ist das Ungenügende der Herrmannschen Lösung der christologischen Problematik des Hauptwerkes begründet. W. Herrmann hebt die Unterscheidung von Glaubensgrund und Glauben auf, wenn er für den Grund Absolutheit beansprucht und die Vorläufigkeit der Erkenntnis der Glaubenswahrheit aufgrund ihrer Geschichtlichkeit bzw. Weltlichkeit übersieht. Er geht von der Absolutheit des christlichen Denkens aus, die angesichts der Relativität alles menschlichen Denkens nicht vertretbar ist. Die Endgültigkeit der Erkenntnis der Wahrheit Gottes kann mit dem Grund des Glaubens auf keinen Fall behauptet werden. Das pietistische Drängen auf absolute Gewißheit des Glaubens wirkt sich bei der Aufgabe einer Grundlegung der Theologie unter den Bedingungen der Neuzeit negativ aus.

8.2. Die Selbstevidenz des inneren Lebens Jesu

Die historische Forschung als eine Bedingung der Neuzeit anerkennt nun W. Herrmann, obwohl er die Bedrohung des Glaubens durch sie klar sieht. Zu dieser Bedrohung konnte es freilich nur kommen, weil falsche Vorstellungen über die Bibel herrschen. Es gilt, die Bibel nicht als ein unerschütterliches Gesetzbuch zu begreifen, sondern als ein geschichtliches Buch, das den Grund des Glaubens darbietet. Dieser ist jedoch aus der Fülle der Glaubensgedanken herauszusondern, denn als Grund des Glaubens können wir nicht annehmen "die Überlieferungen und Lehren von Christus, die in der Form einer lebensvollen Predigt Glauben in uns geweckt haben" (I, 165), aber ihn nicht begründet haben. Es gilt "dies auszusondern, was uns als der zweifellose Grund des Glaubens immer sichtbar bleiben kann" (I, 165). In der Verkündigung ist das zu fassen, was dem Glauben seinen unzerstörbaren Halt gibt. Es genügt nicht, daß man die Tatsache der biblischen Verkündigung unhinterfragbar fixiert, vielmehr ist es notwendig, in ihr den zweifellosen Glaubensgrund zu finden. Jesus als in der Geschichte wirksame Tatsache "darf nicht erst ((!)) durch historische Kunst aus der neutestamentlichen Überlieferung erschlossen werden sollen". Diese Tatsache "muß vielmehr für jeden, der in dem Verkehr mit frommen Menschen zu einem Verlangen nach Gott aufgewacht ist, in dieser Überlieferung selbst faßbar sein" (I, 168). Das trifft für die geschichtliche Tatsache der Person Jesu zu. Ihr wohnt eine Selbstevidenz inne, die allem historischen Bedenken überlegen ist. Sie tritt aus der Überlieferung hervor, sich von den Glaubenszeugnissen unterscheidend, und gibt Gewißheit des Glaubens. Der Glaube stützt sich also nicht 'im Entscheidenden' auf Glaubenszeugnisse, denn das allein schützt nicht gegen den Zweifel, "daß wir unsern Glauben auf etwas gründen wollen, was vielleicht gar nicht geschichtliche Tatsache, sondern Erzeugnis des Glaubens ist" (I, 168). Was immer auch der Glaube im Umgang mit der Schrift erlebt, es kommt auf das Erfassen des Menschen Jesus selbst in seiner Selbstevidenz an. Das Erlebnis des Glaubens muß etwas enthalten, was von ihm gesondert gegenwärtig bleibt. Denn der Glaube, der aus der Predigt kommt, "wenn er Bestand haben und zu voller Gewißheit kommen soll, bedarf dessen, daß er sich aus dem, was er erlebt hat, etwas aussondert, was ihm gegenwärtig bleibt, nicht nur in den Momenten religiöser Erhebung, sondern auch in tiefster Ermattung der Seele" (I, 169). Im Erleben geschieht also eine bestimmte Aussonderung durch Erkenntnis dessen, was gegenwärtig in allen Situationen Bestand hat. W. Herrmann trennt hier nicht radikal Erleben und Erkennen, vielmehr setzt das Erlebnis, das Bestand haben will, klare Erkenntnis des Beständigen voraus. Dies ist nur durch Aussonderung erreichbar, die nicht vor dem schönsten und frommsten Glaubensgedanken Halt macht. Wirklichen Bestand hat der Glaube, wo er in dem Neuen Testament das Bild des einfachen Menschen Jesus kritisch erkennt.

W. Herrmann zielt auf das Bild Jesu, das im Neuen Testament in seinen wesentlichen Zügen erkannt sein will. In ihm begegnet dem Menschen die geschichtliche Wirklichkeit Jesu. Ist es nur durch Überlieferung zugänglich, so läßt das "am schwersten fassbare an der geschichtlichen Wirklichkeit Jesu" von der Überlieferung frei werden (V, 60). Das ist das innere Leben Jesu. Es ist die Anschaulichkeit einer sittlichen Größe, die einmalig überzeugt.

"Das Bild des inneren Lebens Jesu, das uns das Neue Testament darreicht, ist so beschaffen, daß es den nach Gott verlangenden Menschen festhält und ihn davon überzeugt, daß in ihm etwas geschichtlich Wirkliches wiedergegeben sei, obgleich es aller sonstigen Erfahrung widerspricht, also im strengsten Sinne wunderbar ist. Wunderbar ist es; denn es ist uns unfaßlich, wie ein Mensch, ohne irrsinnig zu sein, sich so wie Jesus in den Mittelpunkt der Geschichte stellen und an seine Person das Schicksal der Menschheit knüpfen kann. Aber zu einem Zeugnis des Wirklichen wird uns dieses Bild, weil es uns durch die Anschaulichkeit seiner sittlichen Größe jede Möglichkeit einer Kritik entreißt und deshalb keinen Anhalt für die Meinung bietet, daß es von Menschen unserer Art ersonnen sei, sondern uns zu tiefsten Ehrfurcht zwingt" (I, 171).

Der Kraft, die der Tatsache des inneren Lebens Jesu inne wohnt, kann
sich kein aufrichtiger Mensch entziehen. Die Einmaligkeit des Lebens einer sittlichen Persönlichkeit wie Jesus schließt jeden Zweifel an der geschichtlichen Wirklichkeit aus. Wenn wir als Aufrichtige "die Person Jesu zu sehen vermögen, so werden wir unter dem Eindruck dieses inneren
Lebens, das alle Hüllen der Ueberlieferung durchbricht, nicht mehr nach
der Glaubwürdigkeit der Erzähler fragen. Die Frage, ob die Person Jesu
der wirklichen Geschichte oder der Dichtung angehöre, verstummt in jedem, der sie überhaupt sehen lernt, weil er durch sie erst erfährt, was
die rechte Wirklichkeit des persönlichen Lebens sei" (V, 62).

W. Herrmann argumentiert mit einem einmaligen Selbsterweis der Person
Jesu. Die Tatsache des Lebens Jesu beweist sich selbst, weil sie von solcher Qualität ist, die die Qualität jedes Urteils über sie, sei es das philosophische oder historische, überholt, so daß der Mensch sie nur anerkennen kann. In ihm entsteht das Bewußtsein, die Offenbarung selbst zu sehen.
Was er in dem Neuen Testament als das Wichtigste erkennt, ist so wunderbar und einzig, das alles kritische Fragen seinen Grund verliert. Es kommt
zu einem persönlichen Erlebnis, das das eigene innere Leben bereichert.
Dem so Erlebenden steht die historische Existenz Jesu fest. Sieht er doch
durch alle Überlieferung hindurch Jesus selbst. Er wird ihm "selbst faßbar"; doch nur, "wenn das von der geschichtlichen Tatsache der Person Jesu gilt, hat sie für das Leben des Glaubens den Wert, den wir in ihr suchen"
(I, 168). Es ist der historische Jesus in seiner Einzigkeit, der zum entscheidenden Erlebnis wird. Er überzeugt selbst. "Also unter dem geschichtlichen
Christus verstehen wir den Christus, den uns die neutestamentliche Überlieferung als eine in ihrer geschichtlichen Wirklichkeit uns überzeugende Person erkennen läßt" (I, 172). Mit dieser Auffassung wird an der Relevanz des
Historischen als etwas Selbstverständlichem festgehalten, das in der Person
Jesu zu prüfen als gänzlich überflüssig sich erweist. Jesus ist der wunderbare Mensch, der von sich selbst her unmittelbar überzeugt. Damit hat W.
Herrmann die hermeneutische Relevanz des Subjekts relativiert. Die Sache
selbst setzt sich durch. Deshalb sieht der Mensch hindurch durch alle geschichtlichen Vermittlungen auf das wichtigste Historische, auf den einmaligen Menschen Jesus, der sich in den Mittelpunkt der Geschichte gestellt
hat. Weil aber die Sache selbst sich durchsetzt, liefert der Glaube sich
nicht der historischen Wissenschaft aus. Religion muß aus sich selbst verstanden werden, in der Jesus als ihr Grund selbst unmittelbar zur Sprache
kommt. Die historische Wissenschaft bestätigt freilich, was der Glaube
selbst schon weiß. Auf diese Bestätigung kann W. Herrmann nicht verzichten, weil er die historische Forschung als Bedingung der Moderne für den
Glauben erkennt, der sich auf eine historische Tatsache beruft. Er ist davon überzeugt, daß der Historiker die besondere Tatsache des Lebens Jesu
feststellen kann. W. Herrmann geht davon aus, wie R. Slenczka auch sieht,
"daß selbst in einer fragmentarischen Überlieferung das Bild Christi und

seines inneren Lebens erkennbar sei und im historischen Zugriff sich wirksam erweise"[113]. Auch der Historiker erkennt Jesus in seiner geschichtlichen Einmaligkeit. "Unser großer Historiker ((L. v. Ranke?)) sagt von der
geschichtlichen Erscheinung Jesu, das sei die werthvollste Erinnerung,
welche das Gedächtniß der Menschheit bewahrt habe" (Gewißheit, 27). Die
"Spur der Erdentage eines Menschen" (V, 58) wie Jesus kann nicht völlig
verwischt sein. Die historische Kritik bestätigt das. Vornehmlich die sittliche Energie und Zuversicht zu der Liebe Gottes im Leben Jesu sind erkennbar. Seine Erwartung des Reiches Gottes fällt auf. "Wenn nun die Historiker diese Spuren sammeln und mit ihrer Hilfe das Leben Jesu in und
mit seiner Umgebung anschaulicher zu machen suchen, so wollen wir das
dankbar anerkennen" (E, 86).

Da es der historische Jesus ist, der sich dem Gott suchenden Menschen
aufdrängt, kann die historische Arbeit im Grunde nur begrüßt werden, denn
sie macht dem Glaubenden Jesus anschaulicher. Eine Beschränkung darf
dieser Arbeit jedoch nicht auferlegt werden. "Alles an dem überlieferten
Bild Jesu unterliegt der historischen Kritik, die jede Überlieferung auf ihre Zuverlässigkeit zu prüfen hat" (E, 104). Die besondere Anschaulichkeit
des Lebens Jesu setzt ja dessen Richtigkeit voraus. Entscheidend an diesem Leben ist das sittliche Bewußtsein Jesu, seine einzigartige Gesinnung
und sein Vertrauen in Gott. In diesem inneren Leben begegnet uns Jesus
selbst. Impliziert es auch das äußere , so ist es selbst doch das Wichtigste.

"In der christlichen Gemeinde werden wir nicht nur mit dem äusseren
Gefüge der Lebensschicksale und des geschichtlichen Werkes Jesu bekannt gemacht, sondern wir werden vor ihn selbst geführt und erhalten
ein Bild seines inneren Lebens" (V, 59f).

Das innere Leben Jesu als "das Wichtigste in der geschichtlichen Erscheinung Jesu" (V, 60) betrifft den sittlich regen Menschen selbst. Es wird aber
nur dann recht erfaßt und vor dem Verdacht, Illusion des sittlich leidenden
Menschen zu sein, bewahrt, wenn es das äußere Leben Jesu begründet voraussetzt. W. Herrmann denkt daher in seinem Hauptwerk nie das innere Le-
Jesu ohne das äußere. Das macht die Tatsache deutlich, daß er das innere
Leben des Menschen überhaupt nicht ohne das äußere versteht[114]. Im konkreten, gezielten Wollen des Menschen kommt es zum eigentlichen Bewußtsein von uns selbst, dem inneren Leben, das sich in der Auseinandersetzung
mit dem Äußeren gewinnt. Die Hingabe an einen Zweck zur Selbstfindung des
Menschen bedeutet stets "die Arbeit an den Dingen, in der wir mit dem Zweck-
gedanken Ernst machen" (5 E, 20). "In dem Kampf mit dem Objekt wird der
Mensch sich selbst gegenständlich" (E, 17). Durch das Dingliche, Äußere entsteht das innere Leben. Das innere Leben ist daher niemals ohne das äußere.
Nun ist es "ein richtiger Ausdruck für den Endzweck des Wollens", wie ihn
der Stoiker darlegt, daß der Mensch auf der Suche nach dem Höchsten "in

seinem inneren Leben **selbständig** und von den Umständen unabhängig"
werden will (E, 24), aber der Einzelne "findet sich selbst nur in der Hingabe an das Objekt", und es ist gar "nicht möglich, die Unabhängigkeit von
den Umständen in jeder Beziehung zu wollen" (E, 25). Das innere Leben des
Menschen ist und bleibt abhängig von dem äußeren (Vgl. 5 E, 29f). Weil Jesus ein wirklicher Mensch war, ein Leben in Kampf und Auseinandersetzung,
Hingabe und Einsatz führte, das in der Geschichte sich ereignete, impliziert
sein inneres Leben notwendiger Weise ein äußeres. Das Getrenntsein des
Innerlich-Geistigen von dem Äußerlich-Geschichtlichen ist für ein Leben
nicht zu behaupten, das der Geschichte angehört. "Der Grund unseres Glaubens ist der Mensch Jesus Christus" (Ga, 282) und nicht ein Geistwesen. Gerade das Verständnis der Gottheit Jesu stellt sich ein, wenn "ein Interesse
an dem menschlichen Leben Jesu gegeben" ist (V, 141). W. Herrmann vermag die Objektivität der Person Jesu auszusagen, weil er auch an dem Äus-
serlich-Geschichtlichen des Lebens Jesu festhält. Kommt es sowohl auf das
Äußere als auch auf das Innere des Lebens Jesu an, so kann jedoch angesicht
der Kraft des inneren Lebens Jesu kein Zweifel darüber bestehen, was das
Wichtigste der Erscheinung Jesu ist. Doch das innere Leben Jesu erwächst
uns nicht "in unseren aus unbekannten Quellen empordringenden Gefühlen"
(Gebet, 388), sonder aus bekannter Geschichte. Zur Vermeidung einer Religion des Gefühls und der Innerlichkeit betont darum W. Herrmann, daß
der christliche Glaube seinen Grund in einer objektiven, geschichtlichen Tatsache hat.

Im Zusammenhang der Gewißheitsfrage betont nun aber W. Herrmann immer
wieder, daß der Grund des Glaubens nicht eine Vorstellung der historischen
Forschung sein darf, die "zu ermitteln sucht, welche wirklichen Vorgänge
der von ihr kritisierten Überlieferung zugrunde liegen. Denn der Ertrag einer solchen Forschung wird immer äußerst gering sein und bleibt problematisch" (I, 172). Der Grund des Glaubens aber hat unproblematisch gewiß zu
sein. Auf ein problematisches Urteil kann sich der Glaube nicht stützen,
weshalb die Gewißheit des Glaubens nicht durch wissenschaftliche Mittel zu
erwerben ist. W. Herrmann gibt hier die kritische Unterscheidung auf zwischen dem Grund des Glaubens und dem Glauben selbst, die es ermöglicht,
den Zusammenhang von Wissenschaft und Glaube positiv zu entfalten, weil
für ihn die Einsicht in den Dualismus von Natur und Geschichte, Wissenschaf
und Glaube zwingend ist. Der absolut gewisse Glaubensgrund findet sich auf
der Seite des Glaubens, niemals auf der Seite der Wissenschaft. Die auf Wah
scheinlichkeitsurteilen basierende historische Forschungslage vermag nicht
den Grund des Glaubens zu sichern. W. Herrmann erklärt "vielmehr, dass
die geschichtliche Erscheinung Jesu, sofern sie in den Bereich dieses Ver-
fahrens, das wahrscheinlich Wirkliche zu konstatieren, gezogen wird, nicht
Grund des Glaubens sein kann, sondern ein Teil der Welt ist, mit der sich
der Glaube auseinandersetzen soll" (V, 57). Der Grund des Glaubens darf
nicht ein Teil der Welt sein, doch Jesus als wirklicher Mensch gehört der

Welt an. Die Grundtatsache, von der die Christologie auszugehen hat,
sperrt sich gegen die Annahme des Dualismus von Welt und Selbst. Diese
Spannung löst W. Herrmann in seinem Hauptwerk nicht, weil er weder den
Ansatz bei der objektiven, geschichtlichen Tatsache des Lebens Jesu noch
den bei dem Erleben des Selbst konsequent verfolgt. Er betont zwar das
innere (!) Leben Jesu, das Selbst Jesu, aber das äußere kann er nicht als
unwichtig abtun. Nicht nur "auf ihn selbst", sondern auch auf "sein thatsächliches Verhalten" muß er hinweisen (Demut, 571). Er lehnt zwar die
historische Arbeit für die Begründung des Glaubens ab - "Die historische
Arbeit am Neuen Testament kann uns dem, worauf es für die Begründung
des Glaubens ankommt, schlechterdings nicht näher bringen" (V, 63) - aber
alles an dem Bild Jesu unterliegt der historischen Kritik. Prinzipiell bejaht er das Recht der historischen Forschung und beruft sich auch auf historische Gründe. Daher erscheint es keineswegs als völlig abwegig, wenn
ein Theologe von W. Herrmann berichtet, er "erkläre für den Grund unseres Glaubens den Christus, den die geschichtliche Forschung hinter der
Ueberlieferung hervorhole" (GA, 340; bei W. Herrmann gesperrt gedruckt).
Tatsächlich aber kann die historische Forschung für den Glaubenden nur bestätigen, was er selbst erlebt hat. "Der assensus zu dem geschichtlich Be-
richteten, der überhaupt innerhalb des Glaubens seine Stelle hat, geht also
nicht der fiducia vorher als ein Werk des Menschen, sondern als eine Wirkung der den Glauben begründenden Thatsache ist er mit der fiducia verbunden" (V, 92f 1. Auflage!). W. Herrmann betrachtet als die Lösung der christologischen Problematik im Hauptwerk die These von der Selbstevidenz des
inneren Lebens Jesu, von der "Evidenz der geschichtlichen Wirklichkeit Jesu"
(V, 92 1. Auflage), die im Glauben als reines Vertrauen ergriffen wird.

Mit dieser These antwortet W. Herrmann auf die vor allem durch die historische Forschung bedingte kritische Frage nach dem Grund des Glaubens,
der dem Glauben Gewißheit sein soll. Die Tatsache, daß durch die "geschichtliche Forschung" "die Unsicherheit in der Theologie" wächst (Gewißheit, 10), beschäftigt ihn auf seinem ganzen Denkweg grundsätzlich (Vgl. Apostolikum, 10ff; Gewißheit, 10ff bis Sinn, 21ff). Weil dies ein Grundproblem
des Glaubens in der Moderne ist, formuliert er als "die dringendsten Aufgaben der systematischen Theologie": "Wir hätten die Gewißheit des Glaubens und sein Verhältniß zu der Erkenntniß des Wirklichen in der Wissenschaft darzulegen" (Gewißheit, 21).

Seine Konzentration auf den Eindruck der Person Jesu selbst hat ihm den
"Vorwurf pietistischer Enge" eingebracht. Ihm gegenüber betont er einmal,
daß Jesus nicht als eine "abrupte Größe in der Geschichte dasteht". Das
heißt besonders, "die Geschichte Israels gehört mit zu seiner Existenz",
ebenso die Geschichte des griechischen und römischen Geistes, wenn auch
in geringerem Maß (Gewißheit, 30f). Zum anderen hebt er hervor, daß wir
Gott "gerade in den natürlichen und sozialen Beziehungen" finden, in die

wir gestellt sind (Gewißheit, 32). In erster Linie verweist W. Herrmann hier auf die Bedeutung personaler Begegnung und persönlichen Lebens anderer Menschen (Gewißheit, 33, 37, 54). Die Macht sittlicher Autorität "kennt jeder, der in sittlicher Gemeinschaft aufwachsende Liebe erfahren hat, als den Act der Vergebung" (R, 396). So wird das Bild Christi "durch das Leben in christlicher Gemeinschaft ausgelegt" (V, 92,1. Auflage!). Die Relevanz des sittlichen Verkehrs für die Erfahrung Gottes hat die theologische Theorie daher auszuarbeiten, denn die Kraft sittlicher Güte im mitmenschlichen Verkehr enthält den Keim des Glaubens, ist "die Wurzel aller wahrhaftigen Religion" (Ga, 52f). Die Weite der sittlichen Erfahrung ist der Horizont der Christologie. Die treue Erziehung von Menschen, die Begegnung persönlichen Lebens, das Erlebnis der Liebe, "das sind Gottes Thaten und Worte, durch die er mit dem Menschen verkehrt", das sind die "geistigen Mächte, die alle Christi Namen tragen" (Gewißheit, 33).

> Dies alles blieb uns in seiner Bedeutung verschlossen, "wenn wir das wichtigste Merkmal unserer Existenz uns nicht zu Herzen nähmen, daß nämlich Christus selbst ein unleugbarer Bestandtheil der Wirklichkeit ist, welche unserem Leben seinen Inhalt giebt. Erst wenn uns dafür die Augen aufgehen, können wir sehen, daß Gott dasjenige thut, wodurch allein er uns seiner selbst und seiner Vergebung gewiß machen kann, nämlich daß er durch den Erweis ernster Liebe mit uns in Verkehr tritt". Dies wissen wir durch "die geschichtliche Erscheinung Christi" (Gewißheit, 33f).

Die Stärke der Argumentation gründet in dem Wissen um die Selbstevidenz Jesu. Sie gibt die Eindeutigkeit der Erfahrung und überwindet die historische Problematik.

Indem sich Jesus selbst beweist, überholt er die historische Kritik. Die Annahme der unmittelbaren Selbstevidenz, die jede Art des Nachfragens, der Prüfung und Kritik überflüssig macht, hat indes zur Folge, daß die Autorität Jesu sich nicht ausweist, vielmehr sich aufzwingt. Der kritische Ansatz droht sich selbst aufzuheben. Die Tatsache des Zwanges, die jenes unmittelbare Erkennen, das zum gewissen Erlebnis wird, ausübt, steht im Widerspruch zum Drängen auf freie Einsicht.

Zum anderen scheint das historische Problem nicht erledigt, sondern nur zurückgestellt. Die Resultate der historischen Forschung können insofern nicht ganz uninteressant sein, weil das Bild Jesu inhaltlich im einzelnen auf bestimmten historischen Angaben über das Leben Jesu beruht. W. Herrmann stützt sich in seinem Nachweis des Bildes Jesu auf überzeugende Züge dieses Bildes, die aufweisbare historische Fakten darstellen. In der Tatsache, daß das Bild Jesu bestimmte, einzigartige Züge aufweist, vermag W. Herrmann die Rede von der unmittelbaren Evidenz der Person Jesu allein verständlich zu machen. Es kommt auf das an, was (!) sich in dem Bild so

überzeugend aufdrängt. Dann aber ist die Frage nach dem Inhalt als historischem Inhalt (weil historische Person) unumgänglich. Da das Verständnis der Christologie bei W. Herrmann an dem Inhalt des Bildes Jesu hängt,
hat E. Günther recht, daß W. Herrmann verpflichtet ist, "genauer das innere Leben Jesu zu beschreiben, dergestalt, daß deutlich wird, inwiefern
es den nach Gott verlangenden Menschen festhält"[115]. W. Herrmann provoziert diese Mahnung, weil er selbst fragt: "Wie kann nun die Tatsache,
dass der Mensch Jesus als ein unleugbarer Bestandteil unserer eigenen
Wiklichkeit vor uns steht, eine so gewaltige Sprache führen?" (V, 68). Die
Frage nach dem 'Wie' ist die Frage nach dem 'Was'? W. Herrmann begründet die These von der Selbstevidenz der Tatsache inhaltlich. Dies entspricht der Klarstellung, daß die fides qua creditur nicht ohne die fides
quae creditur gilt: "eine fides qua creditur ohne den von ihr unablösbaren
Inhalt" ist "ein völliges Unding" (Gewißheit, 42f).

8.3. Der Glaube Jesu als Grund des Glaubens

Was an Jesus, wie er uns durch die Bibel deutlich wird, besticht, ist die
in ihm vollkommen verkörperte Wirklichkeit der Sittlichkeit. Ob der Historiker Christ wird oder nicht, es "bleibt die Tatsache unbestritten, dass der
Christus des Neuen Testaments eine Festigkeit der religiösen Ueberzeugung,
eine Klarheit des sittlichen Urteils und eine Reinheit und Kraft des Wollens
zeigt, wie sie sich in keinem anderen Bilde der Geschichte vereinigt finden.
Wenn wir nun diese Züge deutlicher machen wollen, so haben wir ein Recht,
an die Bestandteile der Ueberlieferung anzuknüpfen, die auch von denen, die
Jesus selbst nicht kennen, in der Regel nicht bezweifelt werden" (V, 69f).
W. Herrmann versteht also die Sätze über die Erscheinung Jesu durchaus
als historische Sätze. Daß Jesus Messias sein wollte, stellt eine historische
Erkenntnis dar, ebenso die Tatsache, daß er eine Festigkeit der religiösen
Überzeugung hatte, die seinem Wollen und Tun den inneren Halt gab. Diese
Tatsache hebt W. Herrmann immer wieder hervor. Es ist der Glaube Jesu,
der sich im Handeln bewährt. Die Einmaligkeit des Glaubens Jesu drängt
sich einem auf, wenn man zum Grund der Person Jesu vorstößt. Jesu Reden und Handlungen sind von einem so festen Glauben getragen, daß Jesus
uns nötigt, ihm zu vertrauen. In seinem Glauben zeigt sich die Kraft des
inneren Lebens. Jesus hat seinen Lebensinhalt dadurch gewonnen, "daß er
Gottes Willen erkannte und that. Das ist seine Speise gewesen" (Demut, 573).
Er hat Gott von ganzem Herzen geliebt, ihm vertraut. Diese Zuversicht
verwirklicht sich so in seinem Leben, daß er selbst von der Bedeutung seines Lebens überzeugt ist und sich zutraut, den Menschen zu erlösen. Das
hat nicht zur Folge, daß Jesus als Phantast auftritt. Jesus ist kein Held gewesen, der Bewunderung erwartet. Die Überlieferung von Jesus zeigt vielmehr einen einfachen Menschen. "Seine Rede ist merkwürdig nüchtern und
verstandesklar; er will nichts aus sich machen, ist nicht gewalttätig, sondern gibt uns immer wieder den überraschenden Eindruck eines von Herzen

demütigen Menschen" (V, 70). Jesu schlichter, aber fester Glaube beeindruckt. Wo dieser herrscht, beginnt das Reich Gottes. In Jesus selbst hat der Glaube unbedingte Herrschaft, der zu unbegrenzter Nächstenliebe drängt

> "Die Entscheidungen, zu denen er die Menschen drängt, betreffen ihr eigenes inneres Leben, denn unter dem Reich Gottes versteht er Gottes wahrhaftige Herrschaft über persönliche Wesen, also vor allem in ihrem Innern und in ihrem Verkehr untereinander. Zu dem Reiche Gottes, das er meint, können nur die Menschen gehören, die Gott völlig unterworfen sind in grenzenlosem Vertrauen auf ihn und in unbegrenzter Liebe zum Nächsten. Darin, dass diese geistigen Regungen in ihm selbst die Herrschaft haben und in den wenigen Menschen seiner nächsten Umgebung keimen, sieht Jesus das Ende aller Dinge anbrechen" (V, 71).

Aufgrund seines Glaubens an Gott verdeutlicht Jesus, was wahrhaft Gerechtigkeit ist und ermutigt damit, Vertrauen zur Güte Gottes zu haben. Er gibt den Menschen nie auf, macht Gott als Liebe verständlich, weil er glaubt wie kein anderer und so die "Macht des Guten" für die Menschen ist.

> "Das allein kann uns retten, daß das Erbarmen, das Jesus uns beweist, die zuversichtliche Liebe, mit der er an der sündigen Menschheit festhält, eine solche Gewalt über uns gewinnt, daß wir nunmehr meinen, Gott wolle uns dann auch nicht von sich stoßen. Diesen Eindruck des Erbarmens und der zuversichtlichen Liebe Jesu gewinnen wir daraus, daß Jesus so gestorben ist und so ausgesprochen hat, in welchem Sinne er in den Tod gehe" (GA, 281f).

Das "in der Abendmahlsstiftung und am Kreuz erwiesene unüberwindliche Erbarmen Jesu" fordert den Gedanken, daß Gott den Menschen nicht lassen will (GA, 282). Der Mensch erfährt in Jesus Gott als Macht der Liebe. Daß Jesus zu dieser Erkenntnis Gottes führt, gründet in dem inneren Leben Jesu, dem ganz gewissen Glauben, der sich in der Güte konkretisiert. Es ist Jesu Glaube, jene "merkwürdige Zuversicht, die er gegenüber dem Widerstande der Welt und in seinem Untergange behauptet" (V, 71). Das erfahren wir durch "den äusseren Verlauf seines messianischen Werkes", wenn der auch sonst "von seinem inneren Leben wenig verrät" (V, 71). Prinzipiell sagt W. Herrmann die Relevanz des äußeren Lebens für den Glauben Jesu aus, und indem er den Glauben Jesu als die wirkungsvolle Konstitution des Lebens Jesu darstellt, versteht er das Verhältnis von Jesus und dem Überzeugtsein der Menschen, von Bild Jesu und Betroffensein aus dem glaubenden Selbstbewußtsein Jesu. Der Glaube, der die besondere Reife des inneren Lebens ausdrückt (I, 180), gibt dem Leben Jesu seine überzeugende Kraft, die den Glauben hervorruft als "die höchste Erscheinung persönlichen Lebens" (I, 176). Jesu Glaube begründet sein einzigartiges Leben und den Glauben an Jesus. Durch den Glauben, der Hingabe an Gott ist und nicht Hingabe an

den Glauben, der sich also durch seine Tätigkeit nicht selbst bestimmt,
erhält Jesus die Kraft zu dem einmaligen Leben, in der er sich selbst und
die Menschen überwindet! Das durch den Glauben ermöglichte überzeugende Leben Jesu führt W. Herrmann also letztlich nicht auf die Tätigkeit des
Glaubens selbst zurück, sondern auf Gott. Damit geht er auch dann, wenn
er auf die Subjektivität Jesu selbst reflektiert, von dem vorgängigen Be-
stimmtsein durch die Wirklichkeit Gottes aus. Der in Gott begründete Glaube hat Jesus ein einmaliges Leben in Güte führen lassen, so daß sein Glaube zu unserem Glauben wahrhaftig wird. "Wir sehen, wie er aus seiner Hingabe an Gott die Kraft der Güte gewinnt, in der er sich selbst und uns überwindet. In dem grenzenlosen Vertrauen zu seiner Güte wird sein Glaube an
Gott unser Glaube" (I, 346). W. Herrmann argumentiert also letztlich von
Jesu Glauben her, der unser Glaube wird im Glauben an Jesu Güte.

Die Frage nach dem Leben Jesu zeigt, daß Glaube und Jesus zusammengehören. Jesus macht klar, was das Wesen des Glaubens ist, was für ein Leben der Glaube führt, und sein Glaube ruft anderen Glauben hervor. Im Blick
auf seinen Glauben kommt es zum Glauben an Gott. Daß der einfache Mensch
Jesus der Erkenntnisgrund des Glaubens ist, heißt, daß der Glaube Jesu
selbst der Grund ist. Dieser einzigartige Glaube ist ein bestimmbares historisches Phänomen, denn er wird durch "den äusseren Verlauf" (V, 71) des
Lebenswerkes Jesu sichtbar. Daß das innere und das äußere Leben Jesu nicht
zu trennen sind, beweist gerade die Erkenntnis des Glaubens Jesu. Es ist der
Glaube Jesu, der sich in dem Erweis der Liebe am Kreuz zeigt, der dem Glauben seinen Grund gibt. Damit ist der Satz, daß der einfache Mensch Jesus der
Grund des Glaubens sei, präzisiert, und diese Präzision gibt der Christologie
W. Herrmanns ihre Eigenheit. Das bedeutet, daß in christologischer Hinsicht
nichts über Jesus gesagt werden darf, was nicht den Glauben Jesu mitbedenkt.
Jesus als Glaubender gibt die Gewißheit des Glaubens. Von Jesu Glauben her
ist sein ganzes Leben zu verstehen, das der Mensch selbst sieht und deshalb
glaubt. Die einmalige Existenz Jesu hat ihren Grund in dem festen Glauben
an die Liebe Gottes. Den Glauben Jesu versteht W. Herrmann als Jesu Exi-
stenzverständnis, bzw. Selbstverständnis. "Denn das religiöse Vertrauen
auf Gott bezieht sich ... auf die thatkräftige Erweisung der Liebe Gottes an
der eigenen Person. Für Jesus liegt diese spürbare Wirksamkeit Gottes in
der Thatsache seines eigenen Selbstbewußtseins" (R, 395). Nur für Jesus
kann der eigene Glaube, "die Zuversicht zu Gott" (R, 395), in dieser Weise
innere Wahrheit haben. Er nämlich spürt und erfährt, "daß der Wille Gottes
an die Menschheit durch ihn geschieht und daß die Liebe Gottes auf ihm ruht";
aus dieser Gewißheit lebt er, an ihr "hat sein sittliches Berufsleben seinen
Halt" (R, 393). "Daß seine Berufsaufgabe für ihn nicht ein Ideal war, daß
seine Schwäche beleuchtete, das beweist die ursprüngliche und selbständige
Gewißheit seiner Einheit mit Gott" (R, 393). Jesu Glaube impliziert die Einheit mit Gott. Jesus lebt ganz in der Gewißheit, daß Gott mit ihm ist. Daher
traut er sich die Erlösungstat zu. Deshalb unterscheidet sich sein Leben von

allen anderen. Die Tatsache des Glaubens Jesu impliziert eine Christologie in nuce. Das führt W. Herrmann in seinem Früh- und Hauptwerk aus.

Jesus macht "Mut zum Glauben" (GA, 278), indem er als Glaubender schlechthin uns Menschen zum Grund des Glaubens wird. So ist er mehr als Vorbild, denn "nur als sittliches Vorbild" zu erscheinen, bedeutet nicht das Wesentliche, "wie das Beispiel einzelner sündloser Menschen vor Christus beweist" (I, 51). Jesu sittliche Größe erscheint allein dort im rechten Licht, wo in ihr der Glaube als Lebensgrund der Person Jesu gesehen wird. Nur weil er völlig aus dem Glauben lebt, mit Gott eins zu sein, kann er in den Tod gehen und uns die Gewißheit der göttlichen Vergebung schenken. Er ist davon überzeugt, daß aus seinem Dasein der Mensch Gott herausmerkt, daß er in seiner Zuversicht und Liebe Gott erweist.

"Die Vereinigung der entzweiten und gottentfremdeten Menschen zu einem Reiche Gottes, so daß sie, die in Selbstsucht tot waren, in aufrichtiger Liebe lebendig würden, das will er bewirken durch den Eindruck seiner Person auf die Gemüter. Nicht durch sein Vorbild. Wohl aber so, daß die Menschen aus dem Dasein seiner Person den Gott herausmerken sollen, der in ihnen herrschen, durch den Erweis seiner allmächtigen Liebe ihr völliges Vertrauen gewinnen will. Jesus meint aber, daß er uns diesen Erweis einer allmächtigen, den Trotz und die Angst des Sünders bezwingenden Liebe verschaffe, weil seine Person in ihrem Ernst und ihrer Freundlichkeit, in ihrer Zuversicht und ihrem Erbarmen wie der Vollzug göttlicher Vergebung auf uns wirken werde" (GA, 284).

Der Glaube Jesu im Erweis des Wortes und der Tat gibt Gewißheit von Gott und der Vergebung der Sünden. An das Leben Jesu als an das Leben in einzigartigem Glauben sind wir gewiesen. Denn "dieselbe Stellung zu Gott" wie er können wir nie einnehmen. "Daß wir trotzdem des Glaubens leben, der Gott Jesu Christi sei der Gott unseres Heils, hat in einer geschichtlichen Thatsache seinen Grund, welche jedem Kinde verständlich ist. Jesus ist nicht gekommen, die Welt zu richten, sondern zu suchen und selig zu machen, was verloren ist" (R, 395). Das Vertrauen und die Hoffnung der Christen gründen in der Erkenntnis des Liebeswillen Gottes.

Zur Erkenntnis Gottes "sind wir allein an die Thatsache gewiesen, daß Jesus in seiner Person die anschauliche Vertretung des absoluten sittlichen Endzwecks mit der vergebenden Liebe vereinigt, durch welche er die Stiftung der Gemeinde herbeiführt. Nach andern Liebesbeweisen Gottes zu suchen, welchen nicht als die Erscheinung jenes Einen verstanden werden können, bedeutet das Ausscheiden aus der Gemeinde Christi" (R, 397). W. Herrmann macht entschieden das geschichtliche Leben Jesu zum Kriterium aller christlichen Aussagen. Allein wer Gott in Jesus findet, kommt zu **christlichem Glauben. Nur das wunderbare Leben Jesu ist Grund für den**

Glauben an Gottes Liebeswillen. Wichtig ist beim Sehen der "Macht des Guten", daß der Glaube Jesu als das Grundlegende erkannt wird. "Sind wir an das persönliche Leben Jesu durch die wunderbare Anschaulichkeit seiner sittlichen Vollendung gefesselt, so packt uns als eine ungeheure Thatsache die Zuversicht, die dieser Mann bis in den Tod behauptet hat. Alle die ihn kennen lernen und seine Macht an ihrer Seele erfahren, sollen dadurch frei werden von dem, was sie innerlich verdirbt, was sie muthlos und unglücklich macht. An dieser Zuversicht Jesu richtet unser Glaube sich auf" (Sittlichkeit, 9). Der Glaube hat also seinen Halt an Jesu Glaube selbst. Voraussetzung bleibt freilich, daß "Jesus uns überhaupt ein Wegweiser nach Oben geworden ist" (Sittlichkeit, 9), daß um seiner Sittlichkeit willen Gott überhaupt in ihm gedacht wird.

Im Spätwerk tritt die Betonung des Glaubens Jesu selbst immer stärker zurück. Gefragt ist nicht der Glaube des einfachen Menschen Jesu, sondern der "Gedanke des Glaubens in der Verkündigung Jesu" (D, 29; als Überschrift gesperrt gedruckt). Wenn W. Herrmann daher vom Glauben Jesu selbst zu sprechen genötigt ist, setzt er das Wort Glaube in Anführungsstriche. So kann er nicht umhin zu sagen, daß der "Glaube" Jesu sich dadurch auszeichnet, daß Jesus in ihm "eine Quelle von Kräften" sieht, "die sonst kein Mensch haben kann" (D, 29). W. Herrmann kommt es jedoch jetzt nicht auf Jesu Glaube an, sondern auf die Worte Jesu, die auf das Einfache als ein Allgemeines verweisen, das in allen Erlebnissen des Selbst erfahren werden kann. Wichtig ist nicht der Glaube Jesu, sondern unser Glaube, unser Vertrauen auf Gott, unsere Wahrhaftigkeit, "denn Niemand kann so im Innersten überwunden werden, der sich nicht auf das besinnen will, was ihm in seinem eigenen Leben wirklich das Mächtigste ist" (D, 30).

8.4. Die Sündlosigkeit Jesu als Grund des Glaubens

Es kommt jetzt darauf an, den Grund für die Erkenntnis der Einheit Jesu mit Gott in seiner sittlichen Konkretion genau zu bestimmen. Der Grund für die Erkenntnis der Einheit Jesu mit Gott ist der reife, sündlose Mensch Jesus, der "hinter dem Ideal, für das er sich opfert", nicht zurückbleibt. (V, 73). Durch den Eindruck von Jesu Sündlosigkeit ist uns seine Gottheit gewiß.

"Diesen Eindruck gewinnen wir natürlich noch nicht aus einzelnen Worten, die uns von Jesus als Zeugnisse seiner Sündlosigkeit überliefert sind. Solche Worte haben für sich allein keine überzeugende Kraft. Wohl aber steht die Tatsache, dass Jesus so von sich gedacht hat, mächtig vor uns, wenn wir auf das sehen, was er bei dem letzten Mahl mit seinen Jüngern geredet und getan hat. Angesichts eines Todes, dessen Schrecken er empfand, hat er auszusprechen vermocht, dass dieser sein Tod den Menschen, die seiner gedenken würden, die Last der Schuld von ihren Herzen nehmen

werde.... Und so mächtig ist in ihm das Bewusstsein seiner eigenen
Reinheit ((!)), dass es ihm klar vor Augen steht, den Eindruck seines
Sterbens werde die geistigen Bande der Menschen lösen, die ihn gefun-
den haben und seiner sich erinnern können. So, wie Jesus damals tat,
konnte er nur sprechen, wenn er selbst keine Schuld empfand. In der
Stunde, wo das Gewissen in dem sittlich regen Menschen unerbittlich
die Summe des Lebens zieht, konnte dieser Mensch sich seine eigene
sittliche Kraft und Reinheit als die Macht vorstellen, die allein die
Sünder in ihrem innersten Leben überwinden und von ihrer geheimsten
Not erlösen werde" (V, 73).

Das Gehen Jesu in seinen Tod ist für W. Herrmann der überzeugendste
Ausdruck der Sündlosigkeit Jesu, die die Zuversicht in das Vertrauen ein-
ner "Macht über alles" begründet, die in und mit Jesus war. Diesen grundlegenden christologischen Gedanken hat W. Herrmann auch ausführlich in
seinem Vortrag: "Der Begriff der Offenbarung" von 1887 dargelegt. Zugleich wird dort ganz deutlich, daß W. Herrmann von der Historizität der
Ereignisse ausgeht, die Jesu Sündlosigkeit beweisen; er beruft sich nämlich
ausdrücklich auf "die sicherste Überlieferung" von Jesus (I, 135). Daß seine <u>christologische Begründung des Glaubens mit dem Nachweis der Historizität der Sündlosigkeit letztlich steht und fällt</u>, beweist seine Reaktion auf
das Urteil der historischen Forschung nach 1900, daß historisch nichts sicher über Jesus zu ermitteln ist. W. Herrmann muß erkennen: "Nicht einmal das ist mit ihren Mitteln sicher zu entscheiden, ob in dem Kreuzestode uns der siegende Wille des Erlösers erscheint, oder ob das ein Schicksalsschlag war, der einen uns im Wesentlichen unbekannten Menschen getroffen hat" (5 E, 99). Wenn Jesu Sündlosigkeit nicht durch die historische
Forschung bestätigt wird, ist Jesus kein tragfähiger Grund des Glaubens
mehr. Daß sich dies aber W. Herrmann als die Konsequenz seines Hauptwerkes aufdrängt, zeigt der erhebliche Wandel seines Denkens. Ursprünglich hat er ganz bestimmte historische Resultate als sicher angenommen.
Allein unter dieser Voraussetzung kann er erfolgreich mit dem geschichtlichen Grund des Glaubens gegenüber Rationalismus und Mystik argumentieren. Er weiß das und betont deshalb, was "sicherste Überlieferung" ist.
Faktisch sind seine wichtigsten christologischen Aussagen im historischen
Jesus begründet. Jesu Sündlosigkeit ist ein historisches Faktum, auf das
sich der Glaube berufen kann.

Auf Jesu Seele fällt "kein Schatten von Schuld, keine Erinnerung an ein
Vergehen stellt sich zwischen Jesus und seinen Gott, den er doch als die
verzehrende Allmacht des Guten kennengelernt hat. Das schließen wir
nicht etwa aus einzelnen Worten Jesu, in denen er seine Sündlosigkeit
bezeugt. Wir entnehmen es auch nicht nur daraus, daß es allem Eifer
des Hasses nicht gelungen ist, an dem Bilde seines Lebens die Spur einer sittlichen Verfehlung aufzufinden. Wir entnehmen vielmehr das Zeug-

nis dafür aus dem Auftrag, den er seinen Jüngern bei dem letzten Mah-
le erteilt hat und der ohne Zweifel die sicherste Überlieferung ((!)) darstellt, die wir von Jesus besitzen. Jesus hat danach die Kraft gehabt,
angesichts seines Todes ... etwas auszusprechen, was niemand sagen
kann, dem eine Schuld gegenwärtig ist" (I, 135).

Das Auftreten Jesu bei dem letzten Mahl vor seinem Tod ist das wichtigste
Argument für Jesu Sündlosigkeit. Der Tod selbst stellt Jesu sittliche Hoheit
eindeutig unter Beweis. An diesen einmaligen Menschen, seine sündlose
Wirklichkeit, "knüpft sich für den Menschen, der ihm vertraut, die Wirklichkeit einer Macht über alle Dinge" (I, 136). Indem wir Vertrauen zu Jesus fassen, lassen wir uns auf Gott selbst ein. "In solcher Weise wird für
den Christen die Gewißheit von Gott begründet und getragen durch Jesus
Christus. Und diese Gewißheit wird uns zu einer Erlösung, indem wir auf
das Kreuz Jesu blicken und uns klarmachen, daß Jesus in seinem Kreuzestode sein ganzes Leben zu einem Zeugnis dafür zusammengefaßt hat, er
habe von uns Sündern nicht lassen wollen" (I, 136). Die Christologie W.
Herrmanns hat ihr Zentrum in der Interpretation des ganzen Kreuzesge-
schehens, denn Jesu Verhalten in Leid und Tod impliziert eine Christologie. Jesu Sündlosigkeit, die am eindrucksvollsten die "Macht des Guten" als
Macht der Vergebung aussagt, zeigt sich eindeutig im Gang zum Kreuz. Das
'extra nos' des Glaubens bezieht sich auf das historische Geschehen des letzten Mahles und des Kreuzes. Es trifft überhaupt nicht zu, daß W. Herrmann
"auf Aussagen über die Taten Jesu, Gehorsam, Leiden, Tod usw. völlig verzichtet"[116]. Diese historischen Aussagen geben gerade der Christologie ihren letzten Halt. Das kann man übersehen angesichts der Intention W. Herrmanns gegenüber der Orthodoxie, den Glauben als Erlebnis zu begreifen,
ebenso angesichts der Postition des Spätwerkes.

Der einfache, sündlose Mensch Jesus, der aus einem einzigartigen Glauben
heraus lebt, ist der Erkenntnisgrund des Glaubens. Es ist daran festzuhalten, daß "aus dem irdischen Leben Jesu die Zeichen seiner Gottheit hervor-
strahlen" (I, 55). Denn Jesus lebt in einer exemplarischen Sündlosigkeit, die
in ihrer Bedeutung das Höchste ist. In Jesu sittlicher Hoheit hat der sittliche
Mensch den überzeugenden Grund für Jesu Gottheit gefunden.

W. Herrmanns entscheidender christologischer Gedanke ist in der Vermitt-
lungstheologie schon entwickelt und hat in C. Ullmann einen 'klassischen Vertreter'. Was C. Ullmann aber von Anfang an von W. Herrmann unterscheidet, ist, daß C. Ullmann letztlich zu erkennen gibt, daß die in seiner Christologie vorgetragenen Gedanken ausschließlich apologetisch zu verstehen
sind. In seiner Schrift: "Die Sündlosigkeit Jesu"[117] tauchen die Gedanken
auf, "die wir bei Ritschls Schülern zu finden gewohnt sind"[118]. In ihr sind
die Vorstellungen W. Herrmanns vorweggenommen. Es ist vor allem die
Vorstellung, daß die vollkommene Größe Jesu, seine Sündlosigkeit, die Er-

kenntnis seiner Gottheit bedingt. Von Jesus gingen Wirkungen aus, die von keiner anderen Persönlichkeit berichtet sind, und von ihnen ist auf das zu schließen, was Jesus wirklich war. So stellt C. Ullmann expressis verbis seinen "Beweis aus den Wirkungen" auf.

"Wir... wollen hier den geschichtlichen Weg einschlagen: wir schließen von dem Eindruck, den Jesus gemacht und von den Wirkungen, die er hervorgebracht, auf das, was er war, und dann erst, wenn wir sein eigenthümliches Seyn erkannt, auf den tiefern Grund dieses Seyns; wir sagen nicht, weil Gott in Christo, weil er Erlöser, Religionsstifter war, mußte er nothwendig sündlos seyn, sondern weil er sündlos war, haben haben wir Grund zu glauben, daß Gott in ihm... seyn konnte"119.

Damit läßt C. Ullmann die Position der alten Dogmatik hinter sich. Der Grund der Erkenntnis der Gottheit Jesu liegt in seiner Sündlosigkeit, denn Jesus ist das überzeugende moralische Wunder. Weil Jesus sich der Versuchung des Bösen aussetzen mußte, die ihm eine Möglichkeit war, erscheint seine "sittliche(r) Integrität" (171) in einem noch helleren Licht.

"Hier ist ein Mensch, vom Weibe geboren, unter das Gesetz gethan, allen Bedingungen menschlicher Entwicklung unterworfen, als Mensch empfindend, handelnd und duldend, durch Versuchungen erprobt, in Kämpfen und Leiden der schwersten Art sich vollendend; aber in dieser vollständig menschlichen Persönlichkeit tritt uns zugleich unverkennbar entgegen..., was wir nach unserm innersten Bewußtsein als das Wesen Gottes bezeichnen müssen: Wahrheit, Gerechtigkeit, Heiligkeit und Liebe... wenn kein Gott wäre, so müßte Er Gott seyn, aber, daß Er ist, beweist, daß ein Gott ist, aus dem er die Fülle des göttlichen Lebens schöpfte. Dieser selbe, der schon durch seine ganze Erscheinung den Eindruck des Göttlichen macht, sagt aber ausdrücklich, daß er mit Gott eins sey..." (187).

Das sündlose Dasein Jesu beweist, daß ein Gott ist. Doch der sündlose Jesus vermittelt nicht nur die Erkenntnis Gottes, sondern auch die Gewißheit des ewigen Lebens. Durch das alles wird Jesus "das eigentliche Lebenszentrum der Menschheit" und bewährt sich als der "Schlüssel der Weltgeschichte" (215).

Die Bedeutung C. Ullmanns für W. Herrmann ist nicht hoch genug einzuschätzen. Die ethische Begründung der Gottheit Jesu ist das faszinierende Kernstück der Christologie im 19. Jahrhundert. W. Herrmann erscheint wohl als ihr eigenwilligster Vertreter, doch C. Ullmann hat die Gedanken W. Herrmanns zum Teil bis in den genauen Wortlaut hinein vorweggenommen. So hebt schon C. Ullmann hervor die "sittliche Schönheit" Jesu, "das Bild Christi", die "lebenserfüllte... Wirklichkeit" Jesu, die Lauterheit und

Reinheit Jesu, seine "sittliche Größe", das "vollendete(n) Bild(es) des
wahrhaft Guten und Großen". Er schenkt seine ganze Aufmerksamkeit den
"großartigsten, zugleich aber auch einfachsten und verständlichsten Zügen" Jesu (175ff). Wie bei W. Herrmann rückt das Bild Jesu mit seinen
einfachen Zügen in das Zentrum der christologischen Überlegungen. C.
Ullmann nimmt jedoch seinen Ausführungen die Spitze, indem er eine dogmatische Auffassung der Darlegungen ausschließt.

> "Hier wolle man den apologetischen Character und die ganze Ökonomie
> unserer Abhandlung... gehörig im Auge behalten. Es versteht sich, daß
> mit dem Obigen nicht behauptet werden soll, der Begriff der Sündlosig-
> keit und der der Gottheit seyen identisch; es versteht sich ebenso, daß
> zur Begründung des letzteren auch ein ganz andrer Weg eingeschlagen
> werden kann; aber dies ist dann ein dogmatischer oder speculativer, den
> wir hier nicht zu betreten haben" (168).

Durch das rein apologetische Verständnis ist C. Ullmann allerdings weit
entfernt von W. Herrmann. Er verteidigt auf diese Weise "nur" vermittlungstheologisch. Der Glaube soll durch den Gedanken der Sündlosigkeit
Jesu verständlich gemacht werden. Wirklich dogmatischen Wert hat dieser
Gedanke jedoch nicht. Darüber hinaus erkannte schon die Vermittlungstheo-
logie, daß der "Übergang von dem geschichtlichen Eindruck sündloser Reinheit... zu der Idee schlechthin vollkommner, das Göttliche schlechthin rein
offenbarer Menschlichkeit"[120] anfechtbar war.

Die fundamentale Stellung des Gedankens der Sündlosigkeit Jesu in der Christologie bei C. Ullmann und W. Herrmann kann auf den Einfluß F. Schleiermachers zurückgeführt werden. Indem sich C. Ullmann mit der Sündlosigkeit
Jesu so eingehend beschäftigt, ist er nach dem Urteil A. Mückes in "dem
Herzpunkte der Schleiermach'schen Christologie"[121]. In der Tat ist die in
Jesus vorhandene unsündliche Vollkommenheit ein Hauptsatz seiner "Glaubenslehre". "Christus war von allen andern Menschen unterschieden durch
seine wesentliche Unsündlichkeit und seine schlechthinnige Vollkommenheit"[122]. Der Grund für Jesu wunderbaren Eindruck, der Glauben schafft,
ist schon bei F. Schleiermacher die unsündliche Vollkommenheit. Wenn es
weiter heißt: "Seine Tat in uns kann aber immer nur die Tat seiner durch
das Sein Gottes in ihm bedingten Unsündlichkeit und Vollkommenheit sein"[123],
dann drückt F. Schleiermacher damit aus, daß es Gott selbst ist, der Jesus
das wunderbare Wesen sein läßt. Denn das Sein Gottes in Jesus ist die Ste-
tigkeit des Gottesbewußtseins in Jesus. Weil W. Herrmann Jesu Selbstbewußtsein nicht von vorneherein als Gottesbewußtsein definiert, denkt er den
Gedanken des Menschseins Jesu radikaler durch als F. Schleiermacher. Für
diesen ist Jesus das Urbild des Gottesbewußtseins schlechthin, wie er als
Hauptlehrsatz in seiner "Glaubenslehre" darlegt (§ 93ff). Der Inhalt der ur-
bildlichen Vollkommenheit ist die stetige "Kräftigkeit des Gottesbewußt-

seins"[124]. Damit wird Jesus als das einzigartige Urbild des glaubenden Menschen gesehen, das in seiner unsündlichen Vollkommenheit beeindruckt. Für das Verständnis der Person Jesu ist der innere Zusammenhang von stetigem Glauben bzw. fester Zuversicht und Sündlosigkeit konstitutiv. Dieser Grundgedanke findet sich zentral bei W. Herrmann, freilich entwickelt er ihn nicht unter der Voraussetzung, daß Jesus Urbild, sondern die geschichtliche Offenbarung Gottes ist.

Die "Aufgabe, Gott in Christus zu erfassen" (Gewißheit, 22), indem sie von Jesu Sündlosigkeit ausgeht, hat W. Herrmann sachlich im Anschluß an bestimmte Gedanken F. Schleiermachers und C. Ullmanns aufgenommen. Daß Jesus als der sündlose Glaubende zu begreifen ist, das ist das punctum saliens in dem Gedankengang des Hauptwerkes. Im Spätwerk bleiben für die Begründung des Glaubens die Worte Jesu. Die Geschichtlichkeit Jesu kann nicht mehr als Grund des Glaubens veranschaulicht werden, der Glaubende wird ganz auf seine persönlichen Erlebnisse in der alltäglichen Gegenwart gewiesen, womit der Gegenstandsbezug des Glaubens preisgegeben wird. Wie bei F. Schleiermacher ist nun das Problem die religiöse Innerlichkeit. Der Ansatz bei der historischen Erscheinung Jesu als der Offenbarung Gottes ist aufgegeben, denn der nach der Wahrheit fragende Christ kann in den meisten der neutestamentlichen "Berichte nicht mehr Erinnerungen an wirkliche Ereignisse sehen" (Sinn, 22). Die biblische Veranschaulichung des Lebens Jesu wird nur dem zur unbefangenen Freude, der von der "lebenschaffende(n) Kraft des Geistes Gottes" (Sinn, 21) erfüllt ist. Gott fordert von uns "nur dies Eine, auf die Erfahrungen zu achten, in denen uns das Wirken seiner allmächtigen Güte auf uns selbst verständlich werde" (Sinn, 6). Gott wirkt durch "unvergeßliche Erlebnisse", die die wahrhaftige Besinnung auf das Selbst vermitteln. Das Selbst findet zu sich im Mut zum Gebet. "Im Gebet wirkt der Glaube mit den Kräften der Phantasie den anschaulichen Ausdruck des Gedankens, der in ihm geschaffen wurde", daß nämlich Gott als "eine auf uns wirkende Macht reiner Güte in allem Wirklichen waltet" (Sinn, 23).

W. Herrmann rekurriert im Spätwerk auf die Geschichtlichkeit der Religion als die Selbstbesinnung einzelner Menschen im Erlebnis. Für dieses Verständnis stehen F. Schleiermachers Reden "Über die Religion". Das Bekenntnis zu ihnen ist zu einer systematischen Grundentscheidung geworden, die nicht nur das Schleiermachersche Jugendwerk als die wichtigste Schrift nach der Bibel einstuft, sondern auch mit der Hervorhebung der ersten vier Reden die Lebendigkeit und Individualität der Religion gegen die Theorie des Christentums als Christologie geltend macht[125]. Religion "erscheint nur bei einzelnen Menschen ... als etwas Besonderes" (D, 3). Wir haben sie "zu beschreiben, die wir zunächst in uns selbst, dadurch erst in Andern anschauen können" (D, 4). Die theologisch-argumentative Hinsicht wird suspekt. F. Schleiermachers "Glaubenslehre" mit ihrem Religionsverständnis gilt deshalb als "unhaltbare Theorie" (D, 12). Das Wesentliche der Religion besteht nicht in einem allgemeingültigen Nachweis, sondern in der "eigentümliche(n) Art, wie ein Mensch die gesamte Wirklichkeit erlebe" (D, 14). Auf die Erfahrung kommt es an, daß Gott sich in der Wirklichkeit als "die Einheit eines unerschöpflichen Lebens vernehmlich macht" (D, 14). Die Teilnahme an dieser Lebendigkeit ist Religion. Der junge Schleiermacher hat das gezeigt, indem er den Vollzug seiner eigenen Religiosität voraussetzt. "Seine Anschauung von Religion ist der Ausdruck seiner eigenen Religion" (D, 13).

Aufgrund dieses Verständnisses von Glauben verhalten sich Erlebnis und Christologie wie Rekonstruktion (Beschreibung der erfahrenen göttlichen Macht) und Konstruktion (Bildung von Glaubensgedanken in den Kräften der Phantasie). Die Rede vom sündlosen Jesus wird zum Ausdruck der religiösen Subjektivität, die ihr eigenes, unverfügbares Erlebnis von Gott als die Befreiung von Sünde und Schuld bestimmt. Das Sich-Offenbaren Gottes im Selbst des Menschen als eine wunderbare Macht bedeutet, daß die Besinnung des Einzelnen nicht im Selbstgericht endet, sondern er "von einer geistigen Macht ergriffen" wird, "die als die Erscheinung reiner Güte" auf ihn wirkt (D, 17). Die Erfahrung reiner Güte wird dann in der Sündlosigkeit Jesu anschaulich gemacht. W. Herrmann kann von der Erlösung von den Sünden sprechen, die Jesus seinen ersten Jüngern spendete (D, 75ff), von der Macht der Vergebung in der Person Jesu, von der "heilige(n) Macht sittlicher Reinheit" (D, 77). Alles Gewicht legt er auf die Vergegenwärtigung des Kreuzestodes Jesu, denn nur dadurch wird uns das Erlebnis des Wirkens Gottes als Erlebnis der Vergebung einzigartig deutlich, das Sich-Offenbaren Gottes als Gericht und Gnade gewiß (D, 28). Der grundlegende Unterschied zur Christologie des Hauptwerkes besteht jedoch darin, daß diese Anschaulichkeit des sündlosen Jesus nicht mehr der Grund des Glaubens ist. Die Christologie mit ihrer Darstellung des Lebens Jesu wird unter den Glaubensgedanken des evangelischen Christentums abgehandelt (D, 40ff). Dieses Faktum in der "Dogmatik" belegt eindeutig den Wandel in der systematischen Grundposition.

W. Herrmanns Auslegung der Glaubensgedanken besagt jetzt, daß die Sündlosigkeit Jesu nicht mehr als der Grund des Glaubens anzusehen ist. Den Glaubensgrund findet die Religion in Erlebnissen, "aus denen ein Mensch die Kraft wahrhaftigen Lebens gewinnt" (D, 16). Diese Erlebnisse werden uns "im Zusammenleben mit Menschen geschenkt, wenn wir erleben, daß Ehrfurcht und Vertrauen in uns erweckt werden" (D, 17). Das ganz persönliche Erlebnis der Liebe als geistige Macht begründet den Glauben. Die Gedanken des Glaubens, die die Bedeutung des Grunderlebnisses in der Kraft der Phantasie artikulieren, sind auf die Schuld-Vergebungsproblematik bezogen, die den Horizont für alle Glaubensaussagen bildet. Darum entzündet sich die Phantasie an dem reinen Bild des Neuen Testaments von der Person Jesu. Kann es auch in seiner Vollkommenheit nicht "als ein Gedicht von Menschen" vorgestellt werden (D, 28), so ist doch mit seiner Ableitung aus dem individuellen Erlebnis die

Vorgegebenheit des geschichtlichen Christus aufgegeben. Dies erklärt sich nicht zuletzt aus der radikalen historischen Kritik an der Glaubwürdigkeit der Berichte über das Leben Jesu.

8.5. Jesus als Erlebnis

W. Herrmanns Ausarbeitung einer christologischen Theorie des Erlebnisses kann als der Versuch bezeichnet werden, die Unmittelbarkeit des christlichen Glaubens und die Vorgegebenheit seines Grundes einsichtig in der modernen Situation auszusagen. Die für diesen Glauben vor allem nach 1900 beängstigende Forschungslage, der von I. Kant der Neuzeit eingeschärfte, von W. Herrmann selbstverständlich übernommene Dualismus von Natur und Geschichte, Erkennen und Erleben, die nicht kritisch aufgearbeitete Forderung nach absoluter Gewißheit im Zusammenhang des Problems der objektiven Glaubensbegründung, die Verengung der christlichen Thematik auf die sittliche Schuldproblematik und die durch das nur sittlich geleitete Verstehen bedingte ungenügende Unterscheidung und Verkehrung von Grund und Inhalt des Glaubens führen jedoch die Christologie W. Herrmanns in eine Sackgasse. Sie kann nicht mehr die christliche Religion als umfassenden Geschichtsglauben ausweisen, denn sie rückt ganz in den Horizont der individuellen Subjektivität. Aus dem Jesus der Geschichte wird der Jesus der Bibel und schließlich der Jesus des persönlichen Glaubens, weil die Bibel selbst nur als individuelles Glaubenszeugnis zu gelten hat. Die Subjektivität vergewissert sich in ihren eigenen Zeugnissen.

Die Fragwürdigkeit der späten Aussagen W. Herrmanns wird deutlich, wenn man sie an den frühen mißt. In ihnen wird der Grund des Glaubens, der Jesus als Erlebnis ist, unter der Voraussetzung expliziert, daß der geschichtliche Jesus sich selbst durchsetzt und nicht auf die Zeugnisse ehrwürdiger Menschen damals und heute angewiesen bleibt. Es kommt darauf an, die geschichtliche Offenbarung Gottes in dem einfachen Menschen Jesus als den entscheidenden, objektiven Grund des Glaubens zu erkennen. Daher hält W. Herrmann an der im Anschluß an A. Ritschl gewonnenen These fest, daß der Glaube in dem irdischen Menschen Jesus "allein den Grund seiner Gewissheit und die Gewähr seiner Wahrheit hat" (ThLZ 1888, 572). So wurzelt "der Gedanke von der Gegenwart Gottes in den Gläubigen", den W. Herrmann sehr schätzt, in der geschichtlichen Offenbarung, also "nicht in irgend welchen Stimmungen und sonstigen, nur für den Einzelnen vorhandenen Erlebnissen, sondern allein in der Thatsache, dass Gott in Christus sich uns zuwendet" (ThLZ 1888, 615). Ohne diese Tatsache würde der Glaube haltlos sein (ThLZ 1888, 619). Auch die "stärkste subjektive Gewissheit" gibt "nicht die höchste Gewähr; sondern der Umstand, dass wir in dem, was wir glauben, die Wahrheit verstehen und von ihr Rechenschaft geben können", was in der stetigen Beziehung auf "die Person Jesu in ihrer wunderbaren Thatsächlichkeit" geschieht (ThLZ 1888, 621). Die kritische Kraft der Einsicht, daß die Wahrheit Gottes in ihrer Geschichtlichkeit gründet, nimmt W. Herrmann jedoch nicht wahr.

W. Herrmann zieht nun auch an bestimmter Stelle die Konsequenz daraus, was es heißt, auf die Wahrscheinlichkeitsurteile der Historiker sich stützen zu müssen. "Es zeigt wirklich, wie unser Standpunkt gefährdet ist. Ich kann es daher verstehen, wenn viele sich unbefriedigt von uns abwenden. Alle werden das tun, die erwartet haben, daß ihnen der Grund des christlichen Glaubens ein-für allemal gesichert werden könne. Die Römischen haben eine solche Sicherung durch das unfehlbare Lehramt. Unsre Orthodoxie eine solche Sicherung an der unfehlbaren Bibel" (GA, 343). Diese 'Ein-für-allemal-Sicherung' gibt es aber nicht mehr, auch nicht durch die Bibel. Das absolute Denken ist durch das geschichtliche der Neuzeit abgelöst. Dieser Einsicht nähert sich hier W. Herrmann. Er weiß, daß die Erfassung der Wirklichkeit Jesu nicht völlig getrennt von der Wissenschaft mehr geschehen kann, wodurch die absolute Sicherung des Glaubens ausgeschlossen ist. "Wir müssen uns also darein fügen, daß die Wissenschaft immer wieder unsern Glauben gefährden wird" (GA, 343). In der Auseinandersetzung mit der relativen Wahrheit der historischen Erkenntnis kommt W. Herrmann zu der für ihn wichtigen weiteren Konsequenz, "dass die wichtigste Tatsache unseres Lebens uns nicht ein für allemal gegeben werden kann, sondern von neuem mit gesammelter Seele ergriffen werden soll" (V, 64). Die Tatsache der Person Jesu erschließt sich uns ganz gewiß immer neu im unmittelbaren Erleben ihrer Wahrheit. In dem persönlichen Erlebnis Jesu ergreift den Einzelnen unwidersprechlich die Gewißheit von Gott. Das Historische kann dann nicht mehr zum Problem werden.

Im Spätwerk thematisiert W. Herrmann das unmittelbare, kraftvolle Erleben exklusiv. Allein nach dem Gegenwärtigen in seiner Lebendigkeit wird gefragt. Das Historische als das Tote wird beiseite gedrängt (II, 311). Das Entscheidende der Bibel sieht W. Herrmann daher zunehmend in ihrer lebendigen Frömmigkeit, so daß es ihm nicht auf den durch die Bibel vermittelten geschichtlichen Christus ankommt, sondern auf die biblische Frömmigkeit. "Die heilige Schrift ist uns nicht zur Formulierung historischer Probleme gegeben. Sie soll uns das Bild uralten Glaubens vergegenwärtigen und uns in den Bereich der Kräfte bringen, die ihn schufen" (Ueberlieferung, 1069). Aus der Bibel berührt uns der Glaube der Urgemeinde. Dieser Glaube, nicht der Glaube Jesu selbst, ruft Glauben hervor.

"Wir fragen uns, was auch uns" aus der Bibel "als eine uns geschenkte Tatsache, also mit der vollen Gewalt des Selbsterlebten berührt und durch seinen Gehalt Glauben nicht bloß von uns fordern, sondern auch in uns schaffen kann. Das ist ohne Zweifel zunächst der in der Bibel sich aussprechende Glaube selbst". Wenn "wir den Glauben der Bibel" verstehen, wird uns Jesus zur unleugbaren Tatsache (Ueberlieferung, 1070).

Ebenso stellt W. Herrmann hier nicht Jesu Leben, sondern seine Worte heraus. Die Gewalt, die uns in Jesus bezwingt, strömt aus seinen Worten.

"Für uns evangelische Christen ist das, was uns so überwindet und befreit, die geistige Macht, die uns aus den Schriftworten, die uns zu Herzen gehen, anschaulich wird. Zu einem gesteigerten Ausdruck kommt uns diese Gewalt in der Person Jesu, die uns durch keine historische Forschung gegeben wird. sondern von jedem Einzelnen in dem Lebensgange Jesu, den seine Worte ((!)) uns beleuchten, erfaßt werden muß" (II, 110).

Die Schriftworte, die zu Herzen gehen, werden jetzt betont. Weil alles auf die eigene, persönliche Geschichte und nicht auch auf die vergangene ankommt, vermag W. Herrmann die Schrift im Spätwerk weniger kritisch zu sehen. Berührt sie in ihren Worten den Einzelnen innerlich, ist ihr Wert hoch einzuschätzen. Ist die Bibel doch nicht mehr wertvoll als Mittel, von einer vergangenen Geschichte Kenntnis zu geben, der grundlegende Bedeutung für Gegenwart und Zukunft innewohnt, sondern als persönliches Zeugnis von Menschen, die Gott ganz vertrauen, und so als dieses Zeugnis den Menschen innerlich erhebt. "Das mächtigste Zeugnis davon, daß sich Menschen einer... unsichtbaren Macht freiwillig hingeben, also ganz unterworfen wissen, haben wir in der Bibel" (II, 139). Das Lesen der Bibel fördert das innere Leben. Prinzipiell kann jetzt jeder Teil der Bibel die Bedeutung des überwältigenden Wortes Gottes für Menschen haben. Wesentlich ist, daß in der Bibel geistiges Leben das Individuum berührt. Die Gedanken des Glaubens und die Lehre in der Bibel sind "nur als Ausdruck neuen persönlichen Lebens zu verstehen" (D, 39), und allein aus der Bibel hat die Dogmatik "die Erkenntnis der dem natürlichen Menschen verborgenen, dem Glauben sich enthüllenden Wirklichkeit zu gewinnen" (D, 38). W. Herrmann bezeichnet hier nicht den eigenen Glauben, sondern die Bibel als mächtigstes Zeugnis der Lebendigkeit wahren Lebens als Quelle für die Anschauung der neuen Wirklichkeit (D, 38). Dem Subjektivismus wird nicht durch die Berufung auf die geschichtliche Tatsache des Lebens Jesu gewehrt, vielmehr durch die Berufung auf die Bibel. Die Distanz zwischen Schöpfer und Geschöpf, die Andersartigkeit und Unverfügbarkeit Gottes werden ausgesagt im Anschluß an die quellenden Zeugnisse der Bibel. Der Christ braucht diese Bibel zum Leben, denn durch sie ist die Möglichkeit gegeben, "sich immer wieder aus der Quelle zu verjüngen, die in der h. Schrift für alle sprudelt" (Not, 16). Die Bibel ist absolut (!) vollkommen, insofern wir durch sie alles erhalten, was wahrhaftiges Leben benötigt. Aus dem Erlebnis der Bibel erwächst unser Glaube an die Bibel.

"An der heiligen Schrift kann die Kritik manches aufdecken, wodurch ihre Berichte zweifelhaft werden; der Christ wird trotzdem, wenn sie ihn einmal mit dem ihn erlösenden Gott verbunden hat, davon überzeugt sein, daß er durch sie alles empfängt, was er zu wahrhaftigem Leben braucht. In dieser Beziehung ist die heilige Schrift absolut vollkommen. Aus dem, was wir an ihr erleben, erwächst unser Glaube an die Bibel. Ein solches Vertrauen zu ihr können wir nur dadurch haben, daß wir in ihr das Eine fanden, dessen schöpferische Macht wir an uns selbst erfuhren, den Gott, der sich in ihrem Glauben und ihrem Christus offenbart" (D, 35f).

Die Bibel wird für das Leben der Frommen bedeutsamer als Jesus. Jesus ist zwar ein Teil der Bibel und sogar der wichtigste, doch es kommt auf das Erlebnis an der Bibel an, weil der Einzelne durch die Bibel vollkommen das empfängt, was er zu einem wahrhaftigen Leben braucht. Das kritische Verhältnis zur Bibel bleibt freilich, wo W. Herrmann Jesus als Erlebnis im Gegensatz zur Bibel als Gesetz, das den Menschen vergewaltigt, begreift. Man muß nicht alles in der Bibel glauben.

Nun ist es Jesus als ein Element der vom Individuum selbst erlebten Geschichte (II, 317), der das Individuum auf die eigenen Erlebnisse verweist, in denen ihm die Wirklichkeit Gottes aufgeht. Der Mensch, der auf Jesus hören will, muß in "dem Gehalt seines eigenen Lebens" und nicht in dem Leben Jesu "das Höchste zu erfassen suchen" (II, 280). Jesus ist nur das höchste Beispiel für diesen Gehalt. So droht die Christologie bei W. Herrmann in ihrem späten Stadium in einer Erlebnistheologie aufzugehen, die auf Jesus verzichten kann, weil Jesu Worte auf etwas verweisen, was auch ohne Jesus unter Menschen erfahren werden kann. Wer in den eigenen Erlebnissen seines Lebens bereits Gott erfährt, braucht dazu nicht mehr konstitutiv das Erlebnis der Person Jesu.

Doch W. Herrmann will auch in seinem Spätwerk nicht auf Jesus verzichten. Die Absicht zumindest kann ihm nicht bestritten werden, Theologie wesentlich an der Christologie zu orientieren. Er stellt eindeutig heraus, daß man es gerade der Person Jesu verdankt, im Alltag "neue Offenbarungen Gottes" zu erleben, indem man von Jesus erfaßt ist (II, 278f). Der Bezug zu Jesus bleibt, wenn auch begrenzt, ein Charakteristikum des Spätwerkes. Jesus gibt dem Glauben seine unabweisbare Wahrheit. In der christlichen Gemeinde wird das für wirklich gehalten, was sich als anabweisbar aufdrängt, sich als mächtig erweist, so daß der Glaube wesentlich als Gehorsam zu verstehen ist. "Aus Wünschen entsteht Religion nicht, sondern aus dem Gehorsam gegen unabweisbare Wahrheit. Es gab und es gibt Menschen, denen in der Überlieferung des Neuen Testament ein Menschenleben anschaulich wurde, worin sie die einzige ungetrübte Erscheinung dessen fanden, was allein die volle Gewalt über ihre Seele hat, ohne das freilich anderen zeigen zu können. Für solche Menschen versteht es sich von selbst, daß ihnen Christus der Herr wird, dem sie den Anfang wahrhaftigen Lebens verdanken" (II, 288). W. Herrmann argumentiert durchaus noch christologisch, wenn es um den Erweis der Wahrheit des christlichen Glaubens geht. Die Durchschlags-

kraft die Argumentation ist indes gemindert durch das Gewicht, das W.
Herrmann der Existenzanalyse für die Begründung des Glaubens im Spätwerk faktisch gibt. Die Aussage des Spätwerkes bleibt aber auch, daß für
das wahrhaftige Leben alles darauf ankommt, "daß die Person Jesu die entscheidende Macht über uns gewinnt" (II, 339).

Die Erscheinung Jesu kann noch in ihrer zentralen Bedeutung aufgezeigt
werden. Durch sie ist nämlich deutlich, daß der Christ sich nicht nur auf
das verläßt, was sich in ihm selbst ereignet. Sie gibt eine von außen kommende Begründung, die bleibt. Auf sie sieht sich der Fromme verwiesen,
der in persönlichen Erlebnissen und Erfahrungen von Liebe und Güte Gott
findet und so auch Jesus versteht.

"Ein Mensch aber, der überhaupt angefangen hat, in seinen eigenen Erlebnissen den Schöpfer des Lebendigen zu suchen, also jeder, in dem der
Glaube der Religion erweckt ist, wird frohlocken, wenn er selbst im Neu-
en Testament dieses Bild der Person Jesu erfaßt. Einem solchen Menschen wird es so gehen wie uns, daß ihm die geistige Macht, die allein
in der Welt die wunderbare Gewalt hat, sich die Geister in reinem Vertrauen zu unterwerfen, wie etwas bisher nie Erlebtes in der Tatsache
der Person Jesu erscheint. Wer nicht in bestimmten Erlebnissen sich
vor die Einigung von unerbittlicher Gerechtigkeit und unerschöpflicher
Güte gestellt sah, hat Gott nicht gefunden und kann Jesus Christus nicht
verstehen. Haben wir aber in unserem eigenen Leben das uns rettende
Wirken Gottes verspürt, so befreit uns die Erscheinung Jesu aus schwe-
ren Nöten, die erst die Offenbarung Gottes uns fühlbar macht. Es bleibt
uns nicht verborgen, daß das Bewußtsein der Nähe Gottes in uns steigt
und sinkt. Finden wir Gott nur ((!)) in dem, was sich in uns selbst ereignet, so ist unsere Zuversicht zu ihm auch an die Schwankungen unseres inneren Lebens geknüpft. Alles aber, was sonst ((!)) von außen an uns
herandringt, behält eine uns belebende Kraft nur für kurze Zeit" (II, 338).

Die einmalige Erscheinung Jesu wird von dem, was "von außen an uns herandringt", allein als bleibende Kraft genannt. Damit hat sie auch 1918 die
Funktion, als Objektives (= von außen) das zu erweisen, was W. Herrmann
früher als den letzten Halt oder Grund des Glaubens bezeichnet hat. Aber
das wird hier nicht ausgeführt. Es scheint, als wage es W. Herrmann nicht
mehr. Es sperrt sich gegen die Konsequenz seiner Erlebnistheologie.

Daß Jesus eine einmalige sittliche Erscheinung ist, "ein Menschenleben,
das nur für den Dienst an anderen da sein will und doch in der Aufopferung
sich selbst so behauptet" (II, 338), ist ja ein historischer Satz, eine Aussage, die auf von außen Kommendes sich stützt. Der selbstverständliche Verweis auf die Selbstevidenz übergeht jedoch die historische Problematik. W.
Herrmann deckt damit zu, daß er im Grunde historisch begründet argumen-

tiert, wenn er verständlich die einmalige Erscheinung Jesu als die entscheidende Macht darstellt. Doch seine völlige Ineinssetzung von Jesus
und Erlebnis muß die Geschichtlichkeit Jesu ausschließen. Dadurch wird
der Name Jesus prinzipiell austauschbar. Jenes innere Leben Jesu, das
das Individuum erlebt, kann ebenso als inneres Leben von Buddha oder
Sokrates behauptet werden (Vgl. V, 76). Es ändert nichts. W. Herrmann
hält an Jesus fest, weil er in der christlichen Tradition steht. So kommt
es, wie er sagt, "mir natürlich darauf an, für Menschen, die derselben
Religion des Erlebens angehören wie ich, das anschaulich zu machen, was
mir selbst die Kraft gibt, mich aus schwersten Nöten zu freudigem Gottes-
glauben zurückzufinden" (II, 264). Die Art, wie er über Buddha, Sokrates
und die Mystiker spricht, vermag so allein zu zeigen, wie er sich "an der
Mannigfaltigkeit der Erscheinungsformen der Religion" erfreut (II, 264).
Weil er nun mit Jesus nach der "Religion des Erlebens" strebt, ist ihm das
am wichtigsten, was das wahre Leben fördert.

9. Der mystische Ausklang

W. Herrmann geht es zuletzt vor allem um das geheimnisvolle und unüber-
tragbare Erleben von Gott, womit er in die Nähe der Mystik rückt. Darauf
deutet schon eine Überschriftsänderung in der 4. Auflage des "Verkehrs"
hin. Seit 1903 schon heißt es nicht mehr: "Der Gegensatz ((!)) der christlichen Religion zur Mystik" (3. Auflage des "Verkehrs" 1896, S. 13), vielmehr: "Das Verhältnis ((!)) der christlichen Religion zur Mystik" (V, 16).
Indem der Gegensatz zur Mystik schwindet, schwindet die Bedeutung Jesu.
Der Verlust Jesu, den die historische Forschung nach 1900 in Aussicht
stellt, schmerzt dann nicht mehr, wenn im innersten Erleben Gott erfahren
werden kann. Dieser Verlust wird jetzt sogar als etwas von Gott Gegebenes
hingenommen. Wir nehmen die Möglichkeit, daß Jesus ein Werk der Phantasie ist, "als etwas von Gott Gegebenes hin und entnehmen daraus die Forderung, daß wir allezeit in dem mächtigsten Gehalt der von uns selbst erlebten
Wirklichkeit ihn suchen sollen" (II, 289). Die zerstörende Arbeit der historischen Kritik müssen wir ertragen, "wie alles, was Gott uns auferlegt.
Aber die Ängste, die daraus kommen mögen, überwinden wir, wenn wir uns
an das halten, was uns gegenwärtig gegeben ist" (II, 337). Es ist also eigentlich für W. Herrmann nur die Möglichkeit des Verlustes, die hingenommen
werden muß. Gott selbst schickt diese Bedrohung, damit der Fromme um so
stärker aus dem Trümmerhaften der biblischen Überlieferung selbst das ein-
heitliche, unvergeßliche Bild Jesu sieht. Was dem Einzelnen in der Bibel
selbst gegeben ist als machtvolle Gegenwart, das ist entscheidend. Daß das
die Erscheinung Jesu ist, bedeutet freilich ein Wunder. In der Weise, wie
W. Herrmann das verständlich zu machen sucht, kann man sich nur fragen,
ob hier nicht selbst dem Glaubenden zu viel zugemutet wird. Fällt doch "auch
dem einfachen Bibelleser" das "Trümmerhafte und Widerspruchsvolle der
uns gegebenen Überlieferung" auf. "Trotzdem erhebt sich uns ein einheit-
liches, unvergeßliches Bild, wenn wir nur einfach mit der Frage herantre-

ten, was wir selbst daraus sehen können, und alles, was andere gesehen
haben wollen, zunächst beiseite lassen" (II, 337). Für W. Herrmann muß
einfach das eigene Selbst Jesu wunderbare Macht sehen; was das andere
Selbst sieht, ist zunächst ohne Relevanz. Was das isolierte Individuum sehen kann, wenn es nur selbst sehen will, erstaunt. W. Herrmann merkt
nicht, daß er mit seiner Erklärung die Meinung provoziert, daß das Selbst
einer Einbildung erliegt. Außerdem wird die Bedingtheit der Unmittelbarkeit der Selbsterfahrung durch die Überlieferung, aus der es lebt und die
die Perspektive seiner Bibellektüre bestimmt, nicht reflektiert. Das ganz
persönliche Sehen des Selbst im modus des Erlebens wird absolut gesetzt.

Bei W. Herrmann kommt es jetzt allein auf die gegenwärtig erlebte Wirklichkeit an. Auch Jesus setzt sich nur durch als gegenwärtig Erlebtes, was
"der Glaube oder das Leben" (II, 289) bezeugt. Es gilt einzusehen, "daß wir
nur in dem Heute wirklich leben, Gott suchen und handeln können" (II, 289).
Vergangenheit und Zukunft sind uninteressant. Das Erleben Gottes findet in
der unmittelbaren Gegenwart statt. Mit dieser Auffassung bewegt sich W.
Herrmann in den Bahnen der Mystik, die die Vereinigung des Selbst mit dem
Göttlichen in der unmittelbaren Gegenwart denkt. Die Seele befreit sich aus
dem Scheinleben, indem sie im Heute im eigenen Erlebnis das wahrhaft Göttliche erfährt. Das Ergriffensein von Gott ist solcher Art, daß der Einzelne
darin Gott finden muß, innerlich erhoben und selig wird. Im Erlebnis ist so
das "göttlich Einfache" (V, 50) anwesend. Die Gewißheit des Glaubens gründet in dem wunderbaren Einfachen im Erleben, was Jesus veranschaulicht.
Jeder Versuch dieses Einfache mittels Begriffen kritisch auszuweisen, würde es zerstören. Wie in der Mystik zeigt sich im Denken W. Herrmanns,
daß die Begriffe und Ausdrucksformen für das Erlebnis und seinen Gehalt
letztlich inadäquat sind. Nur unzureichend erfaßt W. Herrmann auch mit den
Begriffen des inneren Lebens und der geistigen Macht das Göttliche in der
Erfahrung der Person Jesu. Das Erlebnis des inneren Lebens Jesu ist das
einfache Erlebnis des Göttlichen. Als unmittelbares Ereignis hat es die Funktion, die Ureinheit von Subjekt und Objekt wiederherzustellen. Das Bild des inneren Lebens Jesu soll die Tatsache des Seins Jesu und die persönliche Erfahrung vermitteln, und im Vollzug der Vermittlung wird die Subjekt-Objekt-
Spaltung überwunden. Daher ist das ereignishafte Jetzt so entscheidend. In
ihm wird Gott gefunden. Dieses wunderbare Ereignis ist sprachlich kaum
faßbar, dem wissenschaftlichen Denken fremd und überlegen. Das Lebendige ergreift den Menschen ganz. Einzigartig beweist das Leben sich selbst.

Während wir Menschen "innerhalb der wissenschaftlich festgestellten Wirklichkeit heimatlos" sind (II, 304), "öffnet sich uns unsere Heimat" (II, 307)
in unseren eigenen Erlebnissen in uns, die uns Gott als den Herrn über alles
gewiß machen. Kommt es zu diesen Erlebnissen, wenn uns gütige Menschen
begegnen, die durch ihre Güte uns zwingen zu vertrauen, so öffnen wir uns
dieser geistigen Macht, die uns gegenwärtig bleibt und uns zum Herrn über

die gesamte Wirklichkeit wird. "Mit dem Wort Allmacht suchen wir das
zu bezeichnen, was uns in" den Erlebnissen des Vertrauens "ergriff. Aber
wichtiger als alle solche Versuche, das Unaussprechliche ((!)) zum Ausdruck zu bringen, ist das ruhige Bewußtsein, daß wir nun in derselben Welt,
in der wir bisher mit unserem Anspruch auf Leben fremd und verlassen standen, dennoch eine Heimat des Lebendigen gefunden haben" (II, 311). Diese
mystische Erlebnistheologie beschwört gleichsam die "geheimnisvolle Macht,
die unser Herz wirklich bezwingt" (Not, 33), die uns im Innersten umwandelt.
In "der tatsächlichen Berührung mit diesem ewig Verborgenen" hat die Religion ihren "Lebensgrund" (II, 332). W. Herrmann denkt nicht mehr von dem
in dem Leben Jesu offenbaren Gott her, sondern von dem geheimnisvollen
Gott, der den Menschen in den alltäglichen Vertrauenserlebnissen bezwingt.
"Bestimmte Ereignisse seines eigenen Lebens müssen für ihn die Bedeutung
gewonnen haben, daß darin die verborgene Macht, die er in seinen Schick-
salen erleidet, als ein Wille ernster Güte sein Herz bezwingt. Wie nun bei
einem Menschen dieser Eindruck entsteht, daß Gott so zu ihm redet und ihn
dadurch innerlich lebendig macht, ist das unsagbare Geheimnis der Religion"
(II, 332).

Die Theologie W. Herrmanns endet bei der mystischen Rede vom unsagbaren
Geheimnis der Religion. Das, was "selbstverständlich zum Berufe der Theologie" gehört, "das Bewußtsein der christlichen Gemeinde von der Allgemeingültigkeit dessen, woran sie glaubt, zu rechtfertigen" (R, III), wird als fremde Aufgabenstellung jetzt ebenfalls selbstverständlich abgetan. Glaube oder
Leben, das seine Kraft aus dem Verborgenen schöpft (II, 109), kennt nur verborgene Gründe des Glaubens (II, 274). Das, was 'irgendwie' zur unabweisba-
ren Wahrheit wird, bleibt geheimnisvoll (vgl. II, 260), in der Fülle des Lebens verborgen. Nur der Glaube, der "die reine völlige Hingabe der Seele
in Vertrauen und Furcht" (Not, 22) bedeutet, darf für sich selbst (!) den Anspruch erheben, den Lebensgrund des Glaubens zu erfahren. W. Herrmann
postuliert die eigene Welt des Glaubens. In der Heimat "eines neuen Denkens" (Not, 23) fühlt sich der Fromme geborgen. Der innerlich gewandelte
Mensch ist die Voraussetzung. Er nimmt eine passive Haltung ein. Der
Vorgang des 'Übermächtigen' ist grundlegend. Es zieht sich der Einzelne
ganz auf seine Subjektivität zurück, bestimmt von dem Streben nach zwei-
felloser Gewißheit.

Sein hauptsächliches Bemühen, über die Mystik hinauszukommen, "ohne das
zu verlieren, was ihre Wahrheit ist" (V, 31), indem die geschichtliche Wirklichkeit nicht vergessen und die Offenbarung in Jesus als in Worte fassbare
Macht verkündet wird, muß im Spätwerk mißlingen, weil die geschichtliche
Wirklichkeit auf das Jetzt der Erfahrung reduziert wird. Das Historische
an der Religion wird überflogen, und der Rat geht an den Historiker, sich
auf sein Selbst zu besinnen und sich der gegenwärtigen Erfahrung des einfach Wahren hinzugeben, denn sein Urteil über vergangenes Leben setzt

immer das über sein gegenwärtiges Leben voraus und bestimmt es. Was
er als Christ über Jesus sagt, "ist immer bereits ein Ausdruck der Religion" (II, 60), was er als Nicht-Christ sagt entsprechend ein Ausdruck seiner Religionsferne, was das Ergebnis mangelnder Selbstbesinnung in Wahrhaftigkeit ist. W. Herrmann kommt es im Spätwerk entscheidend darauf
an, deutlich zu machen, daß alle Urteile der Historiker trotz des Bemü-
hens um Objektivität auf das eigene lebendige Selbst bezogen bleiben und
"die Farbe seiner Anteilnahme" (II, 106) tragen.

> "Die Wirklichkeit, die wir uns vorstellen, mag noch so sorgfältig von
> den Spuren dieses Selbst gesäubert werden, um ihr die Objektivität der
> wissenschaftlichen Erkenntnis zu sichern, sie bleibt doch auf dieses
> Selbst bezogen und trägt die Farbe seiner Anteilnahme. Wir haben un-
> sere Welt dadurch, daß sie unser Selbst erfüllt und bewegt. Die Wirk-
> lichkeit, in der wir leben, wird nicht durch die Abstraktionen der Wis-
> senschaft konstituiert, sondern durch das, was unser Selbst erlebt"
> (II, 106f).

Mit der Einsicht in die Subjektivität aller wissenschaftlichen Urteile meint
W. Herrmann das Problem der Objektivierung überhaupt erledigt zu haben,
zumindest für die Frage nach einem Leben in Wahrheit. Daß es jedoch keine völlige Objektivität im Urteil gibt, berechtigt nicht dazu, die Relevanz
eines wissenschaftlichen Urteils für das Leben zu bestreiten und dieses
selbst ganz von dem Subjekt in seinem gegenwärtigen Erleben zu erklären.
Dem historischen Text selbst, von dem der Historiker ausgeht, zwingt man
dabei das gegenwärtige Verständnis des Selbst auf. Das Vergangene hat keine kritische Funktion gegenüber dem Gegenwärtigen mehr. Im Horizont der
völlig an der gegenwärtigen Existenz orientierten Sicht wird das historische
Problem der Christologie aufgelöst. Die individuelle Begründung der Religion aus ihrem Grunderlebnis schließt einen Anspruch auf Allgemeingültigkeit
aus, weil sie eine rein subjektive Begründung ist, die vom Erleben des Selbst
her das theoretische Welterfassen des Historikers so individuell vergeschichtlicht, daß keine allgemein verständlichen Aussagen mehr möglich sind. Es
sind schon fast esoterische Aussagen, wenn man den inneren Besitz der Religion als "Unfaßliches" für andere begreift, wodurch der Fromme davor bewahrt wird, "sein Heiligtum durch Beweise, die es schützen sollen, zu ent-
weihen" (II, 336). Es geht W. Herrmann nicht mehr um das Recht des Einsichtigen und Allgemeingültigen, vielmehr um "das Recht des Lebendigen"
(II, 142). Die lebendige Seele wohnt in dem, "was aus ihr selbst aufquillt"
(II, 249). Im Menschen selbst kommt es zum Erleben Gottes, indem er sich
"in der Stille seines eigenen Lebens" Gott unterwirft (Ueberlieferung, 1067).
Die tatsächliche Berührung mit dem "ewig Verborgenen" bleibt "das unsagbare Geheimnis der Religion" (II, 332). Das Werk W. Herrmanns klingt in
Mystik aus. Damit erscheint die Mystik als die letzte Möglichkeit der Theo-
logie in der Moderne. Die Herrmannsche Abkehr von der Mystik verwandelt

sich in Zuwendung, und die christologischen Aussagen reduzieren sich auf
die subjektive Beteuerung, daß wir vor Jesus stehen, wenn wir vor der
"aus uns unermeßlichen Tiefen stammende Erscheinung der Kraft" stehen,
"die den Glauben oder wahrhaftiges Leben schafft" (Ueberlieferung, 1070).
Es bleibt "nur noch als die andere Möglichkeit von Theologie die Mystik,
deren bedeutsamstes Merkmal ist dies Verschlungensein der historischen
Zeit in die im Punkt der Gegenwart zusammengefaßte Ewigkeit. Damit werden alle geschichtlichen Heilstatsachen zur Gegenwartserfahrung, und nur
als solche haben sie Realität. Und gerade der Theologe, der die Mystik am
leidenschaftlichsten verwarf: Wilhelm Herrmann, verfiel ihr trotz alles
Leugnens. Sein Gewißheitspunkt war der Glaube als Folge der inneren Begegnung mit der schlechthin überwältigenden, unendlichen Macht der Güte,
deren Wirklichkeit durch die Tatsache dieser Begegnung feststand, weil
sie auf einer anderen Ebene sich vollzog"[126].

Der mystische Ausklang beinhaltet die Rückbildung der Christologie bei W.
Herrmann. Findet sich auch im Spätwerk das christologische Thema, so ist
doch seine Ausarbeitung durch Zurückhaltung und Verzicht charakterisiert.
Innerhalb des ganzen Denkens W. Herrmanns zeigt sich sowohl der Zug hin
zu einer explizierten Christologie als auch der Zug weg von ihr. In beiden
Richtungen geht es ihm um "den Lebenstrieb des Protestantismus" (Gewißheit, 52), um das Verlangen nach Gewißheit. Die Gewißheit des Glaubens
glaubt er im Spätwerk nicht mehr durch die geschichtliche Person Jesu gewinnen zu können. Seine Aussage ist klar: "Will man uns also damit schrek-
ken, daß mit keinem menschlichen Mittel die geschichtliche Wirklichkeit
der Person ((Jesu)) völlig gesichert werden könne, so erwidern wir: das
haben wir auch gar nicht nötig. Im Gegenteil wir begrüßen in dieser Unsicherheit den mächtigen Hinweis darauf, daß unsere Rettung allein in den
Erlebnissen liegt, in denen uns das Eingreifen Gottes in unser eigenes Leben gewiß wird. Diese Gewißheit haben wir für uns selbst und haben daran
genug" (Not, 30).

III. DER GRUND DES GLAUBENS

1. Christologie und Glaubensgrund

Wie beantwortet W. Herrmann die Frage nach dem Grund des Glaubens?
Dieser Frage war diese Arbeit gewidmet. Ihr Ergebnis kann nicht in einer
einzigen Antwort zusammengefaßt werden. Die festen Vorstellungen sind
zu korrigieren, W. Herrmanns theologische Arbeit sei existentialistisch
oder ganz christologisch orientiert. Immerhin hat sich der Versuch als
begründet erwiesen, das Herrmannsche Denken vorrangig unter dem christologischen Aspekt zu untersuchen, denn mit der Christologie ist das Thema berührt, das für die Entwicklung W. Herrmanns ausschlaggebend ist.
Mit guten Gründen kann die These vertreten werden, daß das christologische Problem das treibende Motiv ist und die Frage nach dem Grund des
Glaubens nicht abgelöst von der Christologie beantwortet werden kann. Das
bedeutet jedoch nicht, es könne nur eine christologische Antwort gegeben
werden. Gerade in dem Versuch, in erster Linie eine solche Antwort zu
geben, ist W. Herrmann auf Aporien gestoßen, die ihn unter den Voraussetzungen seines Denkens, nämlich der dualistischen Wirklichkeitssicht
und der Annahme der Absolutheit des Glaubens, nötigten, einerseits die
anthropologische Begründung des Glaubens zu vertiefen, andererseits die
Minimalisierung der Christologie voranzutreiben. Wesentlicher Grund dafür ist die Infragestellung der Wirklichkeit des geschichtlichen Christus.
Sie hat W. Herrmann so getroffen, daß er in seinen letzten Schriften die
christliche Heilszuversicht von dem geschichtlichen Christus löste. Das
für W. Herrmann lange Zeit charakteristische 'Zusammendenken' von Erlebnis und Leben Jesu bricht auseinander. Der Grund unseres Glaubens
liegt nicht in dem einmaligen Leben Jesu, sondern "allein in den Erlebnissen" (Not, 30). Zuletzt schreckt die Frage nach der Geschichtlichkeit Jesu
überhaupt nicht mehr, weil die Geschichtlichkeit nicht mehr vorausgesetzt
wird. Der letzte Grund, den W. Herrmann zu erforschen sucht, um dem
angefochtenen Glauben in der Neuzeit den notwendigen Halt zu geben, ist
das eigene, unaussprechliche Erlebnis Gottes, das in der Stille des Selbst
zur Erfahrung kommt. Damit ist auch die Bedeutung der Vertrauenserlebnisse im mitmenschlichen Verkehr aufgehoben. Aber noch in dieser letzten
Phase seines Denkens, die die Kondeszendenz der Theologie in die unmittelbaren, intimen Lebensvorgänge beinhaltet, bleibt er dem christologischen
Thema verhaftet. Jesus wird als der Erlöser aus der schwersten Not begrüßt (II, 317). Jesus bleibt zwar ein Element der von jedem Einzelnen
selbst erlebten Geschichte, doch dieses Element hat nicht mehr die Kraft,
die anderen Elemente in W. Herrmanns Denken zu bestimmen und zu verändern.

Die Berufung auf Jesus auch 1918 ist die Folge der überragenden Stellung, die Jesus bei W. Herrmann gehabt hat. Für den größten Teil seines Denkens gilt, daß die Frage nach dem letzten Grund des Glaubens von der Christologie her beantwortet wird. Die Festtsellung von L. Ihmels trifft zu, daß "der letzte objektive Grund für die spezifisch christliche Gewißheit in dem persönlichen Leben Jesu liegt"[1]. Das Verhältnis von Christologie und Glaubensgrund hat W. Herrmann zentral bestimmt. Die Bedeutung seines Entwurfes liegt nun darin, daß (1.) die Christologie im Zusammenhang mit der Anthropologie entfaltet wird, also nicht exklusiv, vielmehr integrativ verstanden wird, und daß (2.) die Frage nach dem Grund des Glaubens als Frage nach einem objektiven Grund, der außer uns liegt, gestellt wird. Beim sittlichen und beim geschichtlichen Grund des Glaubens geht es W. Herrmann um die Allgemeingültigkeit des Glaubens. Wird die sittliche Selbstbesinnung, die Wahrhaftigkeit des Erlebens, als die allgemeingültige Entstehungsbedingung des Glaubens angesehen, so das Sehen des inneren Lebens Jesu als der letzte Grund des Glaubens, der von außen gegeben ist (Vgl. GA, 291). Die Theologie wird wissenschaftlich verantwortet (R, III). Ihr Anspruch wird jedoch in Frage gestellt, da W. Herrmann die Tragweite der historischen Methode für die Theologie einschränkt. Die historische Grundlage des Glaubens, die nicht überflogen werden darf, bezieht er in den Glaubensgrund ein, doch sein Versuch, den christlichen Glauben als Geschichtsglauben zu erweisen, verliert letztlich das Historische. Wenn er zum Schluß sagt: Die Gotteserkenntnis "ist nicht allgemeingültige oder beweisbare Erkenntnis, sondern der wehrlose Ausdruck des individuellen Erlebens" (II, 322), dann formuliert sich hier ein Ergebnis der Herrmannschen Bemühungen, das Recht des Glaubens in der modernen Kulturwelt zu vertreten, das den Rückzug der Theologie in die subjektive Sphäre demonstriert. Als Aufgabe der Theologie wird bestimmt, die christliche Lehre "nur als Ausdruck neuen persönlichen Lebens zu verstehen" und dieses "Leben in seiner wunderbaren Eigenart zu beschreiben" (D, 39. 38). Das Interesse, das man der Theologie W. Herrmanns entgegenbringt, kann aber gerade darin gründen, daß es ihr ursprünglich auch um die wissenschaftliche Begründung des Glaubens geht. Zu diesem Zweck hat sie die Frage nach der geschichtlichen Person Jesu eindringlich gestellt.

Bei der Entfaltung der Christologie handelt es sich um die Begründungsaufgabe der Theologie. Hierbei ist die Frage entscheidend, "ob wir selbst jenen zweifellosen Bestandteil des ursprünglichen Christentums, den Glauben an die Person Christi, mit innerer Wahrhaftigkeit behaupten, ob wir etwas damit anfangen können. Lessing, Kant, Fichte haben es nicht vermocht" (I, 93). W. Herrmann will die gegenwärtige Bedeutung der geschichtlichen Person Jesu aufweisen. In seinem Ringen um den Grund des Glaubens setzt er sich dabei mit G. E. Lessing, I. Kant und J. G. Fichte auseinander, sofern sie die Bedeutung Jesu für den Glauben mehr oder weniger leugnen.

G. E. Lessing hat Glaube und Geschichte in einen Gegensatz gebracht. Das Historische kann nicht das Ewige und Notwendige begründen. "Wenn ich" - schreibt er - "historisch nichts darwider einzuwenden habe, daß dieser Christus selbst von dem Tode auferstanden: muß ich darum für wahr halten, daß eben dieser auferstandene Christus der Sohn Gottes gewesen sei? Daß der Christus, gegen dessen Auferstehung ich nichts Historisches von Wichtigkeit einwenden kann, sich deswegen für den Sohn Gottes ausgegeben; daß ihn seine Jünger deswegen dafür gehalten: das glaube ich herzlich gern. Denn diese Wahrheiten, als Wahrheiten einer und eben derselben Klasse, folgen ganz natürlich aus einander. Aber nun mit jener historischen Wahrheit in eine ganz andre Klasse von Wahrheiten herüber springen, und von mir verlangen, daß ich alle meine metaphysischen und moralischen Begriffe darnach umbilden soll; mir zumuten, weil ich der Auferstehung Christi kein glaubwürdiges Zeugnis entgegen setzen kann, alle meine Grundideen von dem Wesen der Gottheit darnach abzuändern: wenn das nicht" ein 'Übergang in eine andere Gattung' "ist; so weiß ich nicht, was Aristoteles sonst unter dieser Benennung verstanden." Die Bibel mit ihren Geschichtserzählungen ist für die Frage nach der ewigen Wahrheit ohne Relevanz. So behauptet G. E. Lessing, daß die christliche Religion ohne alle Bibel zu denken sei. Von ihr gilt, daß sie "sich weder auf die ganze Bibel, noch auf die Bibel einzig und allein gründe .... Ich hatte behauptet, daß es einem wahren Christen sehr gleichgültig sein könne, ob sich auf alle Schwierigkeiten gegen die Bibel befriedigend antworten lasse oder nicht"[2]

I. Kant hat dem Glauben objektive Gründe abgesprochen und ihn nicht auf die Geschichte, sondern auf die praktische Vernunft gegründet. "Das complete Führwahrhalten aus subjectiven Gründen, die in praktischer Beziehung so viel als objective gelten, ist aber auch Überzeugung, nur nicht logische, sondern praktisch (ich bin gewiß). Und diese praktische Überzeugung oder dieser moralische Vernunftglaube ist oft fester als alles Wissen. Beim Wissen hört man noch auf Gegengründe, aber beim Glauben nicht, weil es hierbei nicht auf objective Gründe, sondern auf das moralische Interesse des Subjects ankommt"[3]. Die Bibel ist aufgrund ihres moralischen Inhaltes von Bedeutung. Das weiß der wahre Glaube. "Daß aber ein Geschichtsglaube Pflicht sei, und zur Seligkeit gehöre, ist Aberglaube". "Der Gott, der durch unsere eigene (moralisch-praktische) Vernunft spricht, ist ein untrüglicher allgemein verständlicher Ausleger dieses seines Worts, und es kann auch schlechterdings keinen anderen (etwa auf historischer Art) beglaubigten Ausleger seines Worts geben; weil Religion eine reine Vernunftsache ist"[4].

J. G. Fichte schätzt die große Erscheinung Jesu in ihrer Zeit, sich indes auf sie in unserer Zeit zu berufen, um den Glauben an die Seligkeit zu begründen, schadet der wahren Religion. So gelten für ihn nur die ersten

fünf Verse des Johannesprologs als absolut wahr und gültig, die von
Gottes innerem Sein und Dasein, dem Sich-Aussprechen Gottes seiner
selbst, handeln. "Von da hebt an das nur für die Zeit Jesu und der Stiftung des Christenthums, und für den nothwendigen Standpunct Jesu und
seiner Apostel Gültige der historische, keinesweges metaphysische
Satz nemlich, dass jenes absolut unmittelbare Daseyn Gottes, das ewige Wissen oder Wort, rein und lauter... in demjenigen Jesus von Nazareth, der zu der und der bestimmten Zeit im jüdischen Lande lehrend
auftrat, und dessen merkwürdigste Aeusserungen hier aufgezeichnet sey-
en, in einem persönlich sinnlichen und menschlichen Daseyn sich dargestellt, und in ihm... Fleisch geworden". Mit der verständigen Anerkennung der für die erste Zeit der Christenheit gültigen Ansicht schlägt
sich J.G. Fichte keineswegs zur Partei jener Christianer, "für welche
die Sache nur durch ihren Namen Werth zu haben scheint. Nur das Metaphysische, keinesweges aber das Historische, macht selig; das letztere
macht nur verständig. Ist nun jemand wirklich mit Gott vereinigt und in
ihn eingekehrt, so ist es ganz gleichgültig, auf welchem Wege er dazu
gekommen; und es wäre eine sehr unnütze und verkehrte Beschäftigung,
anstatt in der Sache zu leben, nur immer das Andenken des Weges sich
zu wiederholen"[5].

Diese Auffassungen hat man sich in ihrem Gewicht klar zu verdeutlichen.
W. Herrmann hat sich um der Wahrheit der Christologie willen mit ihnen
auseinandergesetzt. Ihm ging es gerade darum, in der wichtigsten Sache
des Lebens zu leben, wenn er die Bedeutung des geschichtlichen Christus
für den Glauben an Gott vor Augen führte. Weil die geschichtliche Offenbarung Gottes in Jesus den "Grund für die Objektivität des Geglaubten" ab-
gibt (R, XII), kann die Wahrheit der christlichen Religion nicht geschichtslos gedacht werden. Der Bezug auf Jesus von Nazareth ist konstitutiv. Grenzt
sich W. Herrmann von G.E. Lessing, I. Kant und J.G. Fichte ab, ohne die
Sache verlieren zu wollen und die Objektivität des Geglaubten aufzugeben, so
stellt er durch seine Unterscheidung von Grund (objektiv) und Inhalt (subjektiv) des Glaubens wiederum seine eigene Konzeption in Frage, wie gezeigt
wurde. Der Inhalt kann nicht kategorisch vom Grund getrennt werden, weil
sonst die Berufung auf den Grund für den überflüssig wird, der den Inhalt
hat. Faktisch fallen auch bei W. Herrmann Grund und Inhalt in der ethischen
Deutung der Person Jesu zusammen. Die Religion kommt inhaltlich der Sittlichkeit gleich. Damit ist die Vorgegebenheit der Person Jesu als Glaubensgrund in Frage gestellt. Im Spätwerk tritt die Berufung auf den geschichtlichen Christus immer mehr zurück. Somit nähert sich W. Herrmann wieder den philosophischen Auffassungen, von den er sich entschieden abgegrenzt
hat. Diese Tatsache darf keine Herrmann-Interpretation übersehen, die die
Christologie zum Hauptgegenstand hat. Der Verlust der Christologie als Zentrum der Theologie, ihre Rückbildung und Minimalisierung, ist die Folge davon, daß er die Beziehung zwischen Glaubensgrund und Christologie in ihrer

Geschichtlichkeit nicht überzeugend explizieren kann und deshalb schließlich den Glaubensgrund von dem geschichtlichen Christus löst. Es gelingt
ihm zuletzt nicht, in dem Geschichtlichen das Allgemeingültige zu finden
und als gegenwärtig gültig zu erweisen. Der Denkweg W. Herrmanns endet bei dem, "was wir im Verborgenen für uns allein erleben" (D, 16). Indem W. Herrmann das Problem der Geschichtlichkeit des Glaubens und
seines Grundes in das Private auflöst, verliert seine Theologie den Halt,
den ihr nach seiner eigenen früheren Einsicht nur die "von Aussen her gebotene Offenbarung" geben kann (ThLZ 1887, 524f). Daß er damit das Selbst
in seiner Wahrhaftigkeit als Grund des Glaubens setzt und die Subjektivität
in ihrer unmittelbaren Selbstverwirklichung begreift, ist zu bestreiten. Diese Deutung verkennt, daß er gerade die Rede von Gott nicht der Verfügbar-
keit der Subjektivität überantworten will. Im unmittelbaren Erlebnis, das
den Menschen wahr macht, findet das Selbst nicht in erster Linie sich selbst,
sondern Gott als den Grund wahrhaftiger Subjektivität. Gott als der Lebendige ruft das wahre Leben hervor. Der Verweis auf das machtvolle Erlebnis
soll Gott selbst zur Geltung bringen, seine Realität und Wahrheit. Doch indem diese Aussage private Behauptung, bloße Beteuerung des Subjekts bleibt,
verfällt W. Herrmann dem Subjektivismus. Die Behauptung der Wirklichkeit
Gottes im wunderbaren Erlebnis kann als grundlose Setzung des Selbst abgewiesen werden. Eine Radikalisierung der Subjektivitätsproblematik hat sich
hier vollzogen, die schwerlich zu leugnen ist. Eine letzte Steigerung bedeutet
das Wort von der Unaussprechlichkeit des Glaubensgrundes. In dem Maß, in
dem sich der Irrationalismus durchsetzt - "das Lebendige in seiner Eigenart
ist stets irrational" (D, 39) -, verliert die Herrmannsche Theologie jede Basis für eine allgemeingültige Argumentation. Daß diese Darlegungen auch in
den späteren Schriften in Spannung zu anderen Gedanken stehen, erinnert
noch einmal an die Problematik, die W. Herrmann selbst in seinen theologischen Bemühungen erkannt hat und erlaubt nicht, undifferenziert über das
Werk W. Herrmanns zu urteilen. Noch 1908 betont er: "Es kommt sehr viel
darauf an, daß wir als Christen imstande sind, den Grund unseres Glaubens
von unserem eigenen Erleben als eine objektive Macht zu unterscheiden" (II,
196). Die Frage bleibt indes, ob W. Herrmann die Aufgabe der systematischen Theologie erfüllt hat, die Gewißheit des Glaubens "in ihrer vollen Bedeutung zu entwickeln und die Allgemeingültigkeit ihrer in ihr selbst präsenten Gründe darzulegen" (R, X)?

Die Herrmannsche Antwort auf die Frage nach dem Grund des Glaubens bleibt
vielgestaltig, von Aporien und Spannungen belastet, in ihrer Form vor 1900
überzeugender, aber nie so überzeugend, daß sie selbst die Kraft hat, die
neuen Fragen und Probleme zu bewältigen, die sich besonders mit der Verschärfung der Geschichtsproblematik einstellten. Darum haben sich am
Schluß noch einmal die Überlegungen kritisch auf die Hauptgedanken W.
Herrmanns zu konzentrieren.

2. Der unabweisbare Problemzusammenhang von Wissenschaft und Geschichte

W. Herrmann versteht die Frage nach dem Grund des Glaubens als Frage
nach Jesus selbst. Diese Frage, die ganz auf die Unmittelbarkeit des Glaubens zu Jesus aus ist und zu der Meinung führt, daß Jesus sich in der Macht
seines inneren Lebens bei den Menschen gegenwärtig durchsetzt, übergeht
die Tatsache, daß Wahrheit nur als vermittelte zugänglich ist. Bedenkt man
kritisch das Fragen nach dem Glaubensgrund bei W. Herrmann und sieht die
Veränderung seines Denkens, so erweist sich das Problem der Glaubensbegründung in der Neuzeit als ein solches, das dem Problemzusammenhang
von Wissenschaft und Geschichte gerade nicht entrissen werden kann, obwohl der Glaube in seinem Verständnis als absolute Gewißheit darauf drängt.
Die Versuche, den Glauben unmittelbar auf Jesus selbst zu gründen, stoßen
sich an der Erkenntnis der Geschichtlichkeit Jesu. Daß der Glaube in der
Geschichte von der Tatsache des historischen Jesus herkommt, kann nicht
geleugnet werden und es kann, wenn man es anerkennt, auch nachträglich
nicht aufgelöst werden. Begreift man daher den christlichen Glauben konsequent von seinem historischen Ursprung her, so ist dieses Grundlegende
nicht ohne historische Forschung auszumachen. W. Herrmann hat das zunehmend als bedrückend empfunden. Seinen Ansatz beim geschichtlichen
Christus hält er nicht durch. Er sucht den historischen Abstand zu überwinden, indem er die geschichtliche Vermittlung der Wahrheit auf die mitmenschliche Begegnung und das unmittelbare Erleben des Selbst reduziert.
Es zeigt sich hier, daß sich seine Theologie im ersten Entwurf entschlossen der Positivität und Historizität der christlichen Religion zuwendet, im
zweiten Entwurf jedoch den historischen Bezug in seiner fundamentalen, kritischen Bedeutung einschränkt durch die These von der ganz persönlich erlebten, gegenwärtige Erfahrung erschließenden Vermittlung der Wahrheit.
Religion wird aus dem für den Einzelnen gegenwärtig unmittelbar Erfahr-
baren begründet. Objektivität, die man verleugnet, schlägt um in Subjektivismus. Werden die Kategorien des Lebendigen und Persönlichen im Gegensatz zu denen der Wissenschaft oder zu ihrer Überbietung bemüht, so wird
Religion einseitig als subjektive Erfahrung verstanden. Grund des Glaubens
ist dann der persönliche Erlebnisgrund.

Im Spätwerk mit seinen Spitzensätzen wird ganz entschieden die These vertreten, daß die Wissenschaft für das Problem der Glaubensbegründung aus-
scheide. Die Wissenschaft aus dem Bereich des Glaubens zu verbannen, ändert jedoch nichts an der Herrschaft der Wissenschaften in der Wirklichkeit,
in der der Glaube zu leben hat. Die Tatsache, daß sich der Glaube völlig auf
das Subjektive, Persönliche zurückzieht, kann faktisch dazu beitragen, daß
die Wissenschaften einer inhumanen Beherrschung der Wirklichkeit dienen.
Es kommt dann z. B. zu einem Totalitätsanspruch der technischen Verfügung,
zur technokratischen Beherrschung des Menschen. Wenn der Glaube aber das

Gespräch mit der Wissenschaft verbindlich sucht - sich also nicht priva-
tisiert -, dann kann er, indem er die Sinnproblematik umfassend untersucht und die Relevanz der religiösen Thematik für die Sinnproblematik
erweist, den Wissenschaften deutlich machen, daß sie nicht selbst den
Sinn des Lebens gültig zu beantworten vermögen und andererseits die Sinnfrage auch nicht einfach übergehen können. Der Glaube selbst aber kommt
durch die Wissenschaft zur eigenen kritischen Verantwortung. Um dieser
kritischen Verantwortung willen kann der Glaube angesichts der Wahrheitsfrage der Wissenschaft nicht den Rücken kehren.

Will der Glaube sich in der Neuzeit verantworten, kann er auf die Wissenschaft nicht verzichten. Seine objektiven Gründe hat er entsprechend zur
Geltung zu bringen, ohne dem Mißverständnis zu verfallen, damit über seine Wahrheit zu verfügen. Das Spätwerk W. Herrmanns zeigt, was es für
den Glauben bedeutet, sich auf verborgene Gründe zurückzuziehen. Religion kann nur noch als unsagbares Geheimnis postuliert werden. Ihr Wahr-
heitanspruch wird irrelevant für die Welt, die dem Glaubenden nur noch als
fremd begegnet und in der er heimatlos wird. Die Weise, wie man sich hier
von Geschichte und Wissenschaft befreit hat, stellt das ganze Bemühen in
Frage. Christlicher Glaube löst sich in eine sektiererische Haltung auf, die
sich ganz auf Unfaßliches, Unableitbares beruft, jeweils nur besonderen In-
dividuen zugänglich. Daß der christliche Glaube sich nicht außerhalb des Pro-
blemzusammenhanges von Wissenschaft und Geschichte begreifen kann, lassen immerhin noch einige, freilich nicht mehr die den Hauptduktus der Argumentation repräsentierenden Überlegungen des Spätwerkes erkennen, vor
allem aber die Gedanken des Herrmannschen Hauptwerkes. Denn obwohl W.
Herrmann auf absolute Gewißheit drängt, kann er nicht umhin, im Ernstneh-
men des Lebens Jesu als objektive Tatsache der Geschichte den unhistori-
schen Vernunftglauben I. Kants und J. G. Fichtes zu kritisieren und die von
außen her dargebotene Offenbarung als letzten Halt des Glaubens zu betonen.
Der geschichtliche Christus wird als Erkenntnisgrund des Glaubens zur Spra
che gebracht. Es ist der sündlose, sittlich reine Mensch Jesu, der in seiner einmaligen Glaubenszeugenschaft Glauben hervorruft, dem Glauben seinen festen Grund gibt. Wird das expliziert, dann kann W. Herrmann auf historische Sätze nicht verzichten, obwohl er im Grundsatz die historische Arbeit für die Begründung des Glaubens ablehnen möchte. So wird das Recht de
Historischen sowohl bestritten als auch unterstrichen.

W. Herrmanns Hauptthese ist: Bei dem Menschen setzt sich Jesus in seiner
Einzigartigkeit selbst durch. W. Herrmann beruft sich auf die Selbstevidenz
des inneren Lebens Jesu. Für ihn kann die historische Arbeit nur bestätigen,
was der Einzelne selbst erfährt. Indem Jesus dem Einzelnen unmittelbar begegnet, ist der Glaube weder auf die Vermittlung der wissenschaftlich-histo-
rischen, noch auf die der kirchlichen Auslegung angewiesen. Das Bild Jesu
kommt unmittelbar zur Anschauung. W. Herrmann sagt, daß wir "um Jesu

willen an Gott" glauben, "wenn uns einmal das Bild des inneren Lebens
Jesu zu Herzen dringt" (I, 171); im Bilde Jesu wird der direkte Zusammenhang zwischen dem geschichtlichen Christus und dem Glauben aufgewiesen. Indem Jesus als handelndes Subjekt so verstanden wird, gilt die
Subjekt-Objekt-Spaltung als überwunden. Im persönlichen Ergriffensein,
im 'Angeschautwerden' durch das Bild Jesu ist der Gegensatz von Subjekt
und Objekt aufgehoben und die Gewißheit des Glaubens geschenkt. Erfährt
der Mensch die persönliche Wirkung Jesu, beweist sich Jesus selbst: Indem Jesus als die wunderbare Macht den Menschen verifiziert, verifiziert
sich Jesus selbst.

Zur Lösung der Glaubensproblematik beeindruckt die These von der Selbstevidenz Jesu, wie sie W. Herrmann vertritt, insofern, als der Glaube auch
eine vermittelte Unmittelbarkeit zu Jesus hat. Für die Frage nach der Begründung des Glaubens, die die historische Problematik nicht umgehen kann,
erweist sich diese These jedoch als völlig ungenügend, weil mit ihr die konstitutive Angewiesenheit auf die kirchliche und wissenschaftlich-historische
Vermittlung ausgeschlossen wird. Der Glaube spiegelt sich eine falsche Gewißheit vor und wird illusionär, wenn er nicht seine Vermittlungen berücksichtigt. Wenn bei W. Herrmann das Verständnis herrscht, daß sich die
Wahrheit unmittelbar durchsetzt und sich der Mensch ihr gegenüber nur
passiv verhalten kann, dann wird das Problem der Wahrheitsvermittlung
nicht reflektiert. Die Unterscheidung von Wahrheit und Wahrheitsvermittlung erscheint als unwesentlich. Daß aber durch die These von der Selbstevidenz die Distinktion unwesentlich ist, leuchtet keineswegs ein, weil die
Tatsache des Lebens Jesu in seiner Bedeutung dem widerspricht: die Wahrheit hat sich durch Geschichte vermittelt. Es muß als Widerspruch angesehen werden, daß die Wahrheit des christlichen Glaubens ohne geschichtliche Vermittlung ist. Auf die Frage, wie die Wahrheit des Lebens Jesu
sich dem Menschen heute erweist, vermag das gründliche Bedenken ihrer
geschichtlichen und als solche gegenwärtige Erfahrung erschließenden Vermittlung eine angemessene Auskunft zu geben. Indem W. Herrmann alle
Initiative in die mächtige Erscheinung Jesu legt, erscheint der von der Erfahrung des Bildes Jesu betroffene Mensch ihr unmittelbar ausgesetzt, fern
aller Notwendigkeit, die in der Geschichte vermittelte Wahrheit durch kritische Reflexion zu verstehen. Jesus drängt sich in seiner Macht auf und
'überzeugt einfach' ! Indem so das Problem der Vermittlung übergangen
wird, erledigt sich das historische Problem. Es bricht jedoch sofort auf,
wenn inhaltlich nach dem Bild Jesu gefragt wird, denn inhaltlich stützt sich
das Bild faktisch auf historische Aussagen. Ohne diese Aussagen bliebe Jesus ein inhaltloses Erlebnis, Chiffre für Unsagbares.

Mit der Notwendigkeit, in bezug auf das Bild Jesu inhaltlich zu argumentieren, ist der Mensch in der Neuzeit darauf angesprochen, daß er nicht nur
Objekt eines Handelns ist, das ihn bestimmt, sondern auch Subjekt, das sein

Reden und Handeln kritisch verantwortet. Zu dieser kritischen Verantwortung gehört es aber, nicht nur die Frage nach dem Glaubensgrund zu
stellen, sondern auch den Glaubensgrund unter voller Berücksichtigung
der historischen Wissenschaft zur Sprache zu bringen. Der Grund des
Glaubens ist nicht mit Begriffen und Worten zu markieren, die ihn letztlich doch der kritischen Rückfrage entziehen.

Die notwendige kritische Sachlichkeit im Erfragen und Nennen des Glaubensgrundes wird gewahrt, wenn beachtet wird, daß die Wahrheit sich dem Menschen geschichtlich vermittelt und als vermittelte Gegenstand des Erkennens
ist, daß der Unterschied zwischen der Wahrheit und ihrer geschichtlichen
Vermittlung nicht eingeebnet werden darf, andererseits aber die Wahrheit
nicht von ihrer Vermittlung abzutrennen ist. Der Grund des Glaubens ist als
ein vermittelter und so als gewißmachender Inhalt auszusagen. Jesus kann
allein als vermittelt Grund des Glaubens sein. Die Vermittlung Gottes in Jesus, die der Glaube heute als Wahrheit bekennt, ist vermittelt durch Ver-
mittelndes. Diese Vermittlung kann nicht in einem Gewaltakt des Glaubens
übersprungen werden. Daß die Wahrheit des Glaubens geschichtlich vermittelt ist, ist nicht zu beseitigen, sondern zu explizieren.

3. Theologiegeschichtliche Anmerkung

3.1. W. Herrmann und K. Barth

Zum Schluß seien noch zwei theologiegeschichtliche Anmerkungen hinzugefügt, die nach der Bedeutung der christologischen Theorie W. Herrmanns
für die Entwicklung der Christologie im 20. Jahrhundert fragen. Es interessiert zunächst das Verhältnis W. Herrmann - K. Barth.

Sucht man eine Antwort auf die Frage, warum K. Barth trotz der klaren
Abgrenzung W. Herrmann als seinen Lehrer schätzt, so findet sich bei ihm
selbst der Hinweis auf den christozentrischen Anstoß[6]. Die Möglichkeit, daß
Theologie als Christologie eine eigene, selbständige Weise des Denkens
ist, die die Wirklichkeit in ihrer Wahrheit aufdeckt, wird ihm grundsätzlich
durch W. Herrmann vermittelt; mit der christologischen Ausrichtung aber
auch das Problem des historischen Jesus! Nur auf diese Frage sollen sich
die folgenden Hinweise konzentrieren.

Man kann die Frage des historischen Jesus im Kontext der theologischen
Grundfrage nach dem Verhältnis von Glaube und Geschichte in ihrer proble-
matischen Bedeutung bei K. Barth aufspüren, wenn man wie bei W. Herrmann das Barthsche Denken in seiner Entwicklung ernst nimmt und bestimmt.
Um dieser Aufgabe gerecht zu werden, muß zuerst zwischen der liberalen,
vordialektischen und dialektischen Phase seines Denkwegs inhaltlich unterschieden werden, indem die differenten christologischen Aussagen zwischen
1909 und 1922 verglichen werden[7]. Das Problem der frühen Theologie K.
Barths konzentriert sich auf den jeweiligen Grundbegriff, der dem dogmatischen Denken seine Konsistenz gibt.

W. Herrmann hat das _Erlebnis_ als Grundbegriff ausgewiesen und eine christologische Theorie des Erlebnisses zu entwickeln versucht. K. Barth ist ihm darin zunächst ganz gefolgt. Er bejaht das Wesen der modernen Theologie als religiösen Individualismus und historischen Relativismus, Religion ist ihm "streng individuell gefaßte Erfahrung" und die Destruktion der biblischen Berichte durch die historische Wissenschaft nötigt nur, "rücksichtslos" selbst zu den Gedanken der Vergangenheit Stellung zu nehmen[8].

> "Individuell ist... das Leben der auf der Offenbarung beruhenden Religion. Der Christ, der jener Macht erlegen ist, überwindet die Welt".
> Der historische Relativismus darf nicht als das Wesentliche an der Theologie des persönlichen Erlebnisses angesehen werden, vielmehr ist er "nur ein nach außen besonders auffallendes Moment der individuell verstandenen Durchsetzung und Erneuerung des Lebens der Religion. Weil diese Religion auf einem persönlichen nicht allgemeingiltigen Grunde beruht, empfindet sie es nicht nur als Schädigung ihrer selbst, sondern als ein Gebot sittlicher Wahrhaftigkeit, auch die Offenbarungsquelle, die Anlaß ihrer Entstehung und ihres Bestandes ist, durch die Mittel der allgemeingiltigen Wissenschaft zu untersuchen". "Wer sich zur 'modernen' Theologie hält, der mag sich gesagt sein lassen, daß Sein oder Nichtsein hier die Frage ist. Denn durch die Wissenschaft wird ihm zunächst der ganze historische Apparat von Vorstellungen und Begriffen... genommen; er wird rücksichtslos genötigt, selber Stellung zu ihnen zu nehmen, d.h. sich selber vor die Frage zu stellen, ob und inwiefern sie Ausdruck auch seines Glaubens sind"[9].

Die Schädigung des christlichen Glaubens durch die historische Kritik wird durch das Sich-Durchsetzen der unerschöpflichen Kräfte des persönlichen Erlebnisses des Handeln Gottes aufgehoben. 1910 erklärt er auf die in den christlichen Gemeinden vieldiskutierte Frage, ob Jesus überhaupt gelebt habe, dies sei letztlich gleichgültig. "Der Grund unseres Glaubens steht und besteht _unabhängig_ von allen Beweisen und Gegenbeweisen", denn der Glaube ist "unmittelbare, lebendige Berührung mit dem Lebendigen". Unter dem Grund des Glaubens als "das persönliche, innere Leben Jesu" versteht K. Barth Jesu "menschliches Charakterbild, das sich uns darstellt als völliger Gehorsam gegen Gott, als völlige Liebe zu seinen Brüdern und darum als völlige Selbstverleugnung, die auch vor dem Tode nicht Halt macht". Die Wahrheit dieses Bildes steht fest, auch wenn es sich als eine Erfindung der Jünger erweisen sollte[10]. Das christologische Konzept W. Herrmanns ist hier entschlossen übernommen und bewährt sich allem Anschein nach gegenüber der Infragestellung durch die historische Wissenschaft. Der Glaube wird als einzigartiges, individuelles Machterlebnis behauptet. Indem er als "inneres Erlebnis" im "innern Leben Jesu" gründet, verweist er den Menschen auf sein Selbst. Dem Mystiker Angelus Silesius kann nur zugestimmt werden: "Wird Christus tausendmal in Bethlehem geboren und nicht in dir... "[11].

Weiß der junge K. Barth, daß durch die moderne Wissenschaft alles in Frage gestellt ist, auch der geschichtliche Jesus, und daß es Christologie allein als Erlebnistheologie gibt, so wird dieses Wissen durch den 1. Weltkrieg grundlegend erschüttert. Seit 1914 erscheint ihm der Rückzug auf das Erlebnis zunehmend unmöglich, denn das Grauen und Entsetzen des Krieges hat die deutsche Theologie als Notwendigkeit der gerechten Sache begründet aus dem Erlebnis des Kriegsausbruchs von 1914. Maßstab seiner Kritik am Erlebnis des Krieges wird die Bibel. Er schreibt an E. Thurneysen: "Die absoluten Gedanken des Evangeliums werden einfach bis auf weiteres suspendiert". E. Thurneysen antwortet, daß es unheimlich sei, "statt sich auf klare Gründe zu stützen" das "ständige sich Berufen auf das 'Erlebnis' des Krieges" zu hören. "Den Vorzug hat der Rückzug aufs Erleben eben immer, daß man nicht viel dagegen sagen kann"[12].

Angesichts dieser Einsichten erkennt K. Barth, daß es einer notwendigen neuen Orientierung bedarf, die er schon in seinen vordialektischen Schriften vor allem zwischen 1916 und 1919 findet. Der Krieg hat offenbar gemacht, daß die Menschen jenseits ihrer Existenz "ein großes Was? Wozu? Woher? Wohin?" kennen. "Wo ist nun dein Gott?" "Das Leben will uns zur Sinnlosigkeit werden"; die Frage ist: Bekommt das Leben "seinen Sinn wieder"[13]? K. Barth sucht einen neuen Ansatz seines Denkens im Horizont der radikalen Sinnfrage. Die Theologie hat nicht mehr ihr Zentrum in der Schuld-Vergebungsproblematik, sondern in der umfassenderen Sinnproblematik. In dem die Rede von Gott in diesem neuen Zusammenhang eingeführt, die Krise des Privaten als Krise der Gesellschaft und ihres Geistes bestimmt und ausgearbeitet wird, ist die Herrmannsche Konzentration auf das Individuum aufgegeben. Dies bedeutet christologisch, daß nicht mehr das innere Leben Jesu als der Grund des Glaubens zu gelten hat, sondern Christus, der Auferstandene, dessen Sieg die ganze Welt "in der Leiblichkeit" erlöst in Erwartung des Reiches Gottes. "Gottvertrauen und Eschatologie sind nicht voneinander zu trennen"[14]. Der Sieg Christi, der Sieg der Auferstehung, das neue Zeitalter des Geistes und das Reich Gottes sind die neuen Grundbegriffe. Entsprechend wird die Bibel nicht mehr direkt als Zeugnis des Glaubens begriffen, vielmehr als "Urkunde des anbrechenden Reich Gottes"[15]. Die Kraft, die dem Leben seinen Sinn schenkt, ist der Christus von oben, die Auferstehungswirklichkeit, von der die biblische Geschichte getragen ist.

"Eine neue Welt ragt da in unsre gewöhnliche, alte Welt hinein. Wir können das ablehnen, wir können sagen: das ist nichts, das ist Einbildung, Wahnsinn: 'Gott' - aber wir können nicht leugnen und verhindern, daß wir durch die biblische 'Geschichte' weit über das hinausgeführt werden, was wir sonst 'Geschichte' heißen: in eine neue Welt, in die Welt Gottes hinein"[16].

Das Geschichtsproblem bleibt für einen christlichen Theologen, der Gott zur Sprache bringen will. Auch die Berufung auf die Auferweckung ändert das für K. Barth nicht. Doch damit ist eine neue, universale Dimension in das Verständnis von Geschichte gekommen, die den Rekurs auf das Individuelle ausschließt. Das Herrmannsche Denken aus der Privatheit wird abgelöst durch das Denken aus der Universalität der Auferweckungswirklichkeit. Doch die Struktur der Behauptung und Beteuerung ist in der Argumentation geblieben.

> "Wer ist Gott? Als ob wir überhaupt noch so fragen könnten, wenn wir uns aufrichtig und willig an die Pforte der neuen Welt, auf die Schwelle des Reiches Gottes haben führen lassen. Da fragt man doch nicht mehr. Da sieht man. Da hört man. Da hat man. Da weiß man. Da gibt man doch keine zu kleinen, zu kurzen, zu engen Antworten mehr"[17].

Im Stil W. Herrmanns wird die Evidenz Christi behauptet, die man als aufrichtiger Mensch nicht leugnen kann. Diese Evidenz ist jedoch nicht mehr an das innere Leben Jesu gebunden, das den einzelnen Sünder erlöst. Die Theologie hat solche kurzen und engen Antworten gegeben, wo sie Gott nur noch im Bereich des Ethischen und Privaten ansiedelte und die Christologie auf den vorösterlichen Jesus aufbaute. Das Verständnis von Jesus als Glaubenden und sittliche Persönlichkeit hat ihn als den Christus völlig verkannt. Es kommt nicht auf das Erlebnis der Person Jesu an, sondern auf die in Christus offenbare universale Lebenskraft Gottes:

> "die in Jesus enthüllte Lebensbewegung ist keine neue Frömmigkeit. Darum nehmen Paulus und Johannes kein Interesse am persönlichen Leben des sogenannten historischen Jesus, sondern allein an seiner Auferstehung. Darum sind auch die synoptischen Mitteilungen über Jesus schlechtweg unverständlich ohne die Bengelsche Einsicht in ihre Absicht: spirant resurrectionem"[18].

K. Barths Kritik am neuzeitlichen Christentum, das das Kerygma rückwärts gelesen hat, trifft seinen Lehrer W. Herrmann, doch in seiner Kritik, die sich von der Erkenntnis der Auferstehungswirklichkeit aufbaut, bleibt er ihm verhaftet, weil er die fraglose Evidenz der Wirklichkeit Christi behauptet und so das Problem des historischen Jesus ausschaltet, das ihm als ein Hauptproblem des christlichen Glaubens in der Neuzeit von W. Herrmann übermittelt ist. Freilich wird auch bei K. Barth zunächst das Historische nicht schlechthin negiert. Historische und nur historische Fragen werden unterschieden, an dem Begriff der "geschichtliche(n) Erscheinung des Christus" bzw. des "geschichtlichen Ereignis(ses) der Erscheinung des Christus" wird festgehalten[19], doch durch das Historische hindurch ist in den Geist der Bibel zu sehen[20].

Am 1. Januar 1916 wird an E. Thurneysen geschrieben: "Aus dem
Wernle-Brief hat mich besonders die letzte Seite interessiert: Die Kla-
ge über die eventuelle Antiquarisierung der modernen Theologie. Ich
mußte gerade an meine Adventspredigten denken, und wie schrecklich
gleichgültig mir wirklich die nur historischen Fragen geworden sind.
Das ist für mich freilich nichts Neues, ich habe schon unter dem Einfluß Herrmanns die Kritik immer nur als ein Mittel zur Freiheit gegenüber der Tradition aufgefaßt, nicht aber als konstituierenden Faktor
einer neuen liberalen Tradition".

"Steht der Christus scheinbar als 'zufällige Geschichtswahrheit' außer
uns: ein Einziger, Unnachahmlicher, Unwiederholbarer, so setzt mit dem
Glauben in Wirklichkeit die Erneuerung in uns ein... Und ist der Glaube
ein Gehorsamwerden gegenüber dem Geiste Gottes und insofern die tiefste erste Tat unsrer Freiheit, so begegnet uns in Christus, durch den
der Creator spiritus zur Voraussetzung unsres Daseins wird, die grundlose, absolute, schenkende Barmherzigkeit Gottes. Dieser in sich ge-
schlossene lebendige Zusammenhang von Gnade, Freiheit und Geist...
ist der Inhalt des Evangeliums, das kommende Reich Gottes".

"Die Epoche der äußerlichen Stufen und Unterschiede ist abgelaufen.
Denn das neue Volk Gottes gehört nicht in diese Reihe, nicht in die 'Ge-
schichte', die die Historie und die Psychologie beschreiben möchten.
Diese Geschichte ist gegenstandslos geworden"[21].

K. Barths Erneuerung der Christologie geschieht im Rückgriff auf die Wirklichkeit der Auferstehung. Er hat das Verhältnis von Glaubensgrund und Auferweckung neu bestimmt und durch das eschatologische Verständnis der Auferweckung die Befreiung von der 'Geschichte' gewollt. Das Problem der be-
haupteten Befreiung und der faktischen Angewiesenheit auf 'Geschichte' stellt
sich ihm dabei nicht, denn die Gegenstandslosigkeit der 'Geschichte' ist Im-
plikat der These von der Selbstevidenz der neuen Welt. Man kann diese Befreiung von der Geschichte als Konsequenz der späten Aussagen W. Herrmanns im universalen Horizont ansehen.

Die zweite Auflage des Römerbriefes von 1922 nimmt die Erneuerung der
Christologie zurück, wie sie sich durch die Erkenntnis der Macht der Auferweckung Christi als Macht der Hoffnung und Gestaltung ergeben hat. In
der ersten Auflage von 1919 heißt es: "die Liebe ist das unzweideutige
Wort, das von der Menschheit verstanden werden wird". "...die Liebe ist
die Kraft der Auferstehung, durch die es zur neuen Schöpfung kommt". Gottes Liebe macht es dem Menschen "geradezu zur Pflicht, mit der Hoffnung
anzufangen und nicht wie die Pietisten mit Furcht und Zittern"[22]. 1922 verwandelt sich diese Theologie der Hoffnung in eine Theologie der Krise, die
nun das pietistische Motiv W. Herrmanns konsequent ausführt, der Mensch

müsse zuerst aufrichtig seine Schuld eingestehen, in die Krise kommen, um die Vergebung zu empfangen. Der neue Mensch in Christus steht für K. Barth nicht mehr "auf dem Boden des Friedens mit Gott heimisch", das "Ziel der messianischen Errettung" vor Augen[23], sondern in seiner Hoffnung "unter der überhängenden Wand der Krisis des Menschen in Gott". Die Hoffnung ist ihm zu einer unanschaulichen Möglichkeit geworden. Daß die Menschen vom Ja Gottes her kommen und in konstruktiver Hoffnung leben, gilt jetzt nur "sofern wir - nicht wir sind, sofern wir glauben, sofern durch das Sterben des Christus quer durch unser Leben die Todeslinie gezogen ist, die uns in jedem Moment unter Furcht und Zittern bedenken läßt: Ich - doch nun nicht ich! und unter Anbetung und Dank: Christus in mir"[24]! K. Barth hat die Akzente deutlich anders gesetzt. In Christus bricht nicht mehr sichtbar die neue Welt an, sondern tritt in radikale, unüberbrückbare Distanz zum Menschen. An die Stelle der Eschatologie tritt die Dialektik, an die Stelle des angebrochenen Reich Gottes die Dialektik von Gericht und Gnade, die das Herrmannsche Verständnis der Offenbarung als Gericht und Gnade radikal überbietet. Es gibt keine vermittelnde Aufhebung der Gegensätze. Dieses dialektische Denken, das die Identität des Ja und des Nein Gottes setzt, das die Unanschaulichkeit der neuen Wirklichkeit betont, will die unbedingte Transzendenz Gottes sichern. Gottes Gottheit darf durch die Welt nicht berührt werden, die keinen Sinn stiften kann. "Die Welt hört nicht auf, Welt zu sein"; der Sinn ist allein in Gott als dem unbekannten Gott. So ist das religiöse Erlebnis, "sofern es mehr als Hohlraum sein will", "die unverschämte und mißlingende Vorwegnahme dessen, was immer nur von dem unbekannten Gott aus wahr sein und werden kann". "Es bleibt der Mensch Mensch und Gott Gott". Den uns mit der Hoffnung gegebenen letzten Halt dürfen wir nie wie W. Herrmann "ausrufen als unser Erlebnis, als eine mögliche (historische oder persönliche) Möglichkeit"[25]. Gerade der historische Jesus wird in die totale Unanschaulichkeit zurückgenommen. Er bleibt reines Problem. K. Barth entwickelt in der dialektischen Phase seines Denkweges eine Christologie ohne den geschichtlichen Jesus.

In dem Namen Jesus Christus "begegnen und trennen sich zwei Welten, schneiden sich zwei Ebenen, eine bekannte und eine unbekannte". "Der Punkt der Schnittlinie, wo sie zu sehen ist und gesehen wird, ist Jesus, Jesus von Nazareth, der 'historische' Jesus,... 'Jesus' als historische Bestimmung bedeutet die Bruchstelle zwischen der uns bekannten Welt und einer unbekannten". Der Punkt der Schnittlinie hat aber "wie die ganze unbekannte Ebene, deren Vorhandensein er ankündigt, gar keine Ausdehnung auf der uns bekannten Ebene. Die Ausstrahlungen oder vielmehr die erstaunlichen Einschlagstrichter und Hohlräume, durch die er sich innerhalb der historischen Anschaulichkeit bemerkbar macht, sind, auch wenn sie 'Leben Jesu' heißen, nicht die andere Welt, die sich in Jesus mit unserer Welt berührt. Und sofern diese unsre Welt in Jesus von der andern Welt berührt wird, hört sie auf, historisch, zeitlich, dinglich, direkt anschaulich zu sein". "Jesus als der Christus ist die uns unbekannte Ebene, die die uns bekannte senkrecht von oben durchschneidet. Jesus als der Christus kann innerhalb der historischen Anschaulichkeit <u>nur</u> als Problem, <u>nur</u> als Mythus verstanden werden". "Die Auferstehung ist die <u>Offenbarung</u>, die Entdeckung Jesu als des Christus". In ihr "berührt die neue Welt des Heiligen Geistes die alte Welt des Fleisches. Aber sie berührt sie wie die Tangente einen Kreis, ohne sie zu berühren, und gerade indem sie sie <u>nicht</u> berührt, berührt sie sie als ihre Begrenzung, als <u>neue</u> Welt"[26].

Der christologische Versuch, die Unanschaulichkeit Gottes auszusagen, muß sich zu <u>abstrakten Bildern</u> wie dem von dem Kreis und der Tangente flüchten, die an die Stelle des Bildes Jesu treten. K. Barth bedenkt hier nicht, daß man durch ein abstraktes Bild oder einen abstrakten Gedanken genauso über Gott verfügen kann wie durch ein geschichtliches Bild. Für ihn kann der Mensch Jesus als der Offenbarer Gottes nur als Mythos gelten. Eine weitere radikale Konsequenz Herrmannscher Gedanken liegt vor, denn der Verlust der Person Jesu, den man als das ertragen muß, was Gott auferlegt, wird gefordert, im vorhinein angenommen um der Unanschaulichkeit Gottes willen. Daß Jesus als Offenbarer ein Mythos ist, ein Gewebe von religiösen Motiven, muß wahr sein. Von Jesus, der nicht Christus ist, hat aber die Bibel nicht gesprochen. Deshalb kann der historische Jesus, wenn er gelebt hat, einzig der Offenbarer Gottes sein. Diesen Gedanken aber will K. Barth in jedem Fall ausschließen. Es bleibt der instruktive Vergleich zwischen seiner abstrakten christologischen Theorie der Unanschaulichkeit Gottes und der konkreten christologischen Theorie des Erlebnisses der Macht Gottes bei W. Herrmann.

Die Barthsche Christologie hat die Funktion, alle historischen und persönlichen Möglichkeiten des Menschen auszuschalten, denn der Mensch ist total in Frage gestellt. Die Osterbotschaft als Todesbotschaft deckt die Situation des Einzelnen wie aller Menschen auf: der Mensch kann als Mensch nur scheitern. "Ihm bleibt zu tragen die <u>ganze</u> Last der Sünde und der <u>ganze</u> Fluch des Todes"[27]. Das Heil gibt es allein jenseits der Welt und der Menschheit, wie sie lebt, und diese Wahrheit auszuschalten, ist dem Menschen als Menschen aufgegeben. Aufgrund der Bedeutung der totalen Infragestellung erweist sich <u>die radikale Frage des Menschen</u> als das, was die Existenz zu ihrer Wahrheit bringt. Sie entspricht der Forderung nach Wahrhaftigkeit bei W. Herrmann. Deshalb kann K. Barth den Spitzensatz formulieren:

"es beharrt doch die Treue Gottes zum Menschen, es beharrt die tiefste Übereinstimmung dessen, was Gott will, mit dem, was der Mensch nach Befreiung von sich selbst sich sehnend, im Verborgenen auch will, es beharrt die göttliche Antwort, die uns gegeben ist, wenn die letzte menschliche Frage in uns wach wird"[28].

K. Barth hat mit letzter Konsequenz den existenztheologischen Ansatz W.
Herrmanns in das Zentrum der Theologie genommen, um ihn durch seine
Radikalisierung in den christologischen überzuführen, so daß die Verschär-
fung der anthropologischen Frage letztlich auf die gegebene Umkehrung der
Frage des Menschen zielt. Die Selbstbefreiung in der Unanschaulichkeit des
Christusgeschehens, das als geistige Macht (Kierkegaard: "Geist ist Leugnung der direkten Unmittelbarkeit"[29]) unkenntlich bleibt, bringt das Selbst
Gottes in seiner reinen Vorgegebenheit zur Geltung. Ist der Zusammenhang zwischen W. Herrmann und K. Barth gegeben durch die Bezogenheit
der Thematik auf das Selbst des Menschen und das Selbst Gottes, so findet
sich die gemeinsame Antwort, wo auch K. Barth mit der tiefsten Frage
des Menschen argumentiert. Das Selbst Gottes erweist sich für den Menschen nicht durch göttliche Selbstbestimmung, sondern durch die geschenkte, unverfügbare Selbstbefreiung des Menschen. Seiner Aufhebung entspricht
die tiefste Frage. Dieser Vorgang wird in den unterschiedlichen christologischen Entwürfen expliziert, jeweils anders, so daß die Variabilität der
Christologie als das Problem der Subjektivität deutlich wird, die sich
schwer tut, an der Objektivität bzw. Vorgegebenheit des Handeln Gottes zu
vergewissern. Die Entwicklung der Christologie bei W. Herrmann wie bei
K. Barth erklärt sich aus dem immer neuen Versuch, den Menschen als
radikale Frage ernst zu nehmen (neuzeitliche Aufgabenstellung) als auch
die Vorgegebenheit Gottes zu wahren und zu betonen, ohne die Freiheit des
Menschen zu diskreditieren. Diese Fragen kommen in dem Problem des
historischen Jesus unabweisbar zusammen.

Der Übergang der christologischen Lösung des Herrmannschen Hauptwerkes zu der der dialektischen Theologie ist vermittelt durch die späten Schriften W. Herrmanns. Die dialektische Lösung bleibt damit bestimmt durch
die Frage nach dem historischen Jesus.

K. Barth erweist sich 1922 noch als Schüler W. Herrmanns, weil es auch
ihm letztlich nicht um die Beseitigung, nicht um die Verschärfung, noch um
die Selbstbehauptung der radikalen Frage des Menschen geht, sondern um
ihre Umkehrung, das Wunder der Subjektivität, daß die Antwort die Frage
ist.

Das Wort Gottes als wirkliches "Gottes Wort" "ist die Antwort, die echte Transzendenz besitzt und gerade darum die Kraft hat, das Rätsel der
Immanenz ((vgl. W. Herrmann: 'Das Menschendasein in seiner Weltstellung ist das Räthsel'. R, 441)) aufzulösen. Denn nicht in einer Beseitigung der Frage darf diese Antwort bestehen, aber auch nicht bloß in einer Unterstreichung und Verschärfung der Frage, und endlich auch nicht
in der... allzu eindeutigen oder allzu zweideutigen Behauptung, daß die
Frage selber die Antwort sei. Nein die Antwort muß eben die Frage sein
und so die Erfüllung der Verheißung"[30].

Aufgrund der differenten Aussagen K. Barths zwischen 1914 und 1922 stellt sich die Frage, ob sich die Subjektivität an der Objektivität der Auferweckungswirklichkeit vergewissert, die durch die geschichtliche Erscheinung Christi als Hoffnung verständlich und begründet ist, oder an der Unanschaulichkeit der Offenbarung, die den Menschen unter die überhängende Wand der Krise stellt, so daß nicht Hoffnung und Liebe, sondern Furcht und Zittern das erste sind. Die Theologie der Krise ist eine Frucht der Herrmannschen Konzentration auf die pietistische Schuld-Vergebungsproblematik, die K. Barth bereits in der christologischen Erneuerung der Auferweckungsthematik im Horizont der umfassenden Sinnfrage prinzipiell aus ihrer Enge befreit hat. Die Notwendigkeit, Christologie letztlich im Horizont der Sinnfrage zu treiben, hat immerhin auch W. Herrmann zum Ausdruck gebracht: "Was wir in der Person Jesu erleben, verrät uns den Sinn der Wirklichkeit" (5 E, 137). K. Barth sagt: "wir müssen ihn ((Christus)) sehen als den, der er ist: der Versöhner", "die einzige Rettung". "Der wahre tiefste Sinn und Grund aller Menschengeschichte ist aufgedeckt"[31].

3.2. Die Entwicklung W. Herrmanns als Vorwegnahme bestimmter Tendenzen der christologischen Entwicklung im 20. Jahrhundert

Wenn man davon ausgeht, daß die evangelische Theologie in Deutschland seit dem Aufbruch der dialektischen Theologie mehr oder weniger stark von den theologischen Konzeptionen K. Barths und R. Bultmanns geprägt ist und dies inhaltlich die Vorherrschaft der kerygmatischen Theologie bedeutet, so stellen die Schriften E. Käsemanns in den fünfziger Jahren eine gewisse programmatische Kritik an dieser Theologie dar[32]. E. Käsemann wendet sich gegen eine Reduzierung der evangelischen Geschichte auf das Wort Gottes als nicht hinterfragbare kerygmatische Anrede und fragt nach dem geschichtlichen Jesus der Evangelien als Kriterium für die Wahrheit des Glaubens, denn die "Kontingenz der Offenbarung" bekundet "sich in ihrer Bindung an eine konkrete Historie"[33]. "Das Festhalten an der Historie", die ihre Zweideutigkeit behält, weil "sie zur bloßen Historie werden kann", "ist eine Weise, in welcher das extra nos des Heiles seinen Ausdruck findet"[34]. Diesen theologischen Einsatz kann man vergleichen mit der programmatischen Grundlegung der Theologie von W. Herrmann 1879. Wie W. Herrmann damals sich gegen den Geistsubjektivismus aussprach und die Objektivität der Offenbarung, Jesus von Nazareth als einzigartiges Faktum der Vergangenheit, betonte, Geschichte und Historie in ihren verschiedenen Bedeutungen zusammenhängend verstand, so richtet sich die Kritik E. Käsemanns gegen eine reine Existenz- und Geisttheologie R. Bultmanns und will die Bedeutung der realen Geschichte Jesu für den Glauben festhalten und inhaltlich verstehen. Daß die Evangelien vom irdischen Jesus berichten hat die kritische Funktion, daß das Kerygma von Jesus Christus sich nicht in Geist-Aussagen über den erhöhten Christus auflöst, sich nicht auf Enthusiasmus stützt und der Vorwurf, der christliche Glaube beruhe auf Illusion, abgewiesen werden kann.

"Nicht die historische Wissenschaft zwingt uns zunächst dazu, noch
weniger jedenfalls uns, die Schüler Bultmanns, die Sucht nach Garan-
tien für den Glauben, sondern das Kerygma selber. Ich habe historisch
und theologisch plausibel zu machen gesucht, warum es sich so verhält,
und kann das nun dahin zusammenfassen: Verfügbar und manipulierbar
wird, wie die korinthischen Enthusiasten zeigen, durch Menschen nicht
nur die Historie gemacht, sondern auch der Geist. Der Rückgriff auf
die Form des Evangelienberichts, auf die Erzählung vom palästinischen
Verkündiger, auf das 'Einmal' gegenüber dem 'Ein-für-alle-Mal', auf
historisierende Darstellung im Rahmen des Kerygmas und nicht zuletzt
auf den durch Palästina wandernden Jesus erfolgte als eine theologisch
relevante und deshalb von der Kirche aufgenommene und festgehaltene
Reaktion, in der es um die Unverfügbarkeit des Christus, des Geistes,
des Glaubens ging". "Der irdische Jesus mußte den gepredigten Christus davor schützen, sich in die Projektion eines eschatologischen Selbstverständnisses aufzulösen und zum Gegenstand einer religiösen Ideolo-
gie zu werden.... Die Vergangenheit gab der Gegenwart die Kriterien
zur Prüfung der Geister"[35].

Das Problem des Geist-Subjektivismus läßt nach Jesus selbst fragen, nach
seiner historischen Einmaligkeit, damit nicht die Rede vom geschichtlichen
Christus als "Projektion der Gegenwart in die Vergangenheit hinein" erscheint. E. Käsemann geht es um den "Aufweis, daß aus dem Dunkel der
Historie Jesu charakteristische Züge seiner Verkündigung verhältnismäßig
scharf erkennbar heraustreten", daß unverwechselbare, ganz bestimmte
Züge seiner Eigenart in den Evangelien deutlich werden[36].

Wie W. Herrmann den einmaligen Jesus als besonderes Erlebnis theologisch qualifiziert, legt E. Käsemann alles Gewicht auf Jesus als "escha-
tologisches Ereignis", das als Offenbarung in keinen "Kausalzusammen-
hang" zu bringen ist. "Sie ist, was sie ist, nur als unbegründbare Begegnung. Und sie übermittelt mir nicht eine Idee oder gar ein Programm, sondern ist ein Handeln, das mich beschlagnahmt"[37]. Das Herrmannsche Anliegen, die Selbständigkeit des Glaubens als machtvolle Begegnung festzuhalten, findet sich wieder, jedoch unter veränderten theologischen Bedingungen. Der Grund des Glaubens ist das Kerygma. Die Kritik an der Theologie R. Bultmanns enthält nicht die Aufgabe der grundsätzlich kerygmatischen Position. Das bleibt völlig dem theologischen Vorgehen W. Herrmanns vergleichbar, sofern dieser die ihm vorgegebene Position einer
Theologie der Subjektivität grundsätzlich bejaht, denn der Grund des Glaubens ist ein Erlebnis.

W. Herrmann hat nun im Fortgang seines Denkens die Christologie verstärkt,
indem er das innere Leben Jesu beschreibt und den Glauben Jesu als Grund

der Einmaligkeit Jesu bestimmt, der unseren Glauben hervorruft. Diese
christologische Position, die das Bild Jesu mit seinem charakteristischen
Zug der Glaubenszeugenschaft Jesu hervorhebt, wird bei G. Ebeling entwickelt, der der Sache nach die Kritik E. Käsemanns aufnimmt und über
dessen Position hinaus den Jesus des Glaubens als den historischen Jesus
bezeichnet. Es ist für den Zusammenhang von Jesus und Glaube wichtig,
was darüber historisch ermittelt werden kann. G. Ebeling erkennt die Einheit Jesu mit dem Glauben als das historisch Einmalige: Jesu Glaube impliziert eine Christologie in nuce[38]. Er sieht auch, daß W. Herrmanns
Begriff des inneren Lebens Jesu "in bestimmter Hinsicht recht gut den
Sachverhalt bestimmt", daß in Jesus der Glaube zur Sprache gekommen
ist als die "Konzentration eines Menschen in ein Einziges"[39]. Wie W. Herrmann nennt er die Einmaligkeit Jesu, die Mut zum Glauben macht, das einzigartige Zuendegehen seines Weges, das die Nähe Gottes bezeugt. Jesu
Person ist zu verstehen "in eins mit dem Weg, den er ging"[40]. Mit der
christologischen Akzentsetzung: "Wer glaubt, ist bei dem historischen Jesus"[41], wird die Fundamentalbestimmung von Wort und Glaube ((vgl. Erlebnis und Glaube)) nicht eingeschränkt, die darauf zielt, daß angemessen "die
Rede von Gott nur vertreten werden (kann) im persönlichen Einsatz"[42], daß
das Wort in seiner Unverfügbarkeit persönlich bezeugt wird. Die Ebeling-
sche Christologie bleibt davon bestimmt, daß der historische Erkenntnis-
wert der Person Jesu im Verständnis von Geschichte als persönlichem
Wortgeschehen aufgehoben wird. Diese Aufhebung setzt jedoch die Erkenntnis des historischen Jesus als des wahren, wirklichen Jesus voraus.

G. Ebeling kommt zu dieser christologischen Konzeption Herrmannscher
Prägung (Hauptwerk), weil er in seinem programmatischen Aufsatz von
1950: "Die Bedeutung der historisch-kritischen Methode für die protestan-
tische Theologie und Kirche" erkannt hat, daß die historischen Aussagen
über Jesus und die Glaubensaussagen über ihn zusammenzudenken und nicht
zu trennen sind (Dualismus zwischen historischer und systematischer Theologie)[43]. Zum Wahrheitsbewußtsein der protestantischen Theologie in der
Neuzeit gehört es, die historische Forschung zu bejahen und in der hermeneutischen Besinnung die geschichtliche Wahrheit des christlichen Glaubens
zu vertreten. Dies entspricht der Herrmannschen Forderung nach Wahrhaftigkeit und Selbstbesinnung. Die Differenz zu W. Herrmann ergibt sich
wieder durch den kerygmatischen Horizont der Christologie. Die Erlebnis-
Theologie ist durch eine Wort Gottes-Theologie abgelöst, die aber im Aufbau und in dem Sich-Zur-Geltung-Bringen ganz ähnlich ist.

Als theologisch interessant darf es beurteilt werden, daß die christologische Entwicklung W. Herrmanns in der Entwicklung der Bultmann-Schüler
E. Käsemann und G. Ebeling sich wiederfindet. Diese Parallele läßt sich
ausziehen, wenn man wahrnimmt, daß die weitere Verschiebung im Denken W. Herrmanns, die die Bedeutung der Güte und Liebe im mitmensch-

lichen Verkehr betont, zu einem Grundgedanken des Bultmann-Schülers
H. Braun geworden ist. Ist Gott "das Woher meines Geborgen- und meines Verpflichtetseins", so kommt er aber zu mir "vom Anderen her, vom
Mitmenschen; auch das Wort der Verkündigung und die Tat der Liebe erreichen mich ja, erreichen sie mich wirklich, vom Mitmenschen her".
"...der Mensch als Mensch, der Mensch in seiner Mitmenschlichkeit, impliziert Gott"[44]. Gott wird als geistiger Gehalt mitmenschlicher Begegnung erkannt. Gott kommt in dem Erlebnis der persönlichen Zuwendung
zur Erfahrung. "Gott wäre dann eine bestimmte Art der Mitmenschlichkeit"[45].

Für H. Braun spricht nun das Neue Testament ursprünglich immer von
der Liebe zu den Menschen, kaum aber von der Liebe zu Gott, "von rech-
tem Verhalten, Barmherzigkeit und Treue gegenüber dem Menschen",
kaum aber von 'Gott lieben'. "Diese sehr auffällige Zurückstellung der
'Liebe zu Gott' hat natürlich ihren theologischen Grund". Jesus selbst zielt
mit seinen radikalen Forderungen auf "das rechte Verhalten dem Nächsten
gegenüber", und er hat sie in seinem Leben selbst vertreten und gelebt.
"Das gewann ihm Herz und Gewissen seiner Hörer". Gott wird nicht für
sich ausgelegt, sondern in der Nächstenliebe. Die schenkende Güte Gottes
erweist sich im gebenden Miteinander: "das Geben der Menschen bildet,
wenn auch in schwacher Weise, das Geben Gottes ab", entscheidend ist,
daß sich der Mensch als "grenzenlos Beschenkter" versteht und sich selbst
annehmen kann. Diese Selbstannahme impliziert nicht Gott als ihre Begründung, "er ist vielmehr das Geschehen, das sich hier vollzieht"[46].

H. Braun unterstreicht wie W. Herrmann die Güte, Liebe und Treue der
Mitmenschen als die Macht des Lebens, die den Menschen zu wahrer Selbstbesinnung, zu dem neuen Selbstverständnis führt, in dem sich der Mensch
selbst annimmt. Dafür ist Jesus der Anstoß, denn es "kann kein Zweifel
bestehen, daß dies ereignishafte Selbstverständnis an den Namen Jesus von
Nazareth als eines wirklichen Menschen geheftet ist"[47]. H. Braun werden
die entscheidenden Züge der Jesustradition nicht zum Problem, doch wenn
das, was Jesus vertritt und lebt, je und je in der Mitmenschlichkeit geschieht, stellt sich wieder die Frage, ob dann nicht Jesus letztlich überflüssig ist. Die Autorität Jesu hängt ja nicht an seiner Person, sondern an
der von ihm gelebten Sache, die jeweils in der mitmenschlichen Gegenwart
geschieht. Autorität ereignet sich je und je. Sie "lebt davon, daß sie als
Autorität tätig ist". "Der Mensch lebt nicht von einem kompletten und durch-
dachten System ethischer Werte; er lebt davon, daß er hier und da in schlichter Mitmenschlichkeit... zum Weiterleben immer wieder ermutigt. Wo das
geschieht, da wird der Wille und das Verhalten Jesu vollstreckt. Da wird
Jesus - in aller Bruchstückhaftigkeit - auch heute zur Autorität"[48].

Auch diese Argumentation lebt von der Kritik des Verständnisses des Glaubens als eines Für-wahr-Haltens von Autoritäten und von der Bejahung der
sich je und je ereignenden Autorität, die das Leben zu seiner Wahrheit
bringt. Damit wird die Unterscheidung von Glaubensgrund und Glaubensgedanken der Sache nach übernommen. Es gilt zu unterscheiden "zwischen
einer sich ereignenden Autorität und zwischen den Ausdrucksformen für
solch eine Autorität". "Diese Unterscheidung zwischen dem Vorhandensein
der Autorität und ihren Ausdrucksformen ist angesichts unserer heutigen
geistigen Situation eminent wichtig"[49]. Die Grundunterscheidung W. Herrmanns fundiert die Theologie H. Brauns, die in der Neuzeit nur eine "über-
zeugte Zustimmung einschließende Autorität" vertreten und kein sacrifici-
um intellectus (Annahme von Jesus, er sei "Gottes Sohn", und von "Jesu
Auferstehung") fordern darf[50]. In nuce bedeutet nun diese Unterscheidung
bei H. Braun, daß die Anthropologie die Konstante und die Christologie die
Variable ist. Die Aussagen über Jesus können und müssen ganz unterschiedlich ausfallen, sie sind der jeweilige Ausdruck der Bedeutung, die der Autorität Jesu nur als je und je geschehendes Selbstverständnis in der Mitmenschlichkeit zukommt. Auf das Ereignis des neuen Selbstverständnisses
kommt es letztlich an: "die Entscheidung fällt nicht in der christologischen
Aussageform, sondern in der Soteriologie"[51].

Wie bei W. Herrmann führt die Reduktion auf das Geschehen im Selbst zur
Relativierung der Relevanz der "Menschen als Mittler", denn wenn die Begegnung der Mitmenschlichkeit ausfällt, ereignet sich Wahrheit durch die
demütige Selbstannahme, die den Weg einer getrosten Verzweiflung gehen
darf. "Es gibt, als extremen Weg, eine Selbstannahme, in der das geschieht,
was mit der Annahme durch Gott gemeint ist, im Gegensatz zu den Stimmen
der sich versagenden Mitmenschen. Es ist der Weg einer Verzweiflung, die
doch nicht verzweifelt; der Weg einer getrosten Verzweiflung"[52]. An der
Tatsache, daß sich der Mensch letztlich in der getrosten Verzweiflung vergewissert, wird evident, daß es Objektivität der überlieferten Wahrheit des
Christentums gegenüber nur gibt "in höchster Subjektivität"[53]. Gott ist blos-
ser Ausdruck für diesen Weg, Gedanke des Glaubens. Als Grund des Glaubens wäre das Geschehen im Selbst, das durch die Mitmenschen von außen
kommt, anzusehen, das als Autorität sich selbst erweist. Es ermöglicht
den Glauben als die "Haltung, die in der Jesustradition unter Gebrauch des
Ausdrucks 'Gott' geschenkt und gefordert wird". Das Geschehen des wirklich Angenommen-Werden, das den Menschen getrost macht, ihn Demut
lernen läßt, "nicht mürrisch und zerfallen mit sich selber" zu sein, dieses
Geschehen überwindet den Menschen in der Selbstannahme[54]. Solche inhaltlich bestimmte Autorität, die als Ereignis Grund des Glaubens ist, deckt
nicht Gott, "sondern Gott ist die Bezeichnung dafür, daß der Inhalt sich au-
torisiert". Dem Einwand, daß damit der Glaube auf einer Illusion des Selbst
beruhen könne, wird nicht durch eine christologische Theorie der Vorgegebenheit Gottes gewehrt, vielmehr durch den Verweis auf das Geschehen sel-

ber und dessen Deutung das Christentum vom Humanismus unterscheidet. Gegen den Vorwurf der Illusion bin ich damit letztlich "nicht gedeckt", "denn eine letzte Sicherung gibt es nicht. Entweder es leuchtet mir ein, und ich halte den Kopf hin oder nicht"[55].

Die Behauptung der Selbstevidenz des Geschehens, das das Leben wahr macht, verbindet H. Braun hier mit W. Herrmann. Der wahre Inhalt des Lebens leuchtet dem ein, der in höchster Subjektivität lebt, begründet kann er damit nicht sein. Den Weg zum Glauben gibt es nur in der subjektiv erlebten Mitmenschlichkeit. Die Differenz zu W. Herrmann besteht darin, daß Gott nicht mehr als objektive Macht behauptet wird. Gehört auch für W. Herrmann die Gotteserkenntnis des Glaubens zu den Glaubensgedanken (D, 40), so ist doch Gott nicht bloß ein Ausdruck, vielmehr objektive Macht, die die Gewißheit der Erlösung schenkt. Die wahrhaftige Selbsterfahrung als soteriologisches Geschehen geht von der Differenz Gottes zu diesem Geschehen aus. Es ist theologisch notwendig, "den Grund des Glaubens von unserem eigenen Erleben als eine objektive Macht zu unterscheiden.... Nicht unsere innere Umwandlung selbst, sondern das Auftreten dieser Macht in unserem Leben ist das Wunder, das wir erleben müssen, wenn uns der Zugang in die Wunderwelt der Religion erschlossen werden soll" (II, 196). Die totale anthropologische Funktionalisierung der theologischen Aussagen bei H. Braun führt nicht nur zu einem Verlust des Namen Jesus, sofern dieser die theologischen Aussagen decken soll, sondern auch zu einem Verlust des Namen Gottes, weil dieser nur ein traditioneller Ausdruck für die Autorität des Glaubensgeschehens selbst ist.

Daß die parallele christologische Entwicklung W. Herrmanns und der genannten Bultmann-Schüler bei H. Braun an einer entscheidenden Stelle markant auseinandergeht, gründet vor allem in der Voraussetzung, unter der das Problem des historischen Jesus behandelt wird. Im Ansatz geht es W. Herrmann bei Jesus um die geschichtliche Begründung des Glaubens, der Bultmann-Schule mutatis mutandis um das kritische Verstehen des Grundes, der sich als Geschehen in unbegründbarer Begegnung erweist. Der geschichtliche Jesus rückt aus dem Horizont der objektiven Begründungsthematik in den nur hermeneutischen Horizont. An dieser Horizontverschiebung nimmt das späte Denken W. Herrmanns teil, ohne jedoch wie bei H. Braun auf den Verlust Gottes als objektive Macht auszusein. Der Christologie H. Brauns droht nicht der Verlust des historischen Jesus, wohl aber der Verlust Gottes überhaupt, weil Jesus Christus in seiner Bedeutung als objektiver Grund des Glaubens an Gott, der allem Geschehen in seiner Zuwendung transzendent bleibt, nicht erkannt wird. Die Subjektivität, die sich in der Selbstannahme vergewissert, muß jede Infragestellung durch die Objektivität Gottes, die allein in den geschichtlichen Vermittlungen aussagbar ist, als Fremdbestimmung und Inadäquanz der Fragestellung ablehnen. Das theologische Anliegen W. Herrmanns aber ist es, unter den Bedingungen der Moderne das Selbst Gottes in seiner Vorgegebenheit zu denken, wenn es um das Selbst des Menschen geht. Der Ausgang der theologischen Entwicklung bei H. Braun zeigt, daß die Berufung auf die Mitmenschlichkeit ungenügend ist, der geschichtliche Jesus als Grund des Glaubens verblaßt und die Subjektivität sich letztlich nur noch durch sich selbst vergewissern kann.

LITERATURVERZEICHNIS

1. W. Herrmann

Die Religion im Verhältnis zum Welterkennen und zur Sittlichkeit. Halle
1879. (Abk. R).

Rez.: (Nagel, L.) Der christliche Glaube und die menschliche Freiheit.
Teil I. Gotha 1880: ThLZ 6, 1881. Sp. 138-140. (Abk. ThLZ 1881).

Rez.: Dieckhoff, A.W., Die Menschwerdung des Sohnes Gottes. Leipzig
1882: ThLZ 7, 1882. Sp. 398-400. (Abk. ThLZ 1882).

Rez.: Heer, J.J., Der Religionsbegriff Albrecht Ritschls, dargestellt und
beurteilt. Zürich 1884: ThLZ 9, 1884. Sp. 199-203). (Abk. ThLZ 1884).

Rez.: Frank, F.H.R., System der christlichen Sittlichkeit. 1. Hälfte. Erlangen 1884: ThLZ 9, 1884. Sp. 605-609. (Abk. ThLZ 1884).

Rez.: Bender, W., Das Wesen der Religion und die Grundgesetze der Kir-
chenbildung. Bonn 1886: ThLZ 11, 1886. Sp. 84-91. (Abk. ThLZ 1886).

Der Verkehr des Christen mit Gott. Stuttgart 1886.

Die Gewißheit des Glaubens und die Freiheit der Theologie. Freiburg 1887.
(Abk. Gewißheit).

Rez.: Gess, W.F., Christi Person und Werk nach Christi Selbstzeugnis und
den Zeugnissen der Apostel. 3. Abt.: Das Dogma von Christi Person und
Werk entwickelt aus Christi Selbstzeugnis und den Zeugnissen der Apostel. Basel 1887: ThLZ 12, 1887. Sp. 520-528. (Abk. ThLZ 1887).

Rez.: Meuss, E., Unsere Stellung zur Schrift im Angesicht der heutigen
Wissenschaft von der Schrift. Breslau 1887: ThLZ 12, 1887. Sp. 577-579.
(Abk. ThLZ 1887).

Rez.: Frank, F.H.R., Über die kirchliche Bedeutung der Theologie A.
Ritschls. Erlangen 1888: ThLZ 13, 1888. Sp. 571-574. (Abk. ThLZ 1888).

Rez.: Müller, A., Das gute Recht der evangelischen Lehre von der unio my-
stica und ihre Befehdung durch Ritschl und seine Schule. Halle 1888: ThLZ
13, 1888. Sp. 613-617. (Abk. ThLZ 1888).

Rez.: Schmidt, W., Die Gefahren der Ritschlschen Theologie für die Kirche.
Berlin 1888: ThLZ 13, 1888. Sp. 617-621. (Abk. ThLZ 1888).

Rez.: Bornemann, W., Unterricht im Christentum. Göttingen 1891: ThLZ 16,
1891. Sp. 204-208. (Abk. ThLZ 1891).

Der Verkehr des Christen mit Gott. Stuttgart 1892[2].

Worum handelt es sich in dem Streit um das Apostolikum?: HcW 4, 1893. Abk.
(Apostolikum).

Der Verkehr des Christen mit Gott. Stuttgart 1896[3].

Artikel Demut, demütig: RE[3]. Bd. IV. Leipzig 1898. S. 571-576. (Abk. Demut).

Artikel Gebet: RE[3]. Bd. VI. Leipzig 1899. S. 386-393. (Abk. Gebet).

Römisch-katholische und Evangelische Sittlichkeit. Marburg 1900. (Abk. Sittlichkeit).

Ethik: GtHW V, 2. Tübingen 1901.

Ethik: GtHW V, 2. Tübingen 1901[2].

Der Verkehr des Christen mit Gott. Stuttgart und Berlin 1903[4]. (Abk. V).

Ethik: GtHW V, 2. Tübingen 1904[3]. (Abk. E).

Thes.: Schmiedel, P.W., Die Person Jesu im Streit der Meinungen der Gegenwart. Leipzig 1906: ZThK 16, 1906. S. 512-514.

Moderne Theologie des alten Glaubens: ZThK 16, 1906. S. 175-233. (Abk. Moderne Theologie).

Der Verkehr des Christen mit Gott. Stuttgart und Berlin 1908[5+6]. (Abk. 5 V).

Thes.: Das alt-orthodoxe und unser Verständnis der Religion: ZThK 18, 1908. S. 74-77.

Thes.: Die Religion und das Allgemeingültige. Zur Verständigung mit Sulze: ZThK 18, 1908. S. 228-233.

Ethik: GtHW V, 2. Tübingen 1909[4]. (Abk. 4E).

Von der Glaubenskirche: ChW 26, 1912. Sp. 716-720.

Der falsche und der richtige Gebrauch der Ueberlieferung in dem Leben der Religion: ChW 26, 1912. Sp. 1067-1071. (Abk. Ueberlieferung).

Ethik: GtHW V, 2. Tübingen 1913[5]. (Abk. 5 E).

Die mit der Theologie verknüpfte Not der evangelischen Kirche und ihre Überwindung: RV IV, 21. Tübingen 1913. (Abk. Not).

Rez.: Kaftan, J., Philosophie des Protestantismus. Eine Apologetik des evangelischen Glaubens. Tübingen 1917: ChW 31, 1917. Sp. 832-833.

Der Sinn des Glaubens an Jesus Christus in Luthers Leben. Göttingen 1918. (Abk. Sinn).

Soll es eine besondere theologische Geschichtsforschung geben?: ChW 32, 1918. Sp. 290-297.

Gesammelte Aufsätze. Hrsg. v. F.W. Schmidt. Tübingen 1923. (Abk. GA).

Dogmatik. Mit einer Gedächtnisrede auf W. Herrmann von Martin Rade. Gotha Stuttgart 1925. (Abk. D).

Schriften zur Grundlegung der Theologie. Teil I: ThB 36, München 1966. (Abk. I).

Schriften zur Grundlegung der Theologie. Teil II: ThB 36, München 1967. (Abk. II).

2. Sekundärliteratur und allgemeine Literatur

P. Althaus, Artikel Christologie III: RGG[3]. Bd. I. Tübingen 1957. Sp. 1777-1789.

K. Barth, Moderne Theologie und Reichsgottesarbeit: ZThK 1909. S. 317-321.

ders., Der Römerbrief. Unveränderter Nachdruck der ersten Auflage von 1919. Zürich 1963. (Abk. Römer 1. Aufl.).

ders., Der Römerbrief (1922). Zehnter Abdruck der neuen Bearbeitung. Zürich 1967.

ders., Das Wort Gottes und die Theologie. München 1924. (Abk. Wort Gottes).

ders., Die dogmatische Prinzipienlehre bei Wilhelm Herrmann: ZZ 3, 1925. S. 246-280. (Abk. Prinzipienlehre).

ders., Die Kirchliche Dogmatik. Bd. IV, 1. Zürich 1953.

K. Barth/H. Barth/E. Brunner, Anfänge der dialektischen Theologie Teil I: ThB 17, 1962. (Abk. Anfänge).

K. Barth/E. Thurneysen, Suchet Gott, so werdet ihr leben! Bern 1917. (Abk. Suchet).

K. Barth/E. Thurneysen, Briefwechsel Bd. 1: K. Barth. Gesamtausgabe V. Briefe. Zürich 1973. (Abk. Briefwechsel).

H. Braun, Gesammelte Studien zum Neuen Testament und seiner Umwelt. Tübingen 1967[2]. (Abk. Studien).

ders.,Jesus: Themen der Theologie Bd. I. 1969.

H. Braun/H. Gollwitzer, Post Bultmann Locutum Bd. I: ThF 37, 1965. (Abk. Post Bultmann).

V. Brecht, Die Christologie W.Herrmanns Mschr. Dissertation Tübingen 1974. (Abk. Christologie).

E. Buder, Fides iustificans und fides historica: EvTh, 13, 1953. S. 67-83.

E. Busch, Karl Barths Lebenslauf. München 1975 (Abk. Lebenslauf).

W. de Boor, Der letzte Grund unseres Glaubens an Gott in der Theologie W. Herrmanns: ZThK NF 6 (33), 1925. S. 437-453 und: ZThK NF 7 (34,) 1926. S. 37-61. (Abk. Grund).

ders., Artikel Wilhelm Herrmann: RGG[2]. Bd. II. Tübingen 1927. Sp. 1836-1839. (Abk. Herrmann).

R. Bultmann; Glauben und Verstehen. Bd. I. Tübingen (1933) 1966[6].

ders., Neues Testament und Mythologie: Kerygma und Mythos. Hamburg-Bergstedt 1948. S. 15-48.

ders., Glauben und Verstehen. Bd. II. Tübingen 1952.

ders., Glauben und Verstehen. Bd. III. Tübingen 1960.

A. Dell, Wilhelm Herrmanns theologische Arbeit: ThR NF 1, 1929. S. 81-109. (Abk. Arbeit).

G. Ebeling, Das Wesen des christlichen Glaubens: Siebenstern-Taschenbuch 8, 1964. (Abk. Wesen).

ders., Wort und Glaube. Tübingen 1962[2]. (Abk. Wort).

ders., Theologie und Verkündigung. Tübingen 1963[2]. (Abk. Verkündigung).

ders., Wort und Glaube Bd. II. Tübingen 1969. (Abk. Wort II).

H. Engelland, Gewißheit um Jesus von Nazareth: ThLZ 79, 1954. Sp. 65-74.

ders., Die Wirklichkeit Gottes und die Gewißheit des Glaubens. Göttingen 1966.

J. G. Fichte, Die Anweisung zum seligen Leben, oder auch die Religionslehre: Johann Gottlieb Fichte's sämtliche Werke Bd. V. Berlin 1845.

H. Fischer, Christlicher Glaube und Geschichte. Gütersloh 1967.

P. Fischer-Appelt, Metaphysik im Horizont der Theologie Wilhelm Herrmanns. München 1965. (Abk. Metaphysik).

E. Fuchs, Hermeneutik. Bad Cannstadt 1963[3].

H. Gerdes, Die durch Martin Kählers Kampf gegen den "historischen Jesus" ausgelöste Krise in der evangelischen Theologie und ihre Überwindung: NZSTh 3, 1961. S. 175-202.

F. Gogarten, Theologie und Geschichte: ZThK 50, 1953. S. 339-394.

ders., Verhängnis und Hoffnung der Neuzeit: Siebenstern-Taschenbuch 72.
München und Hamburg 1966.

H. Gollwitzer, Die Existenz Gottes im Bekenntnis des Glaubens: BEvTh 34,
München 1963. (Abk. Existenz).

J. Gottschick, "Ohne Christus wäre ich Atheist": ChW 2, 1889. Sp. 461-463.

ders., Luthers Theologie: ZThK 24, 1914. Erg. Heft 1.

E. Günther, Die Entwicklung der Lehre von der Person Christi im XIX.
Jahrhundert. Tübingen 1911. (Abk. Entwicklung).

ders., Die christologische Aufgabe der Gegenwart: ZThK 22, 1912. S. 164-
192. (Abk. Christologische Aufgabe).

T. Häring, Gehört die Auferstehung Jesu zum Glaubensgrund?: ZThK 7,
1897. S. 331-351. (Abk. Auferstehung).

R. Hermann, Christentum und Geschichte bei Wilhelm Herrmann. Leipzig
1924. (Abk. Christentum).

E. Hirsch, Geschichte der neueren evangelischen Theologie. Bd. V. Gütersloh 1954. (Abk. Geschichte).

G. Hirschauer, Der Katholizismus vor dem Risiko der Freiheit. München
1966.

L. Ihmels, Die christliche Wahrheitsgewißheit. Leipzig 1914[3]. (Abk. Wahrheitsgewißheit).

M. Kähler, Der sogenannte historische Jesus und der geschichtliche, biblische Christus. (1892) Neu hrsg. v. E. Wolf. München 1953. (Abk. Biblische
Christus).

E. Käsemann, Exegetische Versuche und Besinnungen. Bd. I u. II. Göttingen
1967.

I. Kant, Logik: Kant's gesammelte Schriften Bd. II. Berlin und Leipzig 1923.

ders., Kritik der reinen Vernunft: Reclam Universal-Bibliothek Nr. 6461-70/
70a/b. Stuttgart 1966.

ders., Die Religion innerhalb der Grenzen der bloßen Vernunft: Schriften
zur Ethik und Religionsphilosophie. 2. Teil. Werke Bd. VII. Darmstadt
1968.

ders., Der Streit der Fakultäten. Schriften zur Anthropologie, Geschichts-
philosophie und Pädagogik. 1. Teil. Werke Bd. IX. Darmstadt 1970.

E. Kinder, Das vernachlässigte Problem der "natürlichen" Gotteserfahrung
in der Theologie: KuD 9, 1963. S. 316-333.

T. Koch, Theologie unter den Bedingungen der Moderne. Unveröffentlichte
Habilitationsschrift. München 1970. (Abk. Theologie).

G. Kruhöffer, Der geschichtliche Christus. Göttingen 1969. (Abk. Geschichtliche Christus).

D. Lange, Wahrhaftigkeit als sittliche Forderung und als theologisches Prinzip bei W. Herrmann: ZThK 66, 1969. S. 77-97. (Abk. Wahrhaftigkeit).

G. E. Lessing, Philosophische und theologische Schriften II: Gesammelte
Werke Bd. VIII. Aufbau-Verlag Berlin 1956.

H.-G. Link, Geschichte Jesu und Bild Christi. Die Entwicklung der Christologie M. Kählers. Neukirchen-Vluyn 1975. (Abk. Geschichte Jesu).

T. Mahlmann, Das Axiom des Erlebnisses bei Wilhelm Herrmann: NZSTh 4, 1962. S. 11-88. (Abk. Axiom).

ders., Philosophie der Religion bei Wilhelm Herrmann: NZSTh 6, 1964. S. 70-107. (Abk. Religion).

ders., Wilhelm Herrmann: Tendenzen der Theologie im 20. Jahrhundert. Hrsg. v. H. J. Schultz. Stuttgart Berlin 1967. S. 38-43.

W.-D. Marsch, Zukunft: Themen der Theologie. Bd. 2. Stuttgart 1969.

J. Moltmann, Theologie der Hoffnung. München 1965[2]. (Abk. Hoffnung).

ders., Perspektiven der Theologie. München 1968.

A. Mücke, Die Dogmatik des Neunzehnten Jahrhunderts in ihrem inneren Flusse und Zusammenhang mit der allgemeinen theologischen, philosophischen und literarischen Entwicklung desselben. Gotha 1867.

F. Nietzsche, Jenseits von Gut und Böse: Goldmanns Gelbe Taschenbücher. Bd. 990. München.

W. Pannenberg, Was ist der Mensch?: KVR 139/140. Göttingen 1964[2].

ders., Grundfragen systematischer Theologie. Göttingen 1967.

ders., Reformation zwischen gestern und morgen: Aspekte moderner Theologie 7. Gütersloh 1969.

A. Peters, Betrachtungen zum sittlich-personal geprägten Gottes- und Christusbild des 19. Jahrhunderts: KuD 9, 1963. S. 122-166. (Abk. Betrachtungen).

K. Rahner, Das Christentum und der "neue Mensch": K. Rahner. Gegenwart des Christentums: Herder-Bücherei. Bd. 161. S. 9-30.

C. H. Ratschow, Der angefochtene Glaube. Gütersloh 1960[2].

M. Reischle, Der Streit über die Begründung des Glaubens auf den "geschichtlichen" Jesus Christus: ZThK 7, 1897. S. 171-264.

M. Reischle/T. Häring, Glaubensgrund und Auferstehung?: ZThK 8, 1898. S. 129-133.

A. Ritschl, Rechtfertigung und Versöhnung. Bd. III. Bonn 1895[4]. (Abk. Rechtfertigung).

J. M. Robinson, Das Problem des Heiligen Geistes bei Wilhelm Herrmann. Theol. Diss. Basel. Marburg/Lahn 1952. (Abk. Problem des Heiligen Geistes).

ders., Kerygma und historischer Jesus. Zürich Stuttgart 1960.

H. J. Rothert, Gewißheit und Vergewisserung als theologisches Problem. Göttingen 1963. (Abk. Gewißheit).

R. Schäfer, Jesus und der Gottesglaube. Tübingen 1970.

M. Scheler, Die deutsche Philosophie der Gegenwart: Deutsches Leben der Gegenwart. Berlin 1922. S. 128-224.

D. Schellong, Bürgertum und christliche Religion: ThEx 187, 1975. S. 85-92.

F. Schleiermacher, Über die Religion: Philosophische Bibliothek. Bd. 255. Hamburg 1961. (Abk. Religion).

J. Schniewind, Antwort an Rudolf Bultmann: KuM I[5]. S. 85-134.

A. Schopenhauer, Der Satz vom zureichenden Grunde: Arthur Schopenhauer's sämtliche Werke. Hrsg. v. E. Grisebach. Bd. III. Leipzig 1891.

W. Schütz, Das Grundgefüge der Herrmannschen Theologie: Philosophische Abhandlungen 5, Berlin 1926. (Abk. Grundgefüge).

W. Schultz, Kant als Philosoph des Protestantismus: Theologische Forschung 22, Hamburg-Bergstedt 1960.

K. Schwarzwäller, Theologie oder Phänomenologie: BEvTh 42, München 1966

R. Slenczka, Geschichtlichkeit und Personsein Jesu Christi. Göttingen 1967. (Abk. Personsein Jesu Christi).

H. Stephan, Theozentrische Theologie: ZThK 21, 1911. S. 171-209.

ders., A. Ritschl und die Gegenwart: ZThK NF 16 (43), 1935. S. 21-43.

A. Tholuck, Die Lehre von der Sünde und vom Versöhner oder: Die wahre Weihe des Zweiflers. Gotha 1825[2]. (1862[8]). (Abk. Sünde).

ders., Gespräche über die vornehmsten Glaubensfragen der Zeit. Heft 1. Halle 1846.

ders., Die Glaubwürdigkeit der evangelischen Geschichte, zugleich eine Kritik des Lebens Jesu, für theologische und nicht theologische Leser · dargestellt. Hamburg 1837.

P. Tillich, Der Mut zum Sein. Stuttgart 1964[5].

H. Timm, Theorie und Praxis in der Theologie Albrecht Ritschls und Wilhelm Herrmanns. Gütersloh 1967. (Abk. Theorie).

E. Troeltsch, Die Absolutheit des Christentums und die Religionsgeschichte. Tübingen 1929[3].

C. Ullmann, Die Sündlosigkeit Jesu. Hamburg 1846[5]. (Abk. Sündlosigkeit).

J. Wirsching, Gott in der Geschichte. München 1963.

P. Wrzecionko, Die philosophischen Wurzeln der Theologie Albrecht Ritschls Berlin 1964.

G. Wünsch, Wirklichkeitschristentum: Beiträge zur systematischen Theologie 3, Tübingen 1932.

ANMERKUNGEN

Zu S. 9 - 12 (Einleitung):

1   F. Schleiermacher, Über die Religion: Philosophische Bibliothek Bd.
    255. S. 161 f. Vgl. S. 30 ff.
2   Nach dem Urteil von W. Schütz strömt bei W. Herrmann in das trans-
    zendentalkritische Denken ein gefühls- und erlebnismäßiger Subjektivis-
    mus. Im Herrmannschen Denken kreuzen sich Werttheorie und Trans-
    zendentalphilosophie. W. Schütz, Das Grundgefüge der Herrmannschen
    Theologie: Philosophische Abhandlungen 5, Berlin 1926. S. 19. 16. Zur
    Auseinandersetzung mit W. Schütz vgl. Anm. 52.
3   R. Hermann, Christentum und Geschichte bei Wilhelm Herrmann. Leip-
    zig 1914. S. 93.
4   W. Schütz, Grundgefüge. S. 46.
5   J. M. Robinson, Das Problem des Heiligen Geistes bei Wilhelm Herr-
    mann. Theol. Diss. Basel. Marburg/Lahn 1952. S. 27. Man verkennt
    die Programmatik des Denkens W. Herrmanns von seinen Anfängen her
    völlig, wenn man nicht sieht, wie sehr es ihm um der Wahrheit des Glau-
    bens willen um die "nothwendige Gegenüberstellung der Offenbarung und
    des gläubigen Subjects" geht. Nicht "nur im Christenthum, sondern in
    jeder wirklichen Religion ist die Offenbarung als solche ein Ereigniß,
    von welchem sich der Mensch, sofern er auf Grund desselben an Gott
    glaubt, unterscheidet; sie ist also für ihn in dieser Beziehung ein äuße-
    res Ereigniß". Es kommen auch nicht "über diese nothwendige Gegen-
    überstellung der Offenbarung und des gläubigen Subjects die modernen
    Theologen hinaus, welche, um das Christenthum zu vergeistigen und von
    Aeußerlichkeiten zu befreien, die Offenbarung gänzlich in das Subject
    verlegen wollen, indem sie dieselbe in dem subjectiven Vorgange der re-
    ligiösen Erhebung enthalten sein lassen" (R, 365).
6   In der Einleitung wird der Hauptduktus der Herrmannschen Argumenta-
    tion dargestellt, wie er vor allem sein Werk vor 1900 bestimmt.
7   Zur Literatur sei hier auf die ausgezeichnete Herrmann-Bibliographie
    von P. Fischer-Appelt verwiesen: P. Fischer-Appelt, Metaphysik im
    Horizont der Theologie Wilhelm Herrmanns. München 1965. S. 215 ff.
    Diese Bibliographie wurde 1964 abgeschlossen und enthält deshalb noch
    nicht die Arbeiten von H. Timm, Theorie und Praxis in der Theologie
    Albrecht Ritschls und Wilhelm Herrmanns. Gütersloh 1967 und T. Koch,
    Theologie unter den Bedingungen der Moderne. Unveröffentlichte Habili-
    tationsschrift. München 1970. Weiter sind zwei Dissertationen zu nennen:
    G. Kruhöffer, Der geschichtliche Christus. Die Offenbarung Gottes in ihrer
    Beziehung auf die Wirklichkeit des Menschen nach der Theologie Wilhelm
    Herrmanns. Göttingen 1969 und V. Brecht, Die Christologie Wilhelm Herr-
    manns. Mschr. Dissertation Tübingen 1974. Beide sind dem Verfasser erst

Zu S. 12 (Einleitung)

1975 bekanntgeworden. Die Darstellung V. Brechts ist nach dem hier vorgelegten Versuch (Dissertation 1972) der zweite, die Christologie W. Herrmanns in ihrer Entwicklung zentral zu behandeln.

8   T. Mahlmann, Philosophie der Religion bei Wilhelm Herrmann: NZSTh 6, 1964. S. 74. T. Mahlmann sieht in der Herrmannschen Betonung der Ursprünglichkeit der Lebenswirklichkeit den eindeutig klaren Ansatz dieses Denkers. Er muß jedoch selbst zugeben, daß das Insistieren W. Herrmanns auf das Allgemeingültige an der Religion "diesen an sich klaren Ansatz" "kompliziert". Offensichtlich vermag man diesem Denken nicht gerecht zu werden, wenn man nur den einen Ansatz beim Selbst in seiner Unmittelbarkeit annimmt. Der Meinung, daß sich die "ständig wiederkehrende crux der Interpretation" bei W. Herrmann "nur ((!)) verstehen" läßt durch die Berücksichtigung der "Entwicklung des Herrmannschen Denkens in seiner steten Auseinandersetzung mit dem zeitgenössischen Philosophieren" (S. 74), kann nicht zugestimmt werden. Diese Arbeit sucht das Herrmann-Verständnis zu fördern, indem sie die christologische Fragestellung im Werk W. Herrmanns selbst thematisiert.

9   T. Mahlmann, Das Axiom des Erlebnisses bei Wilhelm Herrmann: NZSTh 4, 1962. S. 13. Es kann nicht darum gehen, "Herrmann anders zu verstehen als er sich selbst verstand". K. Barth, Die dogmatische Prinzipienlehre bei Wilhelm Herrmann: ZZ 3, 1925. S. 265. K. Barth unternimmt es, bestimmte Gedanken für seine Intention gegen W. Herrmanns Intention zu vereinnahmen, weil dieser eigentlich etwas anderes meint. A. Dell stellt kategorisch fest: "Wie Herrmann sich selbst verstand, weiß niemand". A. Dell, Wilhelm Herrmanns theologische Arbeit: ThR NF 1, 1929. S. 109. Für A. Dell stellt die Herrmannsche Aufarbeitung der reformatorischen Thematik "durch Untersuchungen des Verhältnisses von Religion und Sittlichkeit" "den erfolglosen Versuch dar, Gesetz und Evangelium durch die Lehre der erlebbaren Wirklichkeit verständlich zu machen" (S. 109).

10   T. Mahlmann versucht, die innere Einheit der Theologie W. Herrmanns als Philosophie der Religion zu verstehen. Dazu hat bereits P. Fischer-Appelt ausgeführt, daß "der Versuch Mahlmanns, 'Herrmann aus sich selbst zu verstehen', einer falschen Fährte" folgt, "denn Herrmann verstand sich zeitlebens nicht als Philosoph, sondern als 'Theologe, der mit seinem religiösen Glauben innerhalb der christlichen Gemeinde lebt' " (Herrmann-Zitat: R, 281), "und weder die Titel noch der Inhalt seiner Schriften lassen daran den geringsten Zweifel". P. Fischer-Appelt, Metaphysik. S. 10.

W. Herrmann hat seine Stellung innerhalb der Kirche wiederholt zum Ausdruck gebracht und sich ganz als Theologe der evangelischen Christenheit verstanden. Daß es ihm in seiner systematischen Theologie um die in der Christenheit selbst präsenten Gründe geht, daß ihm der Anschluß an die eigene Tradition (Luther und Schleiermacher) und nicht an ältere oder neuere Philosophie für das Religionsverständnis wesentlich ist, sollen zwei Äußerungen aus seiner Früh- und Spätzeit belegen: "Die Frage, worauf ihre eigene religiöse Zuversicht beruhe, werden auch" "die mir gegenüberstehenden Theologen Biedermann und Lipsius, Luthardt und Pfleiderer" "dahin beantworten, daß sie in der geschichtlichen Erscheinung Jesu von Nazareth ihren Grund habe. Wenn ich nun das allein ((!)) als die Aufgabe der systematischen Theologie hinstelle, die Gewißheit, welche sie auf diese Weise mit der evangelischen Christenheit bekennen, in ihrer vollen Bedeutung zu entwickeln und die Allgemeingültigkeit ihrer in ihr selbst präsenten Gründe darzulegen, so mag ihnen das beschränkt erscheinen. Daß ich dabei auf alle Fälle dem practisch=kirchlichen Interesse an der Theologie diene und zugleich ein Problem bearbeite, das ihnen auch einmal nahe treten muß, wenn auch nicht in ihrer Dogmatik, das werden sie mir zugeben müssen" (R, X). "Ich glaube mich mit vielen darin einig zu wissen, daß uns in Schleiermachers 'Reden' der richtige Weg gewiesen ist, die Religion in ihrem Unterschied von sittlichem Wollen und wissenschaftlichem Erkennen zu verstehen. Schleiermacher ist auf diesem Wege einer Spur Luthers gefolgt. Daß die meisten evangelischen Theologen es damit nicht versuchen wollen, sondern durch den Anschluß an ältere oder neuere Philosophen mehr zu erreichen meinen, ist nur daraus zu erklären, daß das in Luther und Schleiermacher wiederaufgelebte Verständnis der Religion noch immer unbekannt zu bleiben scheint" (II, 285 f). Nimmt man W. Herrmanns eigene Äußerungen ernst, dann ist also zuerst nach den theologiegeschichtlichen, nicht nach den philosophiegeschichtlichen Zusammenhängen zu fragen, und die Herrmannsche Theologie, insonderheit die Christologie, beansprucht das Interesse. W. Herrmann betont schon 1876, daß er "zu sehr Theolog" sei, um sich eine "Überordnung der Philosophie über die Dogmatik gefallen zu lassen" (D, XVII). Vgl. GA, 377: Wir können uns "durch die Bemühungen, der Religion den Philosophenmantel umzuhängen, nicht gefördert fühlen". Wenn es sich nun W. Herrmann expressis verbis zur Aufgabe stellt, die Tatsache, daß der christliche Glaube in der geschichtlichen Erscheinung Jesu von Nazareth gründet, in ihrer vollen Bedeutung zu entwickeln, dann kann eine Herrmann-Interpretation nicht umhin, die Christologie zu ihrem Hauptgegenstand zu erheben. Die Besinnung auf die eigene innere Entwicklung W. Herrmanns, wie sie aus seinen Schriften erkennbar ist, wird dem Theologen W. Herrmann mehr gerecht als die auf die philosophische Entwicklung seiner Zeit (Vgl. I, 298!). So hat schon W. Schütz erklärt: "Wird die Theologie Herrmann's zunächst rein unter den Gesichtspunkt ihrer inneren Entwicklung gestellt, so tritt an die Stelle einer religionsphilosophischen die Form einer immanenten Kritik. Bei

Zu S. 12 (Einleitung):

Zu S. 14 (I):

solcher Stellungnahme kann man der Gedankenwelt Herrmann's in ihrer besonderen Eigenart gerecht werden, ohne fremde Fragen an ihn
heranzutragen und ihn mit fremden Maßstäben zu messen". W. Schütz,
Grundgefüge. S. 2. Diese Arbeit sucht die Gedankenwelt W. Herrmanns
in ihrer besonderen, nämlich christologischen Eigenart zu erfassen.
Wie ist der Grundtext der Herrmannschen Theologie zu verstehen,
"dass sich uns die Person Jesu durch die Kraft ihres inneren Lebens
offenbart"? (V, 65; vgl. E, 102; I, 297; II, 167). Dabei steht nicht die
Analyse einer bestimmten Schrift im Vordergrund, sondern eine Ge-
samtinterpretation wird erstrebt, die in ihrer christologischen Ausrichtung philosophisch-theologische Einzelprobleme nicht ausführlich
darstellt. Dies ist von anderen Arbeiten zum Teil bereits geleistet worden, auf die verwiesen wird.

Mit der aufgrund der klaren Aussagen W. Herrmanns gegebenen Notwendigkeit, die Christologie zur Erforschung seiner Theologie vorrangig zu thematisieren, ist nicht die Aufgabe abgewiesen, die philosophischen Implikationen der theologischen Aussagen zu bedenken und im
Kontext der Philosophiegeschichte zur Diskussion zu stellen. Dieser
Aufgabe kann sich die Herrmann-Forschung nicht entziehen. Der Bei-
trag dieser Arbeit besteht darin, die Christologie W. Herrmanns kritisch darzustellen, sie in ihrer Bedeutung zu erfassen, denn die Be-
zugnahme auf die philosophische Diskussion unter Absehung der christologischen Aussagen verfehlt die Theologie W. Herrmanns, mißt man
sie an ihrem eigenen Selbstverständnis.

11 Dem hat inzwischen auch die Arbeit von V. Brecht Abhilfe zu schaffen
versucht. Deren Ergebnisse bestätigen in wichtigen Fragen das hier
Vorgetragene. Andererseits sind unterschiedliche Beurteilungen und
Akzentsetzungen festzustellen. Das gründet vor allem darin, daß V.
Brecht den durchgängigen doppelten Ansatz in seiner Spannung bei W.
Herrmann nicht herausgearbeitet hat. Verantwortlich dafür kann die
häufig zu schmale Textbasis sein (Konzentration auf einzelne Aufsät-
ze!). Zur Diskussion mit V.Brecht vgl. Anm. 8/II.

12 Für die unterschiedliche Beurteilung der geschichtlichen Christologie
W. Herrmanns vgl. jetzt die Aussagen bei G. Kruhöffer, Christus. S.
75 und bei V. Brecht, Christologie. S. 26. 73. u.ö.

Zu S. 14 (I):

13 P. Althaus, Artikel Christologie III: RGG³. Bd. I. Tübingen 1957. Sp.
1778: "Die Besinnung des Glaubens auf seinen Grund ist die erste Aufgabe der Christologie".

14 Eine Theologie erhält ihren ganz besonderen Charakter, "wenn sie, wie
die Theologie W. Herrmanns, bewußt und ausschließlich diese eine Fra-

Zu S. 15-17 (I):

ge nach dem letzten Grund unseres Glaubens an Gott zu ihrem Gegenstand macht". W. de Boor, Der letzte Grund unseres Glaubens an
Gott in der Theologie W. Herrmanns: ZThK NF 6 (33), 1925. S. 438.

15 H. Timm, Theorie. S. 97f. 99.

16 Zur Bedeutung der Frage nach dem Glaubensgrund vgl. die Meinung
W. de Boors: "In diesem Suchen nach dem letzten Grund unserer Gewißheit Gottes liegt der eigentliche Quell= und Herzpunkt der Theologie,
von dem her sich alles andere in ihr bestimmt. In der verschiedenen
Art, wie man diesen letzten Grund zu finden meint, wurzelt der eigentliche und wesentliche Unterschied der verschiedenen Theologien, die
ja in ihrem dogmatisch=inhaltlichen Ausbau überraschend ähnlich zu
sein pflegen. Hier fällt daher die eigentliche Entscheidung im theologischen Kampf". W. de Boor, Grund. S. 437. Daß W. Herrmann die
Suche nach dem letzten Grund vor dem Forum der neuzeitlichen Vernunft verantwortet, eine wissenschaftliche Rechtfertigung des Glaubens
erstrebt, um dem Ungläubigen einsichtig zu werden, ist der eigentliche
Gegenstand der Kritik geworden. Hier liegt in der Tat der Herzpunkt
der Theologie. So fragt z.B. L. Ihmels: "Ist es denn überhaupt zu-
lässig, mit der Untersuchung über das Wesen des Glaubensgrundes bei
der Frage einzusetzen, was dem unerlösten Menschen als Glaubensgrund erreichbar ist?" "Ist denn der Grund, der vermeintlich allein
dem unerlösten Menschen zugänglich ist, auch wirklich der von Gott
gelegte Grund, und sodann, ist er wirklich in sich selbst tragfähig?"
L. Ihmels, Die christliche Wahrheitsgewißheit. Leipzig 1914[3]. S. 137.

17 R. Schäfer, Jesus und der Gottesglaube. Tübingen 1970. S. 39.

18 J. Gottschick, "Ohne Christus wäre ich Atheist": ChW 2, 1889. Sp.
461 ff.

19 H. Gollwitzer, Die Existenz Gottes im Bekenntnis des Glaubens: BEvTh
34, München 1963. S. 113. 80. S. 83: "Ist christliche Rede von Gott gegen" die Auslegung des Gottesgedankens bei L. Feuerbach "wehrlos in
dem Sinne, daß sie außerstande ist, sie zu widerlegen durch Vorfüh-
rung ihres Gegenstandes, so wird sie doch in ihrem Protest beharr-
lich sein müssen".

20 K. Schwarzwäller, Theologie oder Phänomenologie: BEvTh 42, München 1966. S. 136.

21 M. Kähler erkannte gegenüber der liberalen Leben-Jesu-Forschung,
daß die Evangelien nicht historische Urkunden sind, aus denen man die
Biographie des Menschen Jesus von Nazareth gewinnt, sondern Glaubenszeugnisse, die im Licht von Ostern her geschrieben sind. Der Auferstandene aber "ist nicht der historische Jesus hinter den Evangelien,
sondern der Christus der apostolischen Predigt, des ganzen Neuen Testaments". M. Kähler, Der sogenannte historische Jesus und der geschichtliche, biblische Christus. Neu hrsg. v. E. Wolf. München 1953.
S. 41.

Zu S. 17 (I):

Aufgrund der historischen Einsichten hat für M. Kähler die Theologie
bei der Verkündigung der Gemeinde zu beginnen. Allein im Glauben
der Gemeinde begegnet Jesus den späteren Menschen. Hinter den Jesus des Neuen Testaments zurückzugehen, ist hoffnungslos. Historisches
kann über Jesus Christus nicht ermittelt werden. Der Mensch ist an
das wahrhaft Geschichtliche an Jesus gewiesen, an seine persönliche
Wirkung. Sie zeigt sich überwältigend in seinem Werk, dem Glauben
seiner Jünger. M. Kähler hat mit dieser Sicht die Voraussetzung für
eine Kerygmatheologie geschaffen, wie sie von R. Bultmann vertreten
wird. In dessen Sinn ist er jedoch nie Kerygmatheologe, weil er in
seinem Gesamtwerk am geschichtlichen Glaubensgrund festhält und
einen entsprechenden Entwurf von Heilsgeschichte vorlegt. Vgl. J.
Wirsching, Gott in der Geschichte. München 1963. Vgl. jetzt vor allem H. - G. Link, Geschichte Jesu und Bild Christi. Die Entwicklung
der Christologie Martin Kählers. Neukirchen-Vluyn 1975. H. - G. Link
weist nach, daß die Auffassung M. Kählers 1892 eine zeitweilige, zudem zugespitzte ist und man seine eigentliche christologische Konzeption meist nicht kennt. Das Ergebnis der sorgfältigen Untersuchung des
christologischen Denkweges M. Kählers ist, daß die Christologie von
der idealistischen Geist- über die Glaubens- und Kerygma- zur Ge-
schichtschristologie verläuft.

22 R. Bultmann, Neues Testament und Mythologie: Kerygma und Mythos.
Hamburg 1948. S. 46 und: Welchen Sinn hat es, von Gott zu reden?:
GuV I. Tübingen 1966[6]. S. 37. Vgl. auch: Das Befremdliche des chri-
stlichen Glaubens: GuV III. Tübingen 1960. S. 206: "Auch das ist das
Befremdliche, wie Karl Jaspers ganz richtig empfindet, wenn er nach
dem Kriterium für die Wahrheit der Offenbarung fragt und es als ein
Skandalon bezeichnet, daß in der Welt ein Anspruch von Menschen im
Namen Gottes erhoben wird, daß ein menschliches für Gottes Wort in
dem Sinne angesehen wird, daß es keiner Prüfung mehr untersteht".

23 W. Pannenberg, Reformation zwischen gestern und morgen: Aspekte
moderner Theologie 7. Gütersloh 1969. S. 16. W. Pannenberg betont
in diesem Vortrag die "Befreiung von aller Autoritätsgebundenheit"
zur Autonomie als "Konsequenz des reformatorischen ((!)) Glaubens",
denn "in der Gottunmittelbarkeit des Rechtfertigungsglaubens ist der
Sache nach tatsächlich mit der Mündigkeit des Menschen auch der Gedanke der Selbstregierung begründet" (S. 20). Bemerkenswert ist zu
diesem Verständnis der Subjektivität die Äußerung K. Rahners: Die
"moderne Haltung" ist "bei allem, was zu ihr im einzelnen kritisch gesagt werden kann und muß, im Grunde christlich". Es folgt die Begründung: "Denn im Christentum und nur in ihm ist der Mensch jenes Subjekt geworden, als das sich der abendländische Mensch gefunden hat,
nur im Christentum ist jeder, auch der Ärmste und Unbedeutendste,
ein absolutes Subjekt von unendlichem Wert und bleibender Gültigkeit

Zu S. 17 - 20 (I):

geworden. Und nur im Christentum konnte durch die Lehre von der radikalen Geschaffenheit der Welt, die dem Menschen als das Material seines Tuns anvertraut ist, die nicht das Wichtigere und Mächtigere, sondern das Dienende und für den Menschen Geschaffene ist, jene Haltung dem Kosmos gegenüber entstehen, die ihn entmythisiert und den Willen legimitiert, die Welt zu beherrschen. Und in einem metaphysischen und theologischen Sinn ist, christlich gesehen, für das Christentum der Mensch immer der gewesen, der sich selbst in der Hand hat, der sein eigentliches und letztes Schicksal bestimmt". K. Rahner, Das Christentum und der "neue Mensch": K. Rahner, Gegenwart des Christentums: Herder-Bücherei Bd. 161. S. 29.

24 G. Ebeling, Theologie und Verkündigung. Tübingen 1963[2]. S. 2.

25 Vgl. zu diesem Problem F. Gogarten, Verhängnis und Hoffnung der Neuzeit: Siebenstern-Taschenbuch 72. München und Hamburg 1966. S. 9: "Es wird uns mit jedem Tag fraglicher, ob der Mensch, der durch die Säkularisierung zum selbständigen Herrn der Welt und seiner selbst wurde, der ihm damit gestellten Aufgabe gewachsen ist, oder ob er, der sie mit dem Pathos und Ethos der Freiheit in Angriff nahm, nicht drauf und dran ist, sich selbst in der schauerlichsten Weise um diese Freiheit zu bringen". W.-D. Marsch, Zukunft: Themen der Theologie Bd. 2. Stuttgart 1969. S. 22: "Denn was die Freiheit des homo faber heute noch wert ist, - das und nicht weniger steht zur Diskussion, wenn man über das Thema 'Zukunft' nachdenkt".

26 G. Hirschauer, Der Katholizismus vor dem Risiko der Freiheit. München 1966. S. 27.

27 G. Ebeling, Wort und Glaube. Tübingen 1962[2]. S. 351.

28 F. Nietzsche, Jenseits von Gut und Böse: Goldmanns Gelbe Taschenbücher Bd. 990. S. 51.

29 G. Ebeling, Wort und Glaube Bd. II. Tübingen 1969. S. 405.

30 A. Schopenhauer meint, daß es dem Nachdenkenden auferlegt sei, deutlich zu machen, "welche Art von Grund er meine. Man könnte glauben, daß, so oft von einem Grund die Rede ist, Jenes sich von selbst ergebe und keine Verwechselung möglich sei. Allein es finden sich nur gar zu viele Beispiele, theils daß die Ausdrücke Grund und Ursach verwechselt und ohne Unterscheidung gebraucht werden, theils daß im Allgemeinen von einem Grund und Begründeten, Princip und Principat, Bedingung und Bedingten geredet wird, ohne nähere Bestimmung; vielleicht weil man sich im Stillen eines unberechtigten Gebrauchs dieser Begriffe bewußt ist". A. Schopenhauer, Der Satz vom zureichenden Grunde: Arthur Schopenhauer's sämtliche Werke. Hrsg. v. E. Griesbach. Bd. III. Leipzig 1891. S. 176.

Es sind vor allem Grund und Folge zu unterscheiden. Daß der Grund des Glaubens nicht mit der Folge des Glaubens verwechselt wird, ist zu be-

Zu S. 22 (I):

tonen angesichts des Insistierens auf der Praxis als dem Prüfstein des Glaubens. Der Glaube hat sich in der Praxis zu erweisen und zu bewähren, doch es muß klar sein, daß die Praxis kein Ersatz zu sein vermag für das Wahrheitsbewußtsein des Glaubens. Auf das Problem der Einheit von Theorie und Praxis kann hier nur hingewiesen werden. Ebenso kann im Rahmen dieses Überblicks die eingeführte Unterscheidung zwischen Erkenntnisgrund und Realgrund nicht ausgeführt werden. Dies geschieht im Zuge der kritischen Interpretation der Gedanken W. Herrmanns.

31   E. Buder, Fides iustificans und fides historica: EvTh 13, 1953. S. 67. Bedenkt man den Glauben als Antwort des Menschen auf die Tat Gottes, so ist in diese Reflexion die Überlegung einzubeziehen, wie weit und wie sehr Gottes Handeln seinerseits Antwort darstellt auf die Frage und Not menschlicher Existenz, so daß der Glaube Antwort der Antwort ist. Gott hat sich des Menschen in der Geschichte erbarmt, ihn als das fragende und suchende Wesen ernst genommen und seine Not zum Heil gewendet, indem er sich in Jesus Christus dem Menschen zuwandte. Damit wird in der Sprache des Glaubens ausgedrückt, daß sich das Lebensgeschick Jesu nicht zusammenhanglos ereignete. Die Geschichte des Menschen ist die Voraussetzung.

Diese Geschichte wiederum gründet in der Geschichte Gottes selbst, denn daß der Mensch fragt ist Ausdruck dessen, daß Gott ist und handelt. Der Mensch fragt als Gefragter und sucht als Gefundener. Solches Verstehen verliert nicht die Einsicht in die Ursprünglichkeit des Handeln Gottes.

32   Die Ausrichtung des Glaubens auf bestimmtes Wissen bewahrt ihn vor Irrationalität. Indem der Glaube in einem bestimmten Wissen gründet, ist er einsehbar und unterliegt der Kritik. Zugleich ist die Einsicht wichtig, daß der Erkenntnisprozeß des Glaubenden immer seine Grenzen hat, was in der Geschichtlichkeit des Erkennens seinen Grund hat. Daß es jeweils Unerkennbares gibt und daß dies der Glaubende bekennt, berechtigt nicht zum Vorwurf der Irrationalität des Glaubens. Das Unerkennbare in allem Erkennen ist nicht das Irrationale, sondern das Transintelligible. Es läßt den Erkenntnisvorgang nie zur Ruhe kommen. Dies weist auf die Offenheit und Zukunft der Wahrheit hin.

Das Bemühen hier, die Einsichtigkeit des Glaubens herauszustellen, charakterisiert nicht den Menschen, der sich vor Gott selbstherrlich behaupten und über die Wahrheit verfügen will. Dem nach dem Glaubensgrund Fragenden geht es nicht um Verfügung und Anmaßung, sondern um Redlichkeit und Klarheit. Dazu aber ist der Glaube durch die Wirklichkeit des Unglaubens genötigt. Der Unglaube und nicht der Glaube scheint die Möglichkeit des Menschen heute zu sein. Das kann man nur leugnen, wenn man Gott a priori als die Macht voraussetzt, die alles umgreift

Zu S. 24 + 26 (I):

und in ihre Gnade nimmt, und wenn außerdem als zweifelsfrei vorausgesetzt wird, daß man es in der konkreten Glaubensforderung christlicher Verkündigung mit diesem Gott zu tun hat. Glaube ist dann die
einzige, Unglaube die ausgeschlossene, unmögliche Möglichkeit. Dieses Denken, das sich bei K. Barth findet, nimmt den Unglauben nicht
ernst. Der Glaube ist "dem Unglauben gegenüber keine bloße Alternative, keine bloße Chance, kein bloßes Angebot. Es steht also dem Menschen nicht erst zur Wahl, ob er sich wohl (o Illusion!) für den Glauben oder für den Unglauben entscheiden wolle. Der Glaube macht die
kompakte Wirklichkeit des Unglaubens zur Unmöglichkeit. Er fegt ihn
weg, er ersetzt ihn durch sich selbst". K. Barth, Die Kirchliche Dogmatik. Bd. IV. Teil 1. Zürich 1953. S. 834.

Im Gegensatz zu K. Barth hat G. Ebeling über den Glauben in seinem
schroffen Gegenüber zum Unglauben nachgedacht. Für ihn hat das theologische Denken den Unglauben ganz ernst zu nehmen, weil er "der einzige Einspruch gegen den Glauben" ist. G. Ebeling, Was heisst Glauben?: SGV 216. Tübingen 1958. S. 17. Der Glaube wird nicht nur zum
Schein negiert, sondern tatsächlich, und diese Negation ist "ebenso wie
der Glaube selbst eine entschiedene Position". G. Ebeling, Wort. S.
396. G. Ebeling kommt zu dieser Einsicht, weil er den Ort des Glaubens, die Welt als Geschichte, konstitutiv im Blick hat. Glaube gibt es
allein als Glaube in der Welt. Die Welt aber ist in der Neuzeit total re-
volutioniert worden durch die menschliche Beherrschung von Natur und
Geschichte. Die mit der Arbeit stiller Gelehrter eingeleitete Entwicklung "scheint sich als Revolution des Unglaubens gegen den Glauben zu
erweisen". Ebd. S. 403. Der Glaube ist vom Unglaube radikal heraus-
gefordert, Glaube gibt es nur noch in der Nachbarschaft von Unglaube.

33   H. Engelland, Gewißheit um Jesus von Nazareth: ThLZ 79, 1954. Sp. 68.
34   H. Engelland, Die Wirklichkeit Gottes und die Gewißheit des Glaubens.
      Göttingen 1966. S. 176.
35   Vgl. zum Verständnis von Gewißheit als ausgelegte und damit als gefähr-
      dete H. J. Rothert, Gewißheit und Vergewisserung als theologisches Pro-
      blem. Göttingen 1963. S. 15 ff. Zur Deutung der Subjektivität als Selbst-
      vergewisserungsprozeß vgl. S. 17: Bei "dem Verhältnis von Gewißheit
      und Vergewisserung ist es ... so, daß sich die Gewißheit ursprünglich
      als vergewissernde vorfindet; jedenfalls dann, wenn sie um sich recht
      Bescheid weiß. Und nur indem sie den Weg der Vergewisserung geht,
      bleibt sie in ihrem Wesen".
36   H. Fischer, Christlicher Glaube und Geschichte. Gütersloh 1967. S. 7.
      Wenn im Folgenden Geschichte im Blick auf das Geschehensein bestimmt
      wird, so ist doch diese Bestimmung nicht ausreichend. Im Blick auf den
      Menschen ist zu bedenken, daß dieser zwar durch die Vergangenheit fest-
      gelegt ist, aber nicht aufhört, das Festgelegte zu überschreiten und neue

Zu S. 27 + 28 (I):

Wege ins Kommende zu gehen. Indem der Mensch sich schöpferisch
verhält, erfährt er die Veränderbarkeit der Wirklichkeit überhaupt.
Die Erfahrung der Wirklichkeit als Geschichte meint ihre Wandelbarkeit. Diese Wandelbarkeit aber läßt die Bedeutung der Zukunft für den
Sinn alles Geschehens erkennen. Weil die Zukunft über Gegenwart und
Vergangenheit entscheidet, gilt die Priorität der Zukunft für das Wirklichkeitsverständnis. Hierbei ist die konstitutive Bedeutung des Gottesgedankens zu reflektieren. Das Geschichtsbewußtsein, das bei den Is-
raeliten entstanden ist, "kann nur als Wirkung ihres Gottesgedankens
verstanden werden". "Die Erfahrung der Wirklichkeit als Geschichte
durch Israel bedeutet, daß erst vom Gott der Bibel her die Wirklichkeit, in der wir leben, so erkennbar geworden ist, wie sie wirklich
ist". W. Pannenberg, Was ist der Mensch?: KVR 139/140. Göttingen
1964[2]. S. 99 f. 101. Das geschichtliche Verstehen der Wirklichkeit vom
Gott der Bibel her, vom Gott Jesu, dessen Gottesherrschaft im Kommen ist, hat in der Neuzeit unter den Bedingungen der Subjektivität zu
geschehen. Jede geschichtliche Erfahrung ist durch das Verhältnis des
Menschen zu sich selbst vermittelt. Vgl. dazu jetzt W. Greive, Praxis
und Theologie: ThEx 184, 1975. S. 14 ff.

37 F. Schleiermacher, Religion. S. 138: "...sucht von innen heraus erst
zu einer allgemeinen Idee darüber zu gelangen was eigentlich das Wesen einer bestimmten Form der Religion ausmacht, so werdet ihr finden, daß gerade die positiven Religionen diese bestimmten Gestalten
sind, unter denen die unendliche Religion sich im Endlichen darstellt,
und daß die natürliche gar keinen Anspruch darauf machen kann etwas
ähnliches zu sein, indem sie nur eine unbestimmte dürftige und arm-
selige Idee ist, die für sich nie eigentlich existieren kann". S. 135:
Die natürliche Religion "hat so philosophische und moralische Manie-
ren, daß sie wenig von dem eigentümlichen Charakter der Religion
durchschimmern läßt".

38 E. Hirsch, Geschichte der neueren evangelischen Theologie. Bd. V.
Gütersloh 1954. S. 625.

39 G. Ebeling, Verkündigung. S. 20.

40 A. Ritschl, Rechtfertigung und Versöhnung. Bd. III. Bonn 1895[4]. S. 377.

41 Vgl. J. Gottschick, Luthers Theologie: ZThK 24, 1914. Erg. Heft 1.
S. 28: "Der Gedanke, daß man mit der Menschheit Christi ' von unten,
nicht von oben anheben ' muß, um ' Gott zu erkennen ', wird erst durchgeführt, wenn man zur Menschheit Christi den Glauben an seine Gottheit nicht schon mithinbringen muß.... Aber in seiner geschichtlichen
Lage haben Luther diese Konsequenzen ganz fern gelegen".

42 C. H. Ratschow, Der angefochtene Glaube. Gütersloh 1960[2]. S. 247.
Zum Verständnis des angefochtenen Glaubens in der modernen Situation
vgl. P. Tillich, Der Mut zum Sein. Stuttgart 1964[5]. S. 33 ff. 102 ff. An
die Sicht P. Tillichs - am Ende des modernen Zeitalters "herrscht die
Angst der Leere und der Sinnlosigkeit" (S. 49) - knüpft das Folgende an.

Zu S. 28 (I):
Zu S. 30 - 34 (II):

43 Unsere Situation darf in ihrer spezifischen Herausforderung nicht durch
unkritische dogmatische Aussagen überspielt werden. Das bedeutet in
der Sache vor allem, daß die Umkehrung des Denkens von ' unten '
nach ' oben ' nicht vorschnell theologisch vollzogen wird. Diese Umkehrung kann letztlich nur eschatologisch begriffen werden. Die theologische Notwendigkeit einer solchen Umkehrung wird durch die Unterscheidung von Erkenntnis- und Realgrund zum Ausdruck gebracht, sofern eine Theorie des Realgrundes Gott als unverfügbare, gegenwärtige Macht der Wirklichkeit in seiner eschatologischen Vorgegebenheit
bestimmen kann.

Zu S. 30 - 34 (II):

1 G. Ebeling, Verkündigung. S. 76.
2 P. Fischer-Appelt, Metaphysik. S. 163f.
3 H. J. Rothert, Gewißheit. S. 100.
4 Diesen kritischen Ansatz bei W. Herrmann nimmt V. Brecht zu wenig
wahr. Das hat Folgen für seine Interpretation. So arbeitet er in der
Herrmannschen Grundlegung der systematischen Theologie von 1879
die Bedeutung des Selbstgefühls heraus, ohne zugleich die Berufung
auf die objektive Offenbarung als "ein äußeres Ereignis" (R, 365) in
ihrer kritischen Funktion zu betonen. Bleibt nicht Jesus als "Factum
der Vergangenheit" "das entscheidende Moment für die persönliche
Selbstgewißheit", "wir verlieren uns kraftlos im Schein" (R, 373). Dem
geschichtlichen Christus hat daher jeder selbst zu begegnen, der unabhängig von den subjektiven Erlebnissen wirklich ist (R, 399). Der Einzelne darf sich für die Wahrheit seines Glaubens an Jesus nicht auf die
Behauptungen und Gefühle anderer stützen. Wenn er selbst Jesus erlebt, kommt es auf die Wirklichkeit der Person Jesu an. Die Objektivität der Offenbarung und das eigene, selbständige Urteil hat W. Herrmann nahezu in seinem ganzen Werk betont. Vgl. z. B. I, 165: Der Irrtum ist abzuwehren, "der Mensch könne sich dadurch helfen, daß er
sich mit einem Opfer seines Urteils den Versicherungen der Gläubigen
unterwirft". I, 168: Weil uns das Neue Testament den Christus des
Glaubens verkündigt, "kann uns diese Verkündigung, wenn wir uns ihr
überlassen, allein nicht gegen den Zweifel schützen, daß wir unsern
Glauben auf etwas gründen wollen, was vielleicht gar nicht geschichtliche Tatsache, sondern Erzeugnis des Glaubens ist". W. Herrmann
weiß sich in seinem Insistieren auf den geschichtlichen Jesus selbst
als Tatsache der Geschichte dem modernen Wahrheitsbewußtsein verpflichtet. "Eben dies steht auch hinter seiner Ablehnung der Christologie Kählers, insofern dieser den erhöhten Christus... zum ' Grund des
Glaubens ' erklärt". D. Lange, Wahrhaftigkeit als sittliche Forderung
und als theologisches Prinzip bei Wilhelm Herrmann: ZThK 66, 1969.
S. 89. Zur Position V. Brechts vgl. Anm. 8 unten.

Zu S. 35 (II):

5   Diese zitierten 'christologischen Kernstellen', die ohne Schwierigkeit
    ergänzt werden können, entstammen dem Zeitraum von 1879 bis 1918!
    Zu ihrem genauen Verständnis bedarf es der Kontextinterpretation. Das
    Gewicht der einzelnen Äußerungen für den Gesamtduktus der Herrmann-
    schen Argumentation kann an dieser Stelle noch nicht ermessen werden.
    Die Wucht des christologischen Arguments bei W. Herrmann belegen
    aber die zitierten Äußerungen in überzeugender Weise. Vgl. die Fest-
    stellung L. Ihmels, Wahrheitsgewißheit. S. 140: "Auch Herrmann hat
    sich mit vollem Rechte an der energischen Vertretung seines durchaus
    berechtigten Grundsatzes, daß wirkliche Gottesgewißheit an die Gewiß-
    heit um die Person Christi gebunden sei, nicht dadurch irre machen
    lassen, daß er den Vorwurf des Methodismus und ähnliche Anklagen hat
    hören müssen".

6   K. Barth, Prinzipienlehre. S. 273.

7   J. M. Robinson, Problem des Heiligen Geistes. S. 95. 94. J. M. Robin-
    son sucht das Denken W. Herrmanns zu erschließen, indem er von dem
    Problem des Heiligen Geistes bei W. Herrmann ausgeht und dieses zu
    einem Teil anhand der Christologie darstellt. "Er wollte den Heiligen
    Geist als den Geist Christi verstehen, und deswegen spricht er vom 'in-
    neren Leben Jesu' und der 'geschichtlichen Person Jesu' und nicht vom
    'Heiligen Geist'. Aber weil sich die Wirkung des Heiligen Geistes nach
    Herrmann ausschließlich in der menschlichen Vernunft und im mensch-
    lichen Willen vollzieht, soll sie sich durch die Begriffe der Erkenntnis-
    theorie und der Ethik erklären lassen. Herrmann will diese Wirkung
    des Heiligen Geistes einerseits streng auf die geschichtliche Person Je-
    su beziehen, und andererseits will er sie in menschlichen 'Bewußtseins-
    vorgängen' und 'Willensentschlüssen' ausdrücken. Innerhalb dieser Be-
    ziehungen und dieser Spannung liegt die Problematik der Herrmannschen
    Theologie" (S. 15).

8   Im Folgenden wird diese Behauptung belegt, indem die Vielfalt der Mei-
    nungen dargestellt wird. Zugleich wird der Versuch einer Systematisie-
    rung unternommen. Keine der Arbeiten über W. Herrmann hat sich die
    Christologie besonders zum Gegenstand gemacht, sondern sie anderen
    Themata mehr oder weniger deutlich untergeordnet oder auf bestimmte
    Schriften beschränkt.
    Inzwischen hat V. Brecht die Christologie besonders untersucht, aller-
    dings noch auf bestimmte Schriften konzentriert. V. Brecht, Christolo-
    gie. S. 40 ff. Sein Ergebnis lautet, daß sie nicht für das Gesamtwerk kon-
    stitutiv und W. Herrmann mit ihr letztlich gescheitert sei (S. 194). Ihre
    kritische Beurteilung kann nur angemessen geschehen, wenn die Unter-
    suchung damit Ernst macht, "daß Herrmanns theologisches Denken in
    verschiedenen Phasen verläuft" (S. 40). Wird die theologische Entwick-
    lung in vier Phasen gesehen: 1876 - 1884; 1884 - 1900; 1901 - 1909;
    1911 - 1921 (S. 41 f), so speziell die christologische im Blick auf die Be-

Zu S. 35 (II):

Bedeutung des Offenbarungsbegriffs in drei Phasen: 1876-1892, 2. Auf-
lage des "Verkehrs"; hier "ist eindeutig Jesus der einzige Träger der
Offenbarung. Das zweite Stadium beginnt mit dem Aufsatz von 1891 'Die
Buße des evangelischen Christen' und reicht bis etwa... 1909. Hier tritt
infolge der Abkehr vom Wechselverhältnis Sittlichkeit - Religion und der
Vertiefung in den Lebensvorgang der Religion immer mehr die Bedeutung sittlicher Güte hervor. Träger der Offenbarung sind nun sowohl
Menschen in ihrem sittlichen Verkehr untereinander als auch Jesus".
Von 1911 an "tritt die Bedeutung Jesu als Offenbarungsträger immer
mehr zurück, so daß nicht mehr deutlich wird, wozu Jesus für die Glaubensbegründung überhaupt noch notwendig ist" (S. 182). Die Christologie wird "ein unwesentlicher Appendix", sie ist überflüssig (S. 177).

Die Schrift: "Der Sinn des Glaubens an Jesus Christus in Luthers Leben" von 1918 wird als "Gelegenheitsschriftchen" abgewertet (S. 178).
Da andere wichtige Schriften der Spätzeit überhaupt nicht beachtet werden (vor allem: "Die mit der Theologie verknüpfte Not der evangelischen
Kirche und ihre Ueberwindung" von 1913), fehlt die Einsicht, daß W.
Herrmann bis zum Schluß sich um das christologische Thema bemüht
und es nicht als überflüssig ansieht (ChW 32, 1918. S. 293!). Sehr klar
hat aber V. Brecht erkannt, daß die Bedeutung Jesu für die Glaubensbegründung nicht mehr nachgewiesen werden kann. Für bestimmte Schriften gilt auch, daß Jesus überhaupt überflüssig geworden ist. Das trifft
aber nicht die Gesamtintention. Die offensichtliche Aporie in der Explikation der christologischen Gedanken im Spätwerk ist in ihren Voraussetzungen nicht genügend erkannt.

Kritisch muß die These von der Wende um 1891 gesehen werden. Dieses Jahr markiert für V. Brecht "einen Wendepunkt in Herrmanns theologischer Entwicklung" (S. 115). Zu der These kommt er durch den Vergleich der beiden Aufsätze: "Grund und Inhalt des Glaubens" (1890) und
"Der geschichtliche Christus der Grund unseres Glaubens" (1892), der
im Zentrum der Arbeit V. Brechts steht (S. 65-116). Dieser Vergleich
trägt nicht für eine ausgewogene Gesamtbeurteilung. Das wird schon daran deutlich, daß die 2. Auflage des "Verkehrs" von 1892 in Spannung
zu dem Aufsatz über den geschichtlichen Christus steht. Hier einfach
von einem überholten Ansatz zu sprechen (S. 41), verbietet sich deshalb,
weil erst in der 5. Auflage des "Verkehrs" von 1908 die gewichtigen Änderungen nachzuweisen sind, die den Bedeutungsverlust des geschichtlichen Christus belegen. Die Änderungen in der 2. Auflage zeigen gerade die Verstärkung der Christologie durch die ausführliche Thematisierung des inneren Lebens Jesu. (S. 45 ff). In der 1. Auflage von 1886 wird
in erster Linie betont, daß es Gewißheit des Glaubens nicht durch eine
Lehre, vielmehr durch die geschichtliche Tatsache der Person Jesu gibt.
"Unsere Gewissheit von Gott wurzelt in dem einfachen Faktum, dass wir

Zu S. 35 (II):

in Jesus einen Menschen antreffen, der Recht behalten muss gegenüber der Welt" (S. 26f). Wohl nennt W. Herrmann die "persönliche Haltung Jesu" (S. 27), doch das "innere Leben Jesu" als zentraler Begriff fehlt noch. Dieser wird erst um 1890 eingeführt. Der Gedanke des persönlichen, inneren Lebens Jesu trägt die Christologie der neunziger Jahre.

W. Herrmann stellt 1898 fest: "Unser Heil liegt ganz und gar in dem ernsthaft durchlebten Verhältnis zu Personen". Zugleich betont er, daß Christus als unvergleichliche Kraft "uns gegenwärtig in unsrer besondern Existenz erlöst" (GA, 337). Die Menschheit empfängt ihr Bestes aus der christlichen Überlieferung! Die Frage ist nur, wie wir Jesus selbst erleben können. "Ich habe auf diese Frage keine andre Antwort als die, die ich seit langer Zeit gegeben habe... vgl. z.B. Verkehr des Christen mit Gott, zweite Auflage, S. 66 und 67. Wir müssen auf die christliche Ueberlieferung horchen mit einem Herzen, das seine eigne Not sich nicht verschleiern will und nach Gott fragt.... Wir können nur hoffen, daß er ((der Mensch)) nicht bloß eine Ueberlieferung sehen wird, sondern Jesus selbst; aber ihn dazu zu bringen, ist nicht in unsrer Macht"; "wem ((aber)) die Person Jesu eine von ihm selbst gesehene Tatsache geworden ist, dem tritt alsbald Gott in dieser Tatsache nahe" (GA, 338). "Christen erkennen sich daran, daß sie sich gegenseitig eine solche Bekanntschaft mit dem innern Leben Jesu und die tiefste Ehrfurcht vor ihm abmerken" (GA, 339). Die Christologie des "Verkehrs" von 1892 wird auch in anderen Schriften später bestätigt. Daß W. Herrmann die Bedeutung sittlicher Güte im mitmenschlichen Verkehr herausstellt, hat noch nicht den Bedeutungsverlust der Person Jesu zur Folge.

Ebenso kann nicht einfach gesagt werden, wie V. Brecht es tut: "Die Bedeutung sittlicher Güte ist eine Entdeckung Herrmanns aus den neunziger Jahren" (S. 160). Er spricht von ihr seit der ersten Hauptschrift von 1879: R, 396ff! V, 1. Auflage, 43. I, 118! Gewißheit, 33ff! Es trifft aber zu, daß erst nach 1891 (GA, 33ff) die ganze Bedeutung der sittlichen Güte im mitmenschlichen Verkehr für die Selbstbesinnung erkannt und ausgearbeitet wird. Das Hauptgewicht legt jedoch W. Herrmann letztlich auf das individuelle Selbst.

Die Problematik der Christologie in der Theologie W. Herrmanns, wie sie V. Brecht gesehen hat und ihn zu dem Urteil führt, letztlich sei Christus für W. Herrmann überflüssig, spürt G. Kruhöffer nicht auf. G. Kruhöffer. Geschichtliche Christus. S. 5ff. Für ihn ist der christologische Ansatz bis zum Schluß konstitutiv, denn man wird "schwerlich nachweisen können, daß der geschichtliche Christus für die späte Theologie Herrmanns kaum noch Bedeutung habe". (S. 66). Zu diesem Urteil kommt G. Kruhöffer, weil er "die Frage nach verschiedenen Epochen in Herrmanns

Zu S. 35 - 36 (II):

Schaffen unberücksichtigt" läßt (S. 8). Dies kann man nicht damit begründen, daß die bisherigen Versuche zu sehr unterschiedlichen Ergebnissen gekommen sind, zumal G. Kruhöffer selbst auf Veränderungen im Denken W. Herrmanns hinweist. Der entscheidende Vorzug seiner Arbeit ist es, daß er die Intention (!) W. Herrmanns sehr geschlos-
sen darstellt. Ihr gelingt es, zusammenhängend die Bedeutung des geschichtlichen Christus für die Begründung und Entfaltung der Christologie zu zeigen.

Auf die Problematik des christologischen Ansatzes durch seine Verankerung im sittlichen Horizont wird hingewiesen durch den Vergleich des
"Anfangs des Glaubens" in der Wirklichkeit des Sittlichen mit der "Vollendung des Anfangs" im christlichen Glauben an Jesus (S. 63, 194f. u. ö.).
Auch im Anfang ist Religion verwirklicht. "Christlicher Glaube hat dieselbe Struktur wie der Anfang des Glaubens" (S. 63). Es gibt kein quali-
tativer Unterschied, denn der Mensch erfährt auch am Anfang die Nähe
Gottes. Bedeutet dies, wenn es die Meinung W. Herrmanns trifft, nicht
letztlich die Überflüssigkeit seiner Christologie?

9 T. Mahlmann, Religion. S. 75. Die Bedeutung des christologischen Ar-
guments hebt T. Mahlmann jedoch später hervor, indem er 1967 in einem Artikel über W. Herrmann auf die Tatsache hinweist, daß die Betonung der Person Jesu eine heftige Spannung in W. Herrmanns Denken
bringt! "Sein entschiedenes Bekenntnis lautet, daß christlicher Gottesglaube durch Jesus von Nazareth, als seinen 'Grund' vermittelt ist ...
Herrmann bringt mit dieser für ihn als Christen einzig möglichen Konsequenz aus der geschichtlichen Bedingtheit des Glaubens eine heftige
Spannung in seinen Entwurf". T. Mahlmann, Wilhelm Herrmann: Tendenzen der Theologie im 20. Jahrhundert. Hrsg. von H. J. Schultz. Stuttgart Berlin 1967. S. 42. Die Meinung, bei W. Herrmann sei die Christologie nicht entscheidend, findet sich jetzt bei D. Schellong, Bürgertum
und christliche Religion: ThEx 187, 1975. S. 91: W. Herrmanns christologische Aussagen sind "durchweg blaß und vage". "Im Grunde galt seine
ganze Leidenschaft den Vorüberlegungen, wo und wie Religion entsteht,
möglich wird und wirklich ist. Theologie löst sich auf in Prolegomena
zur Theologie".

10 W. Schütz, Grundgefüge. S. 46.

11 Ebd. S. 34.

12 Ebd. S. 35. 31. Vgl. S. 44. 53. W. Schütz hat vor allem versucht, das
"Verhältnis der auf Objektivität und Subjektivität hindrängenden Linien"
der Herrmannschen Theologie herauszuarbeiten und so die "wichtigen
Stadien der Entwicklung" dieser Theologie aufzuweisen (S. 3). Bei der
Untersuchung der Herrmannschen Erkenntnistheorie in der Schrift "Die
Religion im Verhältnis zum Welterkennen und zur Sittlichkeit" gelangt
er zu dem Resultat, daß hier ein erlebnismäßiger Subjektivismus und

Zu S. 36 (II):

ein religiöser Individualismus "in die strenge, transzendentallogisch
fundamentierte Objektivität und Allgemeingültigkeit des kritischen Denkens" einströmt. Mit der "Kombination eines subjektiven und eines individuellen Prinzips... ergibt sich eine eigentümliche innere Spannung".
W. Herrmann betont die Fundierung der Religion durch das Erlebnis.
Religion erweist sich damit als Realität. "Mit der starken Betonung dieses subjektivistischen Momentes hängt es aber zutiefst innerlich zusammen, daß dieser extreme Subjektivismus nur als Individualismus erscheinen kann" (S. 19). Das Problem der Theologie W. Herrmanns
taucht von Anfang an auf. "In der notwendigen Spannung der beiden stets
nebeneinanderstehenden, innerlich berechtigten religiösen und theologischen Interessen, des Wirklichkeitsinteresses, das auf den Erlebnis-
standpunkt drängt, und das Allgemeingültigkeitsinteresse, das über das
subjektivistische Moment hinauskommen will, ist das Realitätsbedürf-
nis, die Betonung der Souveränität der Wirklichkeit so stark empfunden,
daß der Subjektivismus als Individualismus die Gefahr der Herrmann'
schen Theologie zu werden droht" (S. 19 f). Die Untersuchung der Haupt-
periode des Herrmannschen Denkens stellt heraus, daß an die Stelle der
theologischen Analyse der Religion mit ihrer apologetischen Tendenz
"das Interesse an dem Erwachen und der psychologischen Genesis der
Religion, die Behauptung ihrer spezifischen Eigenart getreten" ist (S.
39). Der Glaube wird als machtvoll hereinströmendes, befreiendes Erlebnis geschildert, das fromme Selbst als individuelle, von dieser Macht
ergriffene Lebendigkeit begriffen. Damit wird der Subjektivismus verstärkt als Individualismus ausgelegt (S. 42). Von der Einsicht in die lebendige Aktualität des Glaubens aus hat W. Herrmann "ein Verständnis
des Irrationalismus gewonnen" (S. 43). Hat sich bei dem Verstehen von
Religion das individualistische Element durchgesetzt, so ist er "zu keiner letzten Lösung gekommen". W. Schütz betont: "Die grundlegende
Frage nach der Schrift und dem Wort Gottes hebt hier erst an" (S. 61).

13 J. M. Robinson, Problem des Heiligen Geistes. S. 94. 16.
14 Ebd. S. 70. Damit entlarvt J. M. Robinson den Wandel im Denken W.
Herrmanns als einen Scheinwandel. Die auffälligen Veränderungen wären dann so zu erklären, daß sich die christologischen Aussagen immer
dem anpassen, was in der Zeit jeweils zu sagen möglich ist. Als die Geschichtlichkeit Jesu nach 1900 radikal in Frage gestellt wurde, hat W.
Herrmann entsprechend darauf reagiert (vgl. S. 68 ff). Der Verzicht
auf Jesus ist W. Herrmann leicht gefallen, denn wenn der Mensch den
Geist Gottes selbst findet, "braucht Christus nicht mehr dem nach Erlösung suchenden Menschen verständlich - bzw. geschichtlich - zu sein"
(S. 70). Im Prinzip hat er der Person Jesu nie bedurft. Wenn Christus
in den letzten Schriften "noch genannt wird, geschieht es mit einer Unverbindlichkeit und Beiläufigkeit, die nur den Ueberrest eines längst
nicht mehr beherzigten Systems darstellt" (S. 60). Immerhin spricht

Zu S. 36 (II):

J. M. Robinson hier von einem längst nicht mehr beherzigten System,
d. h. ursprünglich bedeutete Jesus doch viel für W. Herrmann. Tatsächlich findet sich in seiner Herrmann-Interpretation der Nachweis,
daß das Frühwerk vom christologischen Ansatz bestimmt ist, der sonst
im Gesamtwerk immer mehr verschwindet.

J. M. Robinson konstruiert in christologischer Hinsicht eine Differenz
zwischen dem ersten Hauptwerk von 1879 "Die Religion im Verhältnis
zum Welterkennen und zur Sittlichkeit" und dem zweiten von 1886 "Der
Verkehr des Christen mit Gott". Im Anschluß an die 1886 geäußerte
Auffassung W. Herrmanns, daß es darauf ankomme, daß Jesus ein Bestandteil unserer eigenen Existenz werde, wird festgestellt: "Wenn man
früher Herrmann so zu verstehen meinte, daß die Besinnung auf unsere
geschichtliche Existenz durch die geschichtliche Offenbarung Christi her-
vorgerufen wurde, hat man ihn jetzt entschieden in dem Sinne zu verstehen, daß die Geschichtlichkeit Christi nur durch die Betonung der Geschichtlichkeit unserer Existenz in den Vordergrund getreten ist" (S.
35 f). In der weiteren Interpretation wird jedoch die Ansicht W. Herrmanns zitiert, daß der Glaube an die göttliche Fürsorge in der eigenen
Existenz "allein durch das geschichtliche Faktum der Erscheinung Jesu
Christi begründet wird" (S. 40; zitiert nach "Verkehr" 1. Auflage S. 205).
Trotzdem urteilt J. M. Robinson, daß W. Herrmann "die geschichtlichen
Wurzeln des Christentums aus der Theologie eliminiert" (S. 41). Zu diesem Urteil kommt er, weil für ihn mit dem Ansatz beim Selbst des Menschen letztlich die Vergöttlichung der menschlichen Existenz gesetzt ist,
damit die Vermenschlichung Gottes. "Indem der Mensch seine geschichtliche Existenz behauptet, zieht er den Geist Gottes in die Geschichte her-
ein und schafft damit eine Begegnung. Indem der Mensch seine eigene
Geschichte vergöttlicht, vergeschichtlicht er Gott. Indem der Christ in
seiner Geschichte 'mit Gott verkehrt', kann Gott erst mit ihm verkehren"
(S. 41). Die Differenz zwischen 1879 und 1886 sieht er also deswegen, weil
für ihn der christologische Ansatz keinen anderen neben sich duldet.
Alles ist vom christologischen Ansatz aus zu sehen, weil sonst "die biblische Kluft zwischen Schöpfer und Geschöpf, zwischen Gott und Mensch,
allzu leicht verwischt wird" (S. 21). Nun findet sich aber der betonte Ansatz beim Selbst nicht erst 1886. Von Anfang an bestimmt W. Herrmann
die Einsicht, daß das Thema der Christologie nur relevant ist, wenn es
unter den Bedingungen der Subjektivität überzeugend expliziert wird.
Ebenso gilt für ihn auch nach 1886, daß Jesus von Nazareth "in sich
selbst etwas von entscheidender Bedeutung darstellte" (S. 29). Diese
Arbeit wird dies belegen.

J. M. Robinson versteht W. Herrmann in seinen Schriften nach 1886
als den Theologen, der trotz der Berufung auf Jesus, die sich in seinem Frühwerk eindeutig angesichts der Gefahr der orthodoxen und li-

Zu S. 36 + 37 (II):

beralen Geistestheologien findet, die anthropologische Verengung und
"Entchristlichung der Theologie" (S. 30) nicht aufhalten kann, weil mit
"der Verdrängung der geschichtlichen Person Christi durch sein 'Bild'"
die Ersetzung der "Sündenvergebung durch unser 'Erlebnis'" die Folge ist (S. 34). Ist in der Tat das "Verständnis oder Bild einer Person,
so lebenstreu es sein mag", "eine Idee", nämlich eine Konstruktion,
"und nicht die Person selbst" (S. 32), so verkennt J. M. Robinson für
seine Urteilsbildung, daß jede Erkenntnis des objektiv Gegebenen die
konstruktive Tätigkeit des Subjekts impliziert. W. Herrmann sucht
selbst die Problematik der kantischen Erkenntnistheorie hinter sich
zu lassen, indem er von der praktischen Voraussetzung jeder wissenschaftlichen Erkenntnis ausgeht (R, 34). "Die grundlegende Hypothese
der wissenschaftlichen Naturerklärung, die Hypothese von der Begreif-
lichkeit der Natur, ist nur möglich für fühlende und wollende Wesen"
(R, 35). Daher ist nicht die Denkbarkeit, sondern die Erlebbarkeit der
letzte Grund der Gewißheit, und das entscheidende Objektive dieser
Welt, die Realität Gottes in Jesus, wird ohne Konstruktion gewonnen.
Die zweifellose Macht Jesu überwindet den Menschen im unmittelbaren
Erleben. Das Erlebnis der Wiedergeburt, das im Erleben Jesu geschieht, widerstreitet aller sonstigen Erfahrung, "was also nicht konstruiert, sondern nur erlebt werden kann" (E, 83). Es ist "das unleugbar Wirkliche" (E, 96), das "unabweisbar über uns kommt", weil Jesus selbst wirkt und nicht eine "auf noch so gründlicher Kritik fussen-
de historische Konstruktion des wirklichen Hergangs" des Lebens Jesu
(E, 104). W. Herrmann meint, mit dieser Auffassung, die das Erleben
der Macht Jesu als unabweisbares Widerfahrnis von dem Konstruieren
als dem menschlichen Vermögen abgrenzt, den Geist Gottes und nicht
den Geist des Menschen zu erweisen. Immerhin erkennt J. M. Robinson
diese Intention. "Es ging ja Herrmann in der Tat um Gott, d. h. um
den Gott, der in uns Glauben schafft" (S. 14). Zu einer angemessenen
Würdigung des Herrmannschen Denkens kommt es insofern nicht, als
jeder Versuch, Gott unter den Bedingungen der Neuzeit zu erweisen,
von vornherein diskreditiert wird. Vgl. dazu die aufschlußreiche Äußerung: "Bei Ritschl sah er ((sc. W. Herrmann)) die Gefahr des Moralis-
mus und wollte darum den ethischen Schluß aus der theologischen Beweisführung 'zunächst' nicht ziehen. Doch alle derartigen Symptome
einer durchgreifenden Kritik der Theologie der Neuzeit sind nur Augen-
blickserscheinungen in Herrmanns Denken, die hin und wieder aufleuch-
ten, aber nie zu einer Gesamtschau vereinigt und in ihrem gemeinsamen Wesen verstanden werden" (S. 14). Unter dieser Sicht leidet auch
die Darstellung der Christologie bei W. Herrmann, so sehr sie wichtige Einsichten vermittelt.

15 P. Fischer-Appelt, Metaphysik. S. 209 f. 211.
16 Ebd. S. 44.

Zu S. 37 + 38 (II):

17 Ebd. S. 213.

18 J. M. Robinson, Problem des Heiligen Geistes. S. 80 ff.

19 J. Moltmann, Theologie der Hoffnung: BEvTh 38, München 1965[2]. S. 51

20 H. Gollwitzer, Existenz. S. 52 ff.

21 W. de Boor, Artikel Wilhelm Herrmann: RGG[2]. Bd. II. Tübingen 1927. Sp. 1838.

22 W. de Boor, Der letzte Grund unseres Glaubens an Gott in der Theologie W. Herrmanns: ZThK NF 7 (34), 1926. S. 38 f. 52. 61. W. de Boor stellt das Verständnis der Religion bei W. Herrmann im ersten Stück seiner Arbeit ohne die christologischen Aussagen dar (ZThK NF 6 (33), 1925; s. Anm. 12). Doch im zweiten Stück wird die Christologie als das zentrale Thema eingeführt. Gerade "das erste Stück ist Peripherie, deren Geltung nur in ihrer Bezogenheit auf das bisher noch nicht besprochene Zentrum liegt" (S. 38). Dieses Zentrum ist Gottes Offenbarung in Jesus Christus (S. 45 ff.). "Der Sache selbst nach ist das zweite Stück das erste, denn es zeugt von der Anrede Gottes, die den Theologen schafft" (S. 39).

23 J. Schniewind, Antwort an Rudolf Bultmann: KuM I[5]. S. 81.

24 E. Kinder, Das vernachlässigte Problem der "natürlichen" Gotteserfahrung in der Theologie: KuD 9, 1963. S. 318.

25 H. Timm, Theorie. S. 119.

26 Ebd. S. 122.

27 Vgl. dazu K. Barth, Prinzipienlehre. S. 246 ff. R. Bultmann, Zur Frage der Christologie: GuV I, Tübingen 1966[6]. S. 85 ff.

K. Barth versteht sich als Schüler W. Herrmanns, und zwar als "eines wirklichen Meisters wirklicher Schüler". Die Interpretation dieses Verständnisses ist eigenwillig. "Mir stellt es sich so dar, daß ich mir von Herrmann etwas Grundlegendes habe sagen lassen, das, in seinen Konsequenzen verfolgt, mich nachher nötigte, so ziemlich alles Übrige ganz anders zu sagen und schließlich sogar jenes Grundlegende selbst ganz anders zu deuten als er. Und dennoch hat er es mir gezeigt" (S. 247). K. Barth hat sich von W. Herrmann sagen lassen, daß Offenbarung nur als Selbstoffenbarung begriffen werden kann. Aber während dieser das Selbst als Selbst des Menschen in seiner Erlebnisfähigkeit beschreibt, nämlich die Subjektivität des Individuums, das wahrhaftig werden soll (S. 255), denkt K. Barth zuende das, ist "es einmal gedacht", sich nicht mehr "unschädlich machen läßt" (S. 264): "die unaufhebbare Subjektivität Gottes" (S. 265). Ein "ganz anderes 'Selbst' ist dann auf den Plan getreten mit seiner 'Wahrhaftigkeit', ein Apriori der sog. Religion wird sichtbar oberhalb alles Erlebten und Erlebbaren" (S. 265). Gott selbst in seinem Wort als "unaufhebbares Subjekt" ist "in keinem Sinn als Setzung unseres Bewußtseins, sondern als der sich selbst Setzende gegenüber unserem Bewußtsein und seinen Setzungen" zu verste-

Zu S. 38 (II):

hen (S. 269). K. Barth begreift sich im Anschluß an W. Herrmann in der Weise, daß er die Herrmannsche Betonung der Subjektivität so radikalisiert, daß die göttliche Subjektivität unbedingte Voraussetzung der menschlichen ist. Offenbarung als Selbstoffenbarung heißt, daß Gott "exklusiv durch sich selbst erkennbar ist" (S. 265). Dieser Gott beansprucht den Menschen. "Darum und dann fragt der Mensch nach seinem 'Selbst', weil und wenn es Gott gefällt ihm sich 'Selbst' zu erkennen zu geben, weil und wenn Gottes Wort zu ihm gesprochen ist" (S. 267). Die Verwirklichung freier Subjektivität ist allein von Gott her zu denken. Wird Gott selbst nie in der Macht des Selbst des Menschen erfaßt, so auch nicht in der Macht des Menschen Jesus. K. Barth grenzt sich christologisch wie theologisch von W. Herrmann ab. Es war W. Herrmanns Meinung, "bei der er sich, wie es scheint, nicht mit Unrecht auf Luther berufen konnte: 'daß wir in der Macht des Menschen Jesus über uns den auf uns wirkenden Gott selbst erfassen' ((D, § 55)). Das ist monophysitisch und das ist unmöglich. In der Macht des Menschen Jesus als solcher 'erfassen' wir nie und nimmer Gott selbst" (S. 273). Die Wendung gegen W. Herrmann ist hier scharf. Zwar weist sich das Herrmannsche Denken in seiner Gebundenheit an Jesus positiv aus (S. 273. 277), doch der Grundgedanke der Christologie ist abzulehnen, weil er die Möglichkeit der Begründung des christlichen Offenbarungsglauben enthält. Gott ist die unaufhebbare Alternative zum Menschen, auch zu dem Menschen Jesus. Den Sachverhalt, daß die Person Jesu der Logos Gottes ist, hat man als "Anfang, Grund, Voraussetzung" anzusehen, ihn "kann man nicht erst nachträglich auf Grund entsprechender Erlebnisse feststellen, wie es nach Herrmanns Christologie... sein soll". "Außer dem Weg von oben nach unten gibt es überhaupt keinen Weg" (S. 274). Der Weg zur Religion bei W. Herrmann wird verworfen, weil er zu einer Existentialisierung der Rede von Gott führt. Gott als der sich gegenüber dem menschlichen Wollen selbst Setzende wird nicht ernst genommen. Für K. Barth hat W. Herrmann trotz der christologischen Konzentration Gott nicht die Ehre gegeben, indem er "das klaffende Loch der Unbegründbarkeit der Religion" "durch das 'individuelle Erleben' " ausgefüllt hat (S. 269). Wenn K. Barth aber auch sagt, daß W. Herrmann "eben doch" mit dem erhöhten Christus anfängt (S. 274) und Gott die Ehre gibt, dann versteht er ihn so, wie er es eigentlich gemeint, aber gerade nicht gesagt habe. Daß Religion erst oberhalb alles Erlebbaren sichtbar wird, hat er gerade nicht gesagt, er meinte aber, Gott selbst zur Geltung zu bringen (S. 269: Man muß erkennen, daß W. Herrmann "etwas anderes sagen wollte, als er gesagt hat".). Diese Intention sieht K. Barth in den späteren Äußerungen deutlicher. Sie sind geprägt von dem Wissen um "das Insichselbst-Gegründetsein der christlichen Wahrheit" (S. 267). Betont W. Herrmann, daß der Mensch vor Gott wehrlos und hilflos ist, findet er die Zustimmung K. Barths (S. 268).

Zu S. 38 (II):

Weil R. Bultmann wie K. Barth davon ausgeht, daß die Bewegung des
Glaubens "das gehorsame Hören des Wortes" ist (S. 90), setzt er sich
kritisch mit seinem "treu verehrten Lehrer W. Herrmann" (S. 101)
auseinander. Dieser hat ein unmittelbares Vertrauensverhältnis zu Jesus im Erleben behauptet, das aber unmöglich ist, weil Jesus "für uns
als Du im Sinne eines Mitmenschen vergangen" ist (S. 106). In dem Bestreben, die Bedeutung Jesu vor Augen zu führen, erliegt W. Herrmann der Gefahr, das innere Leben Jesu "als ein vorfindliches Faktum hinzustellen, obgleich es ein Widersinn ist, so etwas wie den Glauben oder die Liebe eines Menschen sehen zu wollen". Die Herrmannsche Christologie legt den Glauben nicht als Gehorsam aus. Daß Jesus
die Krisis, "die Wende der Äonen ist", wird verkannt (S. 106). Die Angewiesenheit des Glaubens "auf das Wort und auf die autorisierte Verkündigung" (S. 107) wird nicht thematisiert. W. Herrmann sucht "noch
nach einer uns zur Verfügung stehenden Begründung" (S. 107). Damit
erfolgt eine klare Abgrenzung, zugleich knüpft R. Bultmann aber an
W. Herrmann an, ohne ihm eine Intention zu unterstellen, die seinen
tatsächlichen Aussagen widerspricht. Die Voraussetzung dafür ist,
daß er die Geschichtlichkeit des Glaubens ernst nimmt. Das Wort der
Verkündigung trifft uns in unseren Erlebnissen, "in unserer Geschichtlichkeit, nicht außerhalb ihrer". Es "ist ganz richtig: Das Wort setzt
voraus, daß ich in jenen Erlebnissen lebe, von denen Herrmann redet,
und es setzt voraus, daß ich mich zur Wahrhaftigkeit gegenüber meinen
Erlebnissen erziehe". Sofern also R. Bultmann im Anschluß an W.
Herrmann betont: Die Verkündigung "nimmt uns nicht aus unserer Geschichtlichkeit heraus, sondern weist uns in sie hinein" (S. 109), kann
von einer Existentialisierung der Rede von Gott bei R. Bultmann gesprochen werden. Entscheidend aber für die Herrmann-Rezeption sowohl bei K. Barth als auch bei R. Bultmann ist, daß beide sich aufgrund der kerygmatischen Verankerung ihrer Theologie von W. Herrmann geschieden wissen und jede Möglichkeit der Begründung des Glaubens ablehnen. In der Auseinandersetzung mit der Christologie W. Herrmanns wird mehr das Trennende als das Verbindende herausgestellt,
weil diese an die Stelle des Hörens auf das Wort das Sehen des Bildes
Jesu setzt. Erst der Bultmann-Schüler G. Ebeling erneuert wieder
die Christologie des Herrmannschen Hauptwerkes, und es überrascht
nicht, daß die Position G. Ebelings ebenso von R. Bultmann kritisiert
wird wie die W. Herrmanns. (Vgl. R. Bultmann, GuV I. S. 106 mit G.
Ebeling, Theologie und Verkündigung. S. 119 ff.). Das zuletzt Behauptete wird durch die Herrmann-Interpretation dieser Arbeit deutlich
werden. Zu diesem Urteil vgl. jetzt W. Greive, Jesus und Glaube. Das
Problem der Christologie G. Ebelings: KuD 3, 1976.

28 J. M. Robinson, Problem des Heiligen Geistes. S. 79.

Zu S. 39 + 40 (II):

29 Vgl. z.B. unter diesem Gesichtspunkt die unterschiedlichen Äußerun-
    gen von 1913/14 in "Die Wirklichkeit Gottes" (1914) und in "Die mit
    der Theologie verknüpfte Not der evangelischen Kirche und ihre Ueber-
    windung" (1913), in der Dogmatik (Vorlesungsdiktate SS 1913 Teil I)
    und in der Ethik (5. Auflage 1913). Dieser Vergleich zeigt, wie unaus-
    geglichen der Zusammenhang von Gotteslehre und Christologie ist. Be-
    deutet die Hingabe an die Person Jesu nur eine Vertiefung der Fröm-
    migkeit, zu der man durch die eigene Erfahrung der Güte und Gerech-
    tigkeit im sozialen Leben schon gefunden hat? (II, 316f). Oder wird
    der Glaube als etwas Ernstes erst in uns geschaffen, wenn "wir uns
    von der Person Jesu ganz überwunden wissen?" (Not, 33).

30 A. Dell, Arbeit. S. 108. A. Dell deckt in seiner Untersuchung der the-
    ologischen Arbeit W. Herrmanns "einen unheilbaren Riß in der theo-
    logischen Arbeit Herrmanns auf" (S. 88). Nach seiner Meinung wider-
    spricht vor allem die Glaubensforderung der christlichen Verkündigung
    der harmonischen Identität von erlebbarer Wirklichkeit und Offenbarung.
    Einerseits betont W. Herrmann die Identität von Gottesglaube und Selbst-
    gewißheit der sittlichen Person (S. 96), andererseits den Glauben als
    Gehorsam (!), der allein von der Offenbarung abhängig ist. Das Ver-
    stehen des Glaubens als Gehorsam aber vernichtet die Harmonie der
    Identität (S. 103f). In den Herrmannschen Sätzen "prallen die Gegen-
    sätze aufeinander und fordern Entscheidung. Legen wir mit einer vor-
    gefaßten Anthropologie das Neue Testament aus oder legt das Neue Te-
    stament uns unsere gegenwärtige Existenz aus? Als Frage ist diese
    Entscheidung in der theologischen Arbeit Herrmanns nicht erkannt,
    sonst wäre die Anthropologie des inneren Menschen mit allen Folge-
    rungen nie entwickelt worden" (S. 105). A. Dell sieht also deswegen
    das Werk W. Herrmanns prinzipiell auseinanderbrechen, weil er es
    an der Frage nach der Anthropologie mißt, und zwar "unter dem Druck
    der neutestamentlichen Aussagen" (S. 105). Das Neue Testament ist die
    nicht hinterfragbare Autorität, die von W. Herrmann nur zu einem Teil
    anerkannt wird.

31 J.M. Robinson, Problem des Heiligen Geistes. S. 12.

32 Der Bedeutungszusammenhang zwischen der sittlichen Lage des Men-
    schen und der Religion bei W. Herrmann ist im Gegensatz zum christo-
    logischen Thema mehrfach in speziellen Untersuchungen herausgearbei-
    tet worden. Es bedarf daher hier nicht einer eindringlichen Darstellung.
    Zur Einzeldiskussion vgl. besonders die Arbeiten von T. Mahlmann und
    T. Koch. T. Mahlmann stellt fest, "daß Herrmann unter Sittlichkeit
    das Konfrontiertsein des Menschen mit dem ihn unbedingt verpflichten-
    den Gesetz seines Willens versteht" (Religion. S. 95, s. Anm. 8, I). Indem
    er hinter das abstrakt gedachte Sittliche "auf das Konkretum menschli-
    cher Lebendigkeit" zurückgeht (S. 97), sieht er zugleich die sittliche
    Not des Menschen. "Sie hängt an der unaufhebbaren Konfrontation des

Zu S. 41 (II):

Allgemeinen und des Einzelnen, des abstrakt Sittlichen und des daran gebundenen Selbst" (S. 98). Mit dem Eingeständnis seiner Not nimmt aber der Mensch die Richtung auf die Religion (S. 99). "Herrmann hat aber den Zusammenhang von Sittlichkeit und Religion unter dem Eindruck der 'Ethik' Hermann Cohens seit 1904 ((!)) neu durchdenken müssen" (S. 99); hierbei kommt er immer stärker dazu, daß er "die Sittlichkeit auf den Willen zur Wahrheit reduziert" (S. 104). Damit wird Religion immer weniger durch ihr Verhältnis zur Sittlichkeit bestimmt. "Die Bedingtheit der Religion durch Sittlichkeit kann daher abgelöst werden durch den Grundsatz: 'Die Religion bedingt durch geschichtliches Leben'" (S. 105). Dem hat mit guten Gründen T. Koch widersprochen. "Gerade auch in den Spätschriften beschreibt Herrmann den Weg zur Religion als bedingt durch sittlichen Ernst" (Theologie. II. Bd. Anmerkungen Literaturverzeichnis. S. 6, s. Anm. 7, I). Die Frage nach der Wahrhaftigkeit des Lebens stellt sich auch im Spätwerk im Horizont des Ethischen. Darauf hat auch D. Lange hingewiesen. Wahrhaftigkeit. S. 80. Anm. 4, II!

33 A. Peters, Betrachtungen zum sittlich-personal geprägten Gottes- und Christusbild des 19. Jahrhunderts: KuD 9, 1963. S. 139.

34 Daß diese Verschiebung erst seit 1905 ganz deutlich erkennbar ist, zeigt sich vor allem, wenn man die 4. Auflage des 'Verkehrs' und die 3. Auflage der 'Ethik' heranzieht, die 1903 und 1904 erschienen sind und diese dann mit den späteren Auflagen vergleicht. Dieser Vergleich wird in dieser Arbeit immer wieder durchgeführt und die These belegen, daß sich nach 1904 eindeutig ein modifizierter Entwurf der Theologie durchgesetzt hat und vom Spätwerk zu reden ist. Die Gedanken des Spätwerkes kündigen sich andeutungsweise nach 1887 an (vgl. z.B. J.M. Robinson, Problem des Heiligen Geistes. S. 54.), ohne jedoch vor 1900 die entwickelten Grundgedanken in Frage zu stellen. Das beweist die christologische Ausarbeitung der Herrmannschen Theologie. Von einer Neuorientierung kann erst nach 1900 gesprochen werden, die nach 1910 zu einer Auflösung der Christologie zu führen scheint. Vgl. das Urteil von P. Fischer-Appelt, I, XXXVII ff.

35 Vgl. T. Koch, Theologie. S. 13: "Der Mensch ist nicht fertig gegeben; er sucht sich. 'Selbst' als anthropologische Grundbestimmung meint nicht eine fixierbare Realität, sondern einen Vollzug und diesen als die 'spezifisch menschliche' Seinsweise. Notwendig auf sich aus zu sein, diesen Grundzug des menschlichen Selbst enthält der Begriff des Wollens. Daß das Selbst wesenhaft ein willentlicher Vollzug ist, beschreibt Herrmann als Zirkel von Selbst und Wollen". Es geht ihm darum, daß Aufgegebensein des Selbst zu denken. S. 14: "Und wenn die Aufgabe des Selbst allgemeingültig durchdacht worden sei, dann müsse die so gewonnene sittliche Erkenntnis auf das individuelle Selbst, auf die 'intimste Angelegenheit des menschlichen Individuums' angewandt werden,

Zu S. 42 + 43 (II):

> weil 'die Vorstellung eines lebendigen Selbst in uns wirksam bleibt, auch wenn der sittliche Wille sie in den Gedanken einer unendlichen Aufgabe auflöst' (GA 386) - Diese Argumentation möchte... festhalten, daß 'das Selbst' des Menschen keine 'nachweisbare Tatsache' ist (GA 384), und es zugleich vor seiner Abstraktion in einen bloß theoretischen Gedanken bewahren".

36 Daß die auch nach 1910 in den Dogmatik-Vorlesungen dargelegte Christologie kein Relikt ist, zeigt die Äußerung von 1918: "Gott erlöst uns, indem er sich von uns ((in unsern eigenen Erlebnissen)) finden läßt. Aber wir Christen glauben sagen zu dürfen, daß Jesus Christus unser Erlöser ist, und wollen damit gewiß nicht davon lassen, daß Gott allein durch sein Nahen uns erlöst. Die christliche Gemeinde meint also ohne Zweifel, daß in der Person Jesu so wie nirgends sonst die Wirklichkeit Gottes uns faßbar wird". (Soll es eine besondere theologische Geschichtsforschung geben?: ChW 1918, 293). Das Problem ist freilich, ob W. Herrmann dieses Bekenntnis noch überzeugend vertreten kann, oder ob es auf eine Beteuerung zusammen geschrumpft ist. V. Brecht unternimmt es, dieses Problem zu entscheiden, indem er die "Dogmatik" als eine Grundlage für die Interpretation des Spätwerkes ausscheidet. Aufgrund ihrer Disparatheit schließt er, W. Herrmann habe seine dogmatischen Vorlesungen nicht immer wieder neu durchdacht (gegen das Zeugnis M. Rades D, V!). Im übrigen sei die Disparatheit "nun gar nicht weiter verwunderlich. Herrmann mußte sich in seiner Vorlesung ja zu allen Stücken des christlichen Glaubens äußern". Bei gegenwärtigen Unklarheiten "hat er einfach auf ältere Lösungen zurückgegriffen" (Christologie. S. 179). Hierzu muß gesagt werden, daß das Zeugnis von M. Rade z.B. durch die vielen Ethik-Veröffentlichungen bestätigt wird, in denen W. Herrmann jedesmal sorgfältige Änderungen vornimmt und auf diese in der Regel im Vorwort verweist. Der disparate Charakter der "Dogmatik" erklärt sich prinzipiell aus dem doppelten Ansatz, der in den späten Schriften in eine große Spannung geraten ist. Daß W. Herrmann an der Bedeutung Jesu für das christliche Leben festhalten will, trotz aller Aporien, beweist gerade die "Dogmatik". Sie unterscheidet sich deutlich vom Hauptwerk, weil das, was früher zum Grund des Glaubens gehörte, jetzt unter den Gedanken des Glaubens behandelt wird.

37 Die Aussage, daß das Hauptwerk mehr oder weniger bruchlos an das Frühwerk anknüpft, ist auf das 'mehr oder weniger' kritisch zu befragen. Wenn der Unterschied zwischen dem Früh- und Hauptwerk als gering angesehen wird, so gilt dies nur im Blick auf den christologischen Ansatz! Im Blick auf das Verhältnis W. Herrmann - A. Ritschl z.B. ist der Unterschied größer. H. Timm versteht W. Herrmann "anhand des Schüler-Lehrer-Verhältnisses zwischen Herrmann und Albrecht Ritschl und zwar jenem Albrecht Ritschl", den er aufgrund der Erst-

Zu S. 43 (II):

auflage von 'Rechtfertigung und Versöhnung' dargestellt hat, und er
kommt zu dem Ergebnis, daß ein gravierender Unterschied besteht
zwischen den Schriften vor und nach 1886. Er spricht von 1886 an
von einem 'späten' W. Herrmann, weil "aus dem Schüler und Gefolgs-
mann Ritschls der Kritiker Ritschls geworden ist". H. Timm, Theorie. S. 91. 108.

Diese Unterscheidung in einen 'frühen' und 'späten' W. Herrmann ist
allein von der Fragestellung her verständlich, W. Herrmann als Schüler A. Ritschls zu verstehen. Es wird abstrahiert "von Modifikationen
des Herrmannschen Denkens, die nicht anhand des Verhältnisses Herrmann - Ritschl...erfaßt werden können". So betrachtet H. Timm "Herrmanns Schriften von 1886 bis 1921 als Interpretationseinheit" (S. 128).
Das Recht dieser Interpretation kann grundsätzlich nicht bestritten werden, doch es ist kritisch zu fragen, ob diese Interpretationshinsicht in
ihrer Exklusivität entscheidend hilft, W. Herrmann in der Sache zu verstehen. Die Sache scheint verdeckt zu werden, wenn der gravierende
Unterschied zwischen den Schriften vor und nach der Jahrhundertwende
nicht gesehen wird, weil es sachlich der Unterschied letztlich zwischen
einer allgemeingültigen und individuellen Begründung des Glaubens ist.
Die Periodisierung W. Herrmanns ist eigentlich nur sinnvoll, wenn damit das sachliche Verständnis W. Herrmanns gefördert wird. Eine Differenz zwischen den Schriften vor und nach 1886 als eine Differenz zwischen Früh- und Hauptwerk besteht insofern schon, als eine Differenz
zwischen "Die Metaphysik in der Theologie" (1876) und "Die Religion im
Verhältnis zum Welterkennen und zur Sittlichkeit" (1879) vorhanden ist.
Diese Differenz bezieht sich sachlich auf die Frage nach dem Sinnbezug
des theologischen Denkens. 1876 systematisiert W. Herrmann wie A.
Ritschl Gott und Welt in dem Begriff des Reiches Gottes, wie H. Timm
zeigt. So heißt es bei W. Herrmann, daß die "Einheit der christlichen
Weltanschauung" zusammengehalten wird "durch den Gedanken eines
höchsten Gutes, des Reiches Gottes" (I, 77). 1879 ist der Begriff des
Reiches Gottes durch den der Persönlichkeit ersetzt. "Die neue Konkretion der Systematik durch das höchste Gut der Persönlichkeit bedeutet gegenüber der Reich-Gottes-Lehre Ritschls eine Anthropologisie-
rung" (S. 104). Diese Differenz im Sinnbezug, die durch die Frage nach
dem Verhältnis W. Herrmann - A. Ritschl offenbar wird, kann aber nur
für die ganz frühe Phase des Herrmannschen Denkens nachgewiesen
werden. Ein Unterschied zwischen den Schriften von 1876 und 1879 besteht jedoch nicht hinsichtlich der für W. Herrmann entscheidenden Aufgabe einer geschichtlichen statt metaphysischen Begründung des christlichen Glaubens, die gerade das Hauptwerk bestimmt (vgl. das Urteil
P. Fischer-Appelt: I, XXVII). Schon 1876 geht es W. Herrmann um eine Grundlegung der Theologie von der geschichtlichen Offenbarung in

Zu S. 44-45 (II):

Jesus her, also um die christologische Konstituierung der Theologie. Theologie hat "dem Glauben das, worauf es ihm einzig ((!)) ankommt, in dem Menschen Jesus Gott zu erkennen" (I, 55), nicht zu verdunkeln, vielmehr hat sie "die Begründung auf die Autorität Christi" (I, 72) zu ihrem Thema zu machen. "Für uns Christen ist jene unsere Gemeinschaft konstituierende besondere Offenbarung Gottes in der Person Christi gegeben" (I, 62). Dieses Programm der geschichtlichen Begründung des Glaubens, das 1879 (R) ausführlich entwickelt wird, bestätigt das Hauptwerk. Zur Christologie von "Die Religion im Verhältnis zum Welterkennen und zur Sittlichkeit" vgl. R. Hermann, Christentum. S. 79-111.

38 P. Fischer-Appelt, Metaphysik. S. 213.

39 Vgl. T. Mahlmann, Axiom. S. 11 ff. Für W. Herrmann wird Wirklichkeit im Erleben erschlossen, wirklich ist nur das, was erlebt wird. Erleben ist "der grundlegende Begriff der Herrmannschen Theologie. Er ist der zutreffende Ausdruck für die Nichtgegenständlichkeit Gottes". "Die Religion ist Erleben, weil sie Berührtwerden durch Lebendiges ist. Der Begriff des Erlebens bezeichnet also die Faktizität Gottes und der Religion" (W. de Boor, Grund. S. 443). Weil Religion Erleben ist, richtet sich die ganze Herrmannsche Polemik gegen die, die die Wahrheit des christlichen Glaubens zu einem Lehrgesetz machen wollen, die Offenbarung zu einer Satzwahrheit. Offenbarung erzeugt Glauben, da sie uns zum Erlebnis wird, da sie in uns selbst "religiöse Überzeugung schafft. Kaum ein Gedanke, der bei Herrmann so häufig und so leidenschaftlich auftritt wie dieser. An diesem Punkt mußte auch der blödeste Zuschauer oder Leser merken, was er wollte und nicht wollte" (K. Barth Prinzipienlehre. S. 256 f).. W. Herrmann wollte, daß die Offenbarung Wirklichkeit für jeden Menschen wird. Daß dies allein der Fall ist, wenn sie auch erlebt wird, bildet die axiomatische Voraussetzung seines Denkens, die sich in der Begegnung mit Traditionalisten, positiven Theologen und römisch-katholischen Christen immer mehr verfestigt und schließlich auch zum Bruch mit A. Ritschl führt. "Von seinem verehrten Lehrer, dem 'großen' Theologen Ritschl, hat er sich um dieser Sache willen schließlich geschieden gewußt" (ebd. S. 257). Nur im Erleben wird uns offenbar, was Grund unseres Glaubens und Lebens ist. Ist für W. Herrmann das Erleben axiomatische Voraussetzung, so aber nicht von Anfang an die Irrationalität des Lebens. Gerade seine Ausarbeitung der Christologie dient dazu, daß die Rede vom Erlebnis der Person Jesu nicht zu einer irrationalen Angelegenheit wird. So hat H. Timm recht, wenn er gegenüber T. Mahlmann feststellt: "Die Destruktion von Ritschls offenbarungstheologischem Rationalismus hat den späten Herrmann noch keineswegs zum Philosophen gemacht, der sich die Freiheit nimmt, die Irrationalität des Lebens als Axiom behandeln zu wollen. Will der christliche Theologe den philosophischen Erlebnisbegriff rezi-

Zu S. 45 - 51 (II):

pieren, dann muß er ihn durch die Christologie allererst begründen, womit er ihm allerdings den axiomatischen Charakter nimmt" (H. Timm, Theorie. S.119, s.Anm. 7,I). Angesichts des Spätwerkes ist jedoch zu sagen, daß der Versuch, die Erlebnistheologie in der Christologie zu verankern, nicht ohne weiters überzeugt, weil jetzt die Meinung von der Irrationalität des Lebens sich durchsetzt. Die im Spätwerk eindeutig behauptete Irrationalität belastet das Herrmannsche Denken mit Problemen, die die Christologie in Frage stellen. Diese Problematik versucht die Arbeit aufzuspüren und darzustellen.

40 F. Gogarten, Theologie und Geschichte: ZThK 50, 1953. S. 373. Vgl. R. Hermann, Christentum. S. 1: Zwar hat W. Herrmann "dem Verhältnis von Christentum und Geschichte keine besondere Monographie gewidmet, - doch handelt es sich nach ihm in der Theologie um das Verständnis der 'Tatsache', 'daß eine geschichtliche Größe den in der Geschichte lebenden Menschen zu ewigem Leben bringen will' (Gewißheit des Glaubens... S. 2). Demgemäß ist auch der Begriff der Geschichte einer der Grundbegriffe seiner gesamten Theologie". Vgl. besonders S. 103 ff.

41 R. Slenczka, Geschichtlichkeit und Personsein Jesu Christi. Göttingen 1967. S. 274.

42 Es ist die Grundeinsicht des Hauptwerkes, daß der Glaube, der nur im Zusammenhang der sittlichen Erfahrung expliziert werden kann, nicht in den sittlichen Erfahrungen selbst gründet. So ist er auch nicht "durch unsere sittliche Energie erzeugt" (E, 110; vg. 77). Aus den eigenen Erfahrungen kommt der Glaube letztlich nicht. Diese anti-pietistische Auffassung ist bereits ausdrücklich im Frühwerk vertreten worden, wie R. Hermann gezeigt hat. Daß W. Herrmann "sich gegen diese Verlegung der Offenbarung in die religiöse Erfahrung selbst" wendet, erklärt sich vor allem aus dem "Interesse an der Objektivität der Offenbarung" (Christentum. S. 95).

43 W. Herrmann hat die Gefahr einer orthodoxen Haltung erkannt und sie in der Weise, wie sie ihm begegnete, verurteilt (Vgl. besonders ChW 1912. Sp. 1067f). "Seine Aufgabe sah er in der Ueberwindung der 'orthodoxen Haltung' als einer grundlegenden theologischen Einstellung, des intellektualistischen Mißverständnisses der Religion". W. Schütz, Grundgefüge. S. 42 (vgl. I, 191f; II, 80. 82). Mit Recht hat er aber auch die theologische Leistung der Orthodoxie gewürdigt, besonders ihre sorgfältige Beschäftigung mit der Christologie! (I, 305).

44 Vgl. T. Koch, Theologie. S. 39f.

45 Vgl. T. Mahlmann, Axiom. S. 29ff. und J. Moltmann, Hoffnung. S. 46.

46 W. Schütz urteilt in seiner Untersuchung der Grundelemente der Herrmannschen Erkenntnistheorie: "So dürfen wir die ganze grundlegende Unterscheidung Herrmann's zwischen erklärbarer und erlebbarer Wirklichkeit auf den Einfluß der Philosophie Lotze's zurückführen". W.

Zu S. 52 - 57 (II):

Schütz, Grundgefüge. S. 14. Die Rezeption bestimmter Gedanken H. Lotzes ist nur durch den grundsätzlichen Einfluß I. Kants möglich. Zu dieser Diskussion vgl. außer W. Schütz vor allem P. Fischer-Appelt, Metaphysik. S. 122 ff. Zum Dualismus von Naturtendenz und Menschengeschichte bei I. Kant vgl. J. Moltmann, Perspektiven der Theologie. München 1968. S. 260 ff. Zum Einfluß der Philosophie I. Kants und H. Lotzes auf W. Herrmanns Lehrer A. Ritschl vgl. P. Wrzecionko, Die philosophischen Wurzeln der Theologie Albrecht Ritschls. Berlin 1964. S. 199 - 246.

47   "Wir sind ganz allein, wenn wir Gott erkennen" ist eine Grundaussage des späten Denkens W. Herrmanns. Sie hat zum Vorwurf des Individualismus und Privatismus geführt. Er kann durch den Hinweis auf die Relevanz der Gemeinschaft bei W. Herrmann in gewisser Hinsicht eingeschränkt, aber nicht grundsätzlich abgewiesen werden. Zu sehr ist das Selbst individualistisch gesehen! Daß "der Subjektivismus als Individualismus die Gefahr der Herrmann'schen Theologie zu werden droht", hat W. Schütz betont. W. Schütz, Grundgefüge. S. 20. W. Herrmann rekurriert nicht nur auf das Individuellste im Verkehr mit Gott, sondern erklärt es zunehmend als unaussprechlich, nicht mitteilbar (vgl. D, 16!). Das Spätwerk behauptet exklusiv den Vorrang der Individualität. "Der Gedanke der Gemeinschaft ist jetzt ganz durch den des religiösen Individuums verdrängt" (ebd. S. 58). Nicht ohne Grund kann H. Timm so scharf urteilen: "Der außersubjektiven, natürlich-geschichtlich-gesellschaftlichen Welt verweigert Herrmann als Theologe jedes Interesse und bemüht sich leidenschaftlich, jede Interessennahme für sie unter ein theologisches Verdikt zu stellen". H. Timm, Theorie. S. 115. Den sich bei W. Herrmann einstellenden Privatismus hat zuletzt T. Koch nachgewiesen, indem er die Bedeutung der Herrmannschen Auseinandersetzung mit H. Cohen darstellt. W. Herrmann rekurriert "- durch Cohens Beharren auf dem rein Allgemeinen zu einer totalen Antithese veranlaßt - immer wieder, wenn auch nicht durchgehend, statt auf das Selbst als die Grundbestimmung jedes Menschen, auf das pur Individuelle; als ob über das Privatum des Intimen ('das Selbst, das in dem rein Subjektiven hängen bleibt' GA 385) überhaupt etwas von anderen Verstehbares zu sagen wäre". T. Koch, Theologie Bd. II Anmerkungen Literaturverzeichnis. S. 12.

48   G. Ebeling, Wort II. S. 42.

49   W. Schütz, Grundgefüge. S. 19.

50   Ebd. S. 48.

51   W. de Boor, Grund. S. 446. W. de Boor versteht diese Erlebnistheologie als Frucht des transzendentalen Denkens. Für ihn kritisiert W. Herrmann die psychologische Betrachtungsweise, "um rein die transzendentale Frage zu stellen" (S. 445). Indem diese Frage sich an das Erleben selbst als die Grundbedingung der Möglichkeit von Existenz

Zu S. 58 - 61 (II):

verwiesen sieht, wird das Erleben transzendental bedacht. W. Herrmann "fragt transzendental, was in all diesem Erleben eben das Erleben selbst sei, seine Wesensstruktur, seine 'Idee', kraft deren wir
es alles Erleben nennen" (S. 446). Erleben als "das Hineinziehen von
etwas in das eigene Leben" (S. 446) ist der grundlegende, konstruktive
Faktor. W. de Boors Deutung des Herrmannschen Denkens als trans-
zendentales hat den kantischen Begriff illegitimer Weise ausgeweitet.
Die transzendentale Frage ist hier nicht mehr die Frage nach der Bedingung der Möglichkeit der Erkenntnis, wie sie sich in der Reflexion
auf das Bewußtsein darstellt, sondern die Frage nach der Bedingung
der Möglichkeit der Existenz überhaupt. Die Wesensstruktur des Menschseins wird analysiert. Damit aber wird bei W. Herrmann nicht eine
transzendentale, vielmehr eine anthropologische Begründung der Theologie erkannt.

52 Ebd. S. 443. 451.
53 Zum Dualismus von Vernunft und Glaube bei I. Kant vgl. W. Schultz,
    Kant als Philosoph des Protestantismus. Theologische Forschung 22.
    Hamburg-Bergstedt 1960. Zur Frage der Kant-Rezeption bei W. Herr-
    mann vgl. jetzt V. Brecht, Christologie. S. 53 ff. Die Kant-Interpre-
    tation W. Herrmanns verläuft "in bewußtem Gegensatz zu und in Aus-
    einandersetzung mit Cohen ganz auf jener skizzierten subjektiv-exis-
    tentiellen Linie. Herrmann vermeidet den Terminus 'Vernunft', wel-
    cher schon formal die beiden Kritiken Kants zusammenbindet, und er-
    setzt ihn durch 'Verstand' bzw. 'vorstellendes Bewußtsein'. Das Sitten-
    gesetz wird vornehmlich auf die mit dem Terminus 'Selbstgefühl' ge-
    kennzeichnete rein existentielle Individualität bezogen..., so daß aus
    der kantischen Unterscheidung von theoretischer und praktischer Ver-
    nunft die unüberbrückbare Trennung zweier Dimensionen, die der er-
    kennbaren von der erlebbaren Wirklichkeit wird. Die Gesamtwirklich-
    keit wird nicht ursprünglich von der Vernunft durch die synthetische
    Einheit der transzendentalen Apperzeption konstituiert, sondern durch
    das auf das Sittliche ausgerichtete Selbstgefühl" (S. 54 f).
54 E. Günther, Die christologische Aufgabe der Gegenwart: ZThK 22, 1912.
    S. 180.
55 H. Timm, Theorie. S. 133. Zur grundsätzlichen Kritik des Gedankens
    des Fortschritts bei W. Herrmann ist seine Theologie der Krise zu be-
    denken, die darstellt, daß "die geistige Macht Jesu" des Menschen
    "Selbstvertrauen zerbricht und ein Gottvertrauen in ihm schafft, das
    ihn neu macht" (V, 102). Vgl. dazu G. Kruhöffer, Geschichtliche Chri-
    stus. S. 106: "Herrmann spricht nicht im radikalen Sinn vom Gericht
    Gottes, die christlichen Aussagen werden durch das Ethische umklam-
    mert. Andererseits spricht Herrmann... von dem Bruch zwischen der
    alten und der neuen Existenz, vom Wunder der Vergebung. Es ist zwei-

Zu S. 61 - 63 (II):

fellos Herrmanns Absicht, die Offenbarung in dem geschichtlichen Christus als die Offenbarung Gottes, als das schlechthin Neue gegenüber allen menschlichen Möglichkeiten zur Geltung zu bringen".

56 T. Mahlmann, Religion. S. 96.

57 Ebd. S. 97.

58 Vgl. P. Fischer-Appelt, Metaphysik. S. 205. Die Bedeutung der Gemeinschaft hat W. Herrmann vor allem in seinen früheren Schriften herausgestellt, nämlich in denen der neunziger Jahre, wie jetzt V. Brecht, Christologie. S. 91 ff. gezeigt hat. Seitdem liegt ein besonderes Gewicht auf der Beschreibung der Erfahrung sittlicher Güte in der Gemeinschaft. Trotzdem ist der Gemeinschaftsgedanke letztlich nicht entscheidend für den Hauptduktus der Argumentation, wie der Ausgang des Spätwerks beweist. Zuletzt kommt es nur darauf an, was der Mensch in der Stille für sich selbst erlebt. Damit erübrigt sich nicht nur die Relevanz des geschichtlichen Jesus, vielmehr auch die der geschichtlichen Gemeinschaft. Daß es W. Herrmann jedoch nach 1905 leichter fällt, Gott an der Erfahrung sittlicher Güte zu explizieren und nicht am geschichtlichen Jesus, zeigt, wie unsicher ihm die geschichtliche Grundlage der Christologie geworden ist.

59 E. Günther zitiert als Grundlage des Denkens über Werte und Normen bei W. Herrmann den ersten Satz aus I. Kants Grundlegung zur Metaphysik der Sitten: "Es ist überall nichts in der Welt, ja überhaupt auch außerhalb derselben zu denken möglich, was ohne Einschränkung für gut könnte gehalten werden, als allein ein guter Wille". E. Günther, Christologische Aufgabe. S. 180.

60 Die hier im Anschluß an die am Selbst orientierte Hinführung zum "Weg zur Religion" gegebene Darstellung der christologischen Grundgedanken des Hauptwerkes, die im Kapitel 8 weiter verfolgt werden, zeigt, daß die Entwicklung zum Spätwerk vorbereitet ist. J. M. Robinson macht dies deutlich durch seinen Vergleich der Nachschrift der Ethik-Vorlesung von 1885 mit der ersten Auflage der Ethik von 1901. "In der ersten Auflage der Ethik, die 14 Jahre nach der Ethik-Nachschrift erschien, hat Herrmann die Gleichsetzung des 'Verständnisses Christi' mit der Wiedergeburt vollzogen. Während die Ethik-Vorlesung die Wiedergeburt auf das Christusverständnis folgen ließ, fallen jetzt beide Begriffe zusammen". Mit dieser Vergeschichtlichung des Christusverständnisses reduziert sich alles auf die menschliche Erfahrung. Wenn "das Vorverständnis unserer Geschichtlichkeit zustande gekommen ist, wird das Christusverständnis von selbst kommen. Damit aber ist das Christusverständnis nicht länger unerläßlich" (S. 50. 51). "Zugleich verschiebt sich in der Ethik das Schwergewicht vom Problem des Christusverständnisses auf das des vorchristlichen Gottesglaubens. Die Verkündigung an die Ungläubigen besteht nicht mehr in einer Darstellung Christi, sondern im Beharren auf den sittlichen Aufgaben, der Ge-

Zu S. 64 + 65 (II):

schichtlichkeit der menschlichen Existenz, der Wahrhaftigkeit des sittlichen Wollens usw. Aus dieser Akzentverschiebung lassen sich die anderen Abweichungen der ersten Auflage von der Nachschrift erklären.
In erster Linie gilt dies von der Hinzufügung des ersten, philosophischen Teils. Denn was Herrmann in der Nachschrift noch den Philosophen überlassen konnte, während er sich auf das Christusverständnis als die alleinige Kraft zur Sittlichkeit konzentrierte, ist jetzt zu
einem Vorverständnis geworden, das den gleichen Raum wie die theologische Ethik einnimmt" (S. 52). Bedarf es der Zurückhaltung gegenüber dieser eindeutig wertenden Interpretation, weil sie die neuen Ansätze bei W. Herrmann von vorneherein als "Ansätze zur Auslöschung
des spezifisch christlichen Moments" (S. 53) ansieht und die Notwendigkeit der philosophischen Reflexion nicht erkennt, so erschwert sie aber
erheblich die Bestreitung der in dieser Arbeit vertretenen Meinung von
der Rückbildung der Christologie bei W. Herrmann.

61 T. Mahlmann, Religion. S. 104.

62 M. Scheler, Die deutsche Philosophie der Gegenwart: Deutsches Leben
der Gegenwart. Berlin 1922. S. 137. Das Verhältnis W. Herrmanns
zur Lebensphilosophie soll hier nicht differenziert dargestellt werden.
Vgl. dazu P. Fischer-Appelt, Metaphysik. S. 158 ff. T. Koch hat gezeigt, daß die Herrmannsche Kritik am Neukantianismus die Ansätze
der lebensphilosophischen Gedanken der späteren Schriften enthält. T.
Koch, Theologie. S. 8 ff. Die sachliche Nähe bestimmter Gedanken W.
Herrmanns zur Lebensphilosophie ist bemerkenswert. Die Lebensphilosophie bedenkt das Leben als die eigentliche Grundwirklichkeit, die
in der philosophischen Rede nie angemessen ausgedrückt werden kann.
W. Herrmann bedenkt in seinem Spätwerk im Gegensatz zum Hauptwerk
den Glaubensgrund in der Tiefe des Erlebens, der letztlich unaussprechlich ist.
"Die Verabsolutierung des Erlebnisses macht es für Herrmann undenk-
bar, daß der Glaube zur Sprache kommen will. Für Herrmann hat das
Leben des Christen eine 'unergründliche Tiefe'; der Theologe muß sich
davor hüten, dieses 'Unaussprechliche auszusprechen' ". "Bei Wilhelm
Herrmann kann, dem systematischen Ansatz ansprechend, nur das ewige Sittengesetz zur Sprache kommen. Wer den reinen Glauben zu Worte
kommen lassen will, steht bei ihm von vorneherein unter dem Verdacht,
ihn verunreinigen und zum Lehr-gesetz machen zu wollen". "Die unlös-
liche Verbindung zwischen dem Glaubenserlebnis und dem Verständnis
der Wirklichkeit, in der wir stehen, ist nicht durch das Wort vermittelt.
Das Wort ist nur für den Weg bis hin zur Religion kompetent. Vor dem
unaussprechlichen Glauben hat es zu verstummen". H. Timm, Theorie.
S. 130 f. Mit dieser sachlich dem lebensphilosophischen Irrationalismus
entsprechenden Position ist es gegeben, daß sich eine Wort-Theologie
wie die G. Ebelings, die sich an die Sprachphilosophie anzulehnen vermag, schwerlich in kerygmatischer Hinsicht auf W. Herrmann berufen
kann.

Zu S. 65 - 75 (II):

63 H. Stephan, A. Ritschl und die Gegenwart: ZThK NF 16 (43), 1935.
S. 35.

64 P. Fischer-Appelt, Metaphysik. S. 160.

65 K. Barth, Prinzipienlehre. S. 265.

66 H. Timm, Theorie. S. 102 ff. S. 104 f: "Bei Ritschl galten als die notwendigen Bedingungen der religiösen Weltanschauung 1. die 'Persönlichkeit der mit dem Weltgrunde identischen Gottheit' und 2. die 'ak-
tive Wirkung des persönlichen Gottes auf die Welt'. Ihm ging es darum,
den Geist des Menschen kraft seiner Selbsttätigkeit im Reich Gottes
in den Selbstzweck Gottes zu integrieren. Die Spitze seines Systems
lag 'oben' in der Gotteslehre, nicht, wie bei Herrmann, in der Tiefe
des selbsterlebten menschlichen Daseins, in welcher dieser freilich
immer noch ein höchstes Gut glaubte suchen zu müssen. An die Stelle
der Selbsttätigkeit in der Gemeinde des Gottesreiches ist das Selbstgefühl oder das verabsolutierte Selbst des einzelnen getreten".

67 R. Slenczka, Personsein Jesu Christi. S. 239 (Anm. 81). A. Ritschl
hat den geschichtlichen Christus als Mittelpunkt des christlichen Glau-
bens erfaßt. Sein besonderes Interesse gilt dem sittlichen Bewußtsein
Jesu. "Dabei kommt das sittliche Bewußtsein nicht als zureichende
Quelle für ein ethisches System in Betracht, sondern als Probe seiner
Gewißheit, mit Gott in eigentümlicher Gemeinschaft zu stehen". E.
Günther, Die Entwicklung der Lehre von der Person Christi im XIX.
Jahrhundert. Tübingen 1911. S. 301.

68 M. Kähler nimmt in der Schrift "Der sogenannte historische Jesus und
der geschichtliche, biblische Christus" (s. Anm. 19) eine grundsätzliche Unterscheidung vor. Dabei richtet er sich auch "gegen die verschiedenen Vertreter der Ritschlschen Theologie, von denen neben W. Herrmann noch M. Reischle und O. Ritschl zu nennen sind". Das Thema
dieser Schrift "enthält nicht den traditionellen für die historische Jesus-
frage charakteristischen Antagonismus zwischen dem 'historischen Jesus' und dem 'kerygmatischen Christus', den es historisch oder dogma-
tisch zu vermitteln gilt, sondern eine Alternative, in der das eine das
andere ausschließt". R. Slenczka, Personsein Jesu Christi. S. 281.

69 L. Ihmels, Wahrheitsgewißheit. S. 146. Vgl. dazu II, 8!

70 W. de Boor, Herrmann. Sp. 1837 f.

71 L. Ihmels, Wahrheitsgewißheit. S. 120.

72 J. M. Robinson, Problem des Heiligen Geistes. S. 68.

73 W. de Boor meint, mit W. Herrmann "einen ganz neuen Begriff der
Geschichte" zu gewinnen. W. de Boor, Grund. S. 49. Seine Gesamtin-
terpretation der Geschichte bei W. Herrmann vereinnahmt das Herrmannsche Denken einseitig. Faktisch erklärt er W. Herrmann zum Le-
bensphilosophen, der die Offenbarung als Macht des Lebendigen begreift.
Wenn nämlich Gott als der Lebendige sich offenbart, das Lebendige den
Menschen schlagartig berührt, daß dieser wie "vom elektrischen Strom

Zu S. 78 - 92 (II):

durchzuckt" wird und "die Geschichte als eigentlichste Geschichte gleichsam von innen her" sieht, dann "hebt das Ewige in der Geschichte, wie es als solches muß, die Zeitschranken auf, es entsteht 'die Geschichte, die zu unserer Existenz gehört' (Gesammelte Aufsätze S. 171), es entsteht die 'Situation der Gleichzeitigkeit', Geschichtliches erhält Lebensgewalt und wird dadurch wieder echte Geschichte = aktuelles Geschehen. Geschichte wird erlebt und eben dadurch selbst Leben" (S. 50). Die Geschichte "als bloß historische" ist unechte Geschichte (S. 49). Die Offenbarung als Macht des Lebendigen, die alles zum wahren Leben verwandelt, schafft so echte Geschichte. "Der Historismus ist gerichtet, gerade weil Offenbarung Geschichte ist" (S. 48 f). Angesichts dieser Interpretation stellt sich die Frage, was die Rede von der Priorität der Christologie noch beinhalten kann. Ist der Historismus "gerichtet", wenn Offenbarung Geschichte ist, nämlich Leben und Person Jesu beinhaltet?

74 Vgl. hier R. Hermann, Christentum. S. 110. Für R. Hermann scheint der Gedanke bei W. Herrmann, daß die Unableitbarkeit das Merkmal des Geschichtlichen sei, "im Gesamtrahmen seiner geschichtstheoretischen Betrachtung mehr vereinzelt dazustehen" (S. 110).

75 F. Gogarten, Theologie und Geschichte. S. 375 f.

76 J. M. Robinson, Kerygma und historischer Jesus. Zürich 1960. S. 54.

77 J. Moltmann, Hoffnung. S. 45.

78 Das ist aber bei J. Moltmann der Fall. Nachdem er zwei Schriften aus den Jahren 1908 und 1912 berücksichtigt hat, in denen W. Herrmann die Offenbarung Gottes als ein individuelles Erlebnis im Wirken am Selbst des Menschen beschreibt, urteilt J. Moltmann allgemein, die Theologie W. Herrmanns im Ganzen kennzeichnend: "Darum ist kein Stichwort für die Theologie W. Herrmanns bezeichnender als das anthropologisch gemeinte 'Selbst'" (ebd. S. 45). Nun kann aber auch im Spätwerk das Selbst theologisch gemeint sein (II, 153!). Eine Interpretation, die dies nicht bedenkt, muß sich ihre Einseitigkeit eingestehen.

79 A. Tholuck, Die Lehre von der Sünde und vom Versöhner oder: Die wahre Weihe des Zweiflers. Gotha 1862[8]. S. 35. Die Besinnung auf das christologische Grunderlebnis, die von dem galiläischen Jesus als dem Erlöser und Versöhner spricht, nachdem die Menschheit vor Augen gemalt ist, "wie sie ächzend und jammernd über die unheilbaren Wunden am Wege lag, die ihr die Sünde geschlagen" (S. 38), diese Besinnung folgt nach der Erklärung: "Ueberhaupt ist mir die Erlösungslehre weder wissenschaftlich ganz klar, noch auch für mein Leben. Ich glaube wohl, daß sie wahr ist, aber meine Ansichten über sie sind so wandelbar, daß ich manchmal schon den andern Tag wieder anders über sie denke, besonders schwer fällt es mir, das Historische und Factische darin festzuhalten, ich möchte sie lieber bloß als eine schöne, erhabene Idee betrachten" (S. 33). Dieser Erklärung, die das Problem des

Zu S. 92 - 103 (II):

christlichen Glaubens in der Moderne artikuliert, hat sich die Theologie immer wieder neu zu stellen. A. Tholuck beantwortet diese Frage pietistisch. Sein Pietismus ist nicht ohne Einfluß auf W. Herrmann geblieben. Darauf haben W. Schütz, Grundgefüge. S. 92. und K. Barth, Prinzipienlehre. S. 270. besonders hingewiesen.

80 Ebd. S. VII.

81 E. Günther, Entwicklung. S. 136.

82 E. Fuchs, Hermeneutik. Bad Cannstadt. 1963[3]. S. 23.

83 Im Folgenden wird aus der zweiten, umgearbeiteten Auflage von 1825 zitiert. Die Seitenangabe erscheint jeweils im Text in der Klammer.

84 A. Tholuck, Die Glaubwürdigkeit der evangelischen Geschichte, zugleich eine Kritik des Lebens Jesu von Strauß, für theologische und nicht theologische Leser dargestellt. Hamburg 1837. S. VII. Im Text beziehen sich die folgenden Seitenangaben in der Klammer auf dieses Werk.

85 A. Tholuck, Gespräche über die vornehmsten Glaubensfragen der Zeit. Heft 1. Halle 1846. S. 69 f. 79. 81 f.

86 O. Ritschl, Der geschichtliche Christus, der christliche Glaube und die theologische Wissenschaft: ZThK 3, 1893. S. 402 f.

87 A. Tholuck, Sünde 2. Aufl. S. 284 f.

88 E. Fuchs, Hermeneutik. S. 40 f.

89 F. Gogarten, Theologie und Geschichte. S. 380.

90 E. Fuchs, Hermeneutik. S. 36.

91 H. Gerdes, Die durch Martin Kählers Kampf gegen den "historischen Jesus" ausgelöste Krise in der evangelischen Theologie und ihre Überwindung: NZSTh 3, 1961. S. 185. Schon L. Ihmels formuliert: Für W. Herrmann "steht die Frage von vornherein im Mittelpunkt des Interesses, wie es in einem Menschen und zumal in einem Menschen der Gegenwart zu einem rechtschaffenen Glauben, der auf festem Grund ruhe, kommen könne". L. Ihmels, Wahrheitsgewißheit. S. 118.

92 E. Fuchs, Hermeneutik. S. 38. 40.

93 F. Gogarten, Theologie und Geschichte. S. 370 ff.

94 H. Timm, Theorie. S. 119.

95 Vgl. V, 84: Bei der Nennung der beiden objektiven Gründe heißt es: "Erstens ((!)) die geschichtliche Tatsache der Person Jesu". Vgl. weiter R, 270 - 452: "Die Aufgabe des dogmatischen Beweises für die christliche Weltanschauung". Stellt das Sittengesetz die Bedingung dar, "welche auf Allgemeingültigkeit Anspruch machen" kann (R, 273), so wird als das Wichtigste betont: "Die geschichtliche Offenbarung, nicht die Metaphysik liefert den Grund für die Objectivität des Geglaubten" (R, XII). Dieser bedeutende Abschnitt in Kapitel V umfaßt die weitaus größte Seitenzahl, nämlich 68, während für den Abschnitt: "Das Sittengesetz als die Bedingung der im dogmatischen Beweise gemeinten Allgemeingültigkeit" (R, XII) nur 8 Seiten benötigt werden. Hierbei darf

Zu S. 104 - 114 (II):

nicht übersehen werden, daß die Bedeutung des Sittlichen in Kapitel IV auf 137 Seiten dargestellt wird. Kapitel V umfaßt jedoch 182 Seiten. Können sonst solche äußerlichen Merkmale für das Entscheidende einer Sache täuschen, so hier nicht. Der geschichtliche Grund ist für W. Herrmann im Früh- und Hauptwerk der wichtigste und daher ausdrücklich der erste. Das beweist vor allem auch die Thematik der Schriften und Rezensionen vor der Jahrhundertwende.

96 F. Gogarten, Theologie und Geschichte. S. 380 (Hervorhebungen vom Verf.).

97 W. Pannenberg, Grundfragen systematischer Theologie. Göttingen 1967. S. 225.

98 Ebd. S. 226

99 Die Gesamtkritik M. Kählers soll hier nicht dargestellt werden. Vgl. dazu vor allem M. Kähler, Biblische Christus. S. 30 ff.

100 M. Reischle, Der Streit über die Begründung des Glaubens auf den "geschichtlichen" Jesus Christus: ZThK 7, 1897. S. 203.

101 Ebd. S. 224.

102 T. Häring, Gehört die Auferstehung Jesu zum Glaubensgrund?: ZThK 7, 1897. S. 331 - 351.

103 Ebd. S. 335 ff.

104 M. Reischle/T. Häring, Glaubensgrund und Auferstehung?: ZThK 8, 1898. S. 132.

105 In der 4. Auflage von 1909 läßt sich bereits die Veränderung im Aufbau der Theologie W. Herrmanns eindeutig nachweisen. (Die 5. Auflage enthält noch mehr signifikante Änderungen!) Die 2. und 3. Auflage (1901 und 1904) beginnen den Teil 2: "Das christliche sittliche Leben" mit den Paragraphen 18: "Die Erlösung durch Jesus Christus" und 19: "Der christliche Glaube". Der christologische Ansatz in der Darstellung der "Entstehung des christlichen Glaubens" (E, XIV) ist klar zu erkennen. Die 4. Auflage ändert das. Der Ansatz bei "der inneren Situation des menschlichen Individuums" (4 E, 88) erhält den Vorrang, wie die neue Folge der Paragraphen zeigt: "§ 18. Der Weg zur Religion", § 19 und 20 behalten die alte Überschrift von § 18 und 19 der 3. Auflage. Der vorgeordnete, neue Paragraph wird in der 5. Auflage noch einmal neu geschrieben und trägt jetzt die Überschrift: "Sittlichkeit und Religion"! Der Ansatz bei dem individuell verstandenen Selbst, das durch das Erlebnis von Macht bezwungen wird, erfährt eine noch stärkere Akzentuierung. Heißt es in der 5. Auflage wie zitiert: "Seine eigenen Erlebnisse müssen ihm bezeugen, ob er darin vor eine Macht gestellt wird, der gegenüber aller Widerstand ausgeschlossen ist, weil er sich von ihr völlig abhängig weiß in freier Hingabe" (5 E, 92), so in der 4. Auflage: "Seine eigenen Erlebnisse müssen ihm bezeugen, ob er sich darin vor eine Macht gestellt sieht, der gegenüber aller Widerstand ausgeschlossen ist, weil er sich ihr frei hingibt" (4 E,

Zu S. 116 - 124 (II):

90). 1909 wird noch die eigene Tätigkeit des Selbst in den Gedankengang eingebracht. 1913 ist die freie Hingabe auf die völlige Abhängigkeit fixiert. Der Mensch sieht (!) sich nicht mehr vor eine Macht
gestellt, sondern er wird (!) vor eine Macht gestellt. Die Vermittelt-
heit der Abhängigkeit durch das tätige Selbst wird aufgehoben. Macht
produziert sich unmittelbar selbst beim Menschen. Nur aufgrund des
Selbstvollzugs von Macht kommt er zu dem wahren Erleben dieser
Macht. Die Funktion solcher verstärkten Argumentation ist es, den
Geschenkcharakter der Religion unbedingt auszusagen (4 E, 90; 5 E,
94).

106   In dem Einschub wird die erhebliche Verunsicherung der Theologie durch
die historisch-kritische Forschung betont. Es heißt dann: Der Christ
soll "den mächtigsten Inhalt der heiligen Überlieferung... nicht als
eine irgendwie verbürgte und beweisbare Tatsache" erfassen, "sondern nur ((!)) als etwas, was er selbst gegenwärtig erlebt" (5 E, 100).

107   Diese These ist jetzt ausführlich bestätigt worden von V. Brecht,
Christologie. S. 84 ff.

108   J. M. Robinson, Problem des Heiligen Geistes. S. 68 f.

109   Vorausgesetzt wird, daß der Mensch nach Freiheit und Selbständigkeit strebt. Als freies Wesen sucht er das, was "für alle Menschen
und ewig gilt" (II, 133). Die Suche nach Freiheit verwandelt sich in
die sittliche Tat des Gehorsams, weil der Mensch einer Macht begegnet, die ihn bezwingt. Selbständigkeit und Gehorsam schließen sich
für W. Herrmann nicht aus, weil sich in dieser Dualität die Wahrhaftigkeit des Strebens bewährt. Das Wahrhaftigwerden des Willens als
Freiheit in der Hingabe an Macht bedeutet keine Fremdbestimmung.
Es wird jedoch nur in der Weise des Glaubens Ereignis. Das Erlebnis stellt sich nicht ein bei dem natürlichen, an das Vorhandene ge-
bundene Erleben. Das Natürliche kann nicht das vermitteln, was die
Lebensfrage des Menschen löst. Weil aber der Mensch einer Vermittlung bedarf, will er die erstrebte Selbständigkeit behaupten, so muß
er stets über sich selbst hinausfragen. In der Selbstbesinnung sieht
er sich aber solange auf sich selbst verwiesen und vermag nicht dem
inneren Widerspruch seiner Existenz zu entgehen, solange ihm nicht
wirklich in einer ursprünglichen Dimension das vermittelt wird, was
Abhängigkeit und Selbständigkeit vereinigt (vgl. 5 E, 75 ff. II, 231 f).

110   Diese Meinung drängt sich auf, wenn man die immer wieder von W.
Herrmann entfalteten Gedanken zur Bedeutung des wahrhaftigen Erlebens und der Subjektivität in ihrer Ehrwürdigkeit konsequent verfolgt. Letztlich kommt es auf die gegenwärtige, individuelle Subjektivität allein an. Eine Christologie, die ihren Gegenstand als vorgegeben begreift, erscheint als ein Selbstmißverständnis. Die Rede von
Jesus ist nur ein besonderer Ausdruck für das, was überall in der
ehrwürdigen Subjektivität erfahren werden kann. P. Fischer-Appelt

Zu S. 131 - 139 (II):

meint daher, daß auf die Person Jesu im Grunde verzichtet wird. "Es
zeigt sich daran, daß die nie anders als individuell gedachte Externität des 'einfachen Menschen Jesus' von prinzipiell derselben Art ist
wie die Begegnisweise der im Vertrauen verbundenen Personen, von
denen sich die schöpferische Macht wahrhaft selbständigen Lebens
ebenso ablöst wie vorher das 'innere Leben Jesu' als Kraftzentrum
des Glaubens von dem äußeren Verlauf des Lebens Jesu". P. Fischer-
Appelt. Metaphysik. S. 209. (Anm. 7,I). Daß W. Herrmann jedoch das
innere Leben Jesu von dem äußeren abgelöst hat und die Externität
Jesu nie anders als individuell verstanden worden ist, kann nicht grundsätzlich für das Werk W. Herrmanns gesagt werden. Dieses Urteil
trifft allein für die späten Äußerungen zu. Der christologischen Konzeption vor 1900 gelingt es, das Recht auf das gegenwärtig Erfahrbare und Lebendige zu vertreten, ohne das geschichtlich Vorgegebene
zu verlieren. Die Theologie ist in der Christologie verankert. Dies
ist der Intention nach auch im Spätwerk nicht aufgegeben, doch die
theologischen Mittel genügen der christologischen Aufgabe immer weniger.

111 P. Fischer-Appelt, Metaphysik. S. 209.
112 K. Barth, Prinzipienlehre. S. 265 ff.
113 R. Slenczka, Personsein Jesu Christi. S. 261. Vgl. zur Frage der historischen Kritik bei W. Herrmann die Meinung D. Langes: W. Herrmann "fordert die historisch-kritische Forschung, und zwar ihre kon-
sequente Anwendung auf die geschichtliche Überlieferung. Das bedeutet, daß man bereit sein muß, auch radikale Konsequenzen zu akzeptieren. Selbst die Möglichkeit muß in Erwägung gezogen werden, daß
die gesamte Darstellung des Lebens Jesu im Neuen Testament durch
die historische Wissenschaft als ein reines Phantasiegebilde erwiesen
wird, eine in den Tagen von Arthur Drews' Christusmythe immerhin
nicht gänzlich von der Hand zu weisende Möglichkeit. Nun aber besaß
Herrmann zuviel gesundes historisches Urteilsvermögen, um die Hy-
perkritik in dem Maße wissenschaftlich ernstzunehmen, daß er ihren
Sieg für wahrscheinlich gehalten hätte. Er hat vielmehr immer daran
festgehalten, daß ein Minimum an historischen Daten des Lebens Jesu
als gesichert gelten dürfe. Ohne das würde sein 'Bild Jesu' in der Tat
sozusagen in der Luft hängen. Freilich betont er im gleichen Atemzug,
daß das gesicherte Minimum an Historischem als solches keineswegs
den Glauben begründen könne". D. Lange, Wahrhaftigkeit. S. 92. Das
Problem W. Herrmanns wird hier prägnant genannt, doch sowohl der
Hinweis auf das gesunde historische Urteilsvermögen als auch auf das
gesicherte Minimum wird nicht der Problemlösung des Spätwerkes
gerecht. Die Berufung auf II, 337 genügt nicht. Vgl. z.B. 5 E, 99! Vor
allem zielen die Aussagen in: "Die Religion unserer Erzieher" (II,
324 ff) gerade nicht auf ein gesichertes (!) Wissen, sondern auf die

Zu S. 139 - 151 (II):

"unbeweisbare Behauptung der Religion" (II, 335). Gegen die mögliche Destruktion des Lebens Jesu durch die historische Kritik, die
grundsätzlich nicht ausgeschlossen ist, "können wir uns nicht schützen, wir müssen es tragen, wie alles, was Gott uns auferlegt" (II,
337). Der Appell zum ganz persönlichen Sehen des Bildes Jesu will
ein Jenseits aller historisch-kritischen Fragen eröffnen. Die Erinnerung an die Arbeit von J. Wellhausen hat prinzipiell keine kritische Funktion mehr. Indem die Ergebnisse der historischen Forscher
selbst als Produkte der religiösen Subjektivität verstanden werden,
vergewissert sich die Subjektivität nicht mehr an ihr Vorgegebenem,
sondern nur noch an sich selbst.

114   Zum Begriff des inneren Lebens vgl. G. Kruhöffer, Geschichtliche
Christus. S. 13ff. 71 f. 98 f. 196: Die Erfahrung der Liebe und Vergebung Gottes "hat ihren Grund in der Freundlichkeit Jesu zu den Sündern wie in seinem Leiden und Sterben - kurz gesagt: in seinem 'inneren Leben'. An dem Begriff des 'inneren Lebens' wird deutlich:
Die Offenbarung Gottes begegnet in einem <u>Menschen</u>; sie kann daher
die menschliche Wirklichkeit erreichen und verändern".

115   E. Günther, Entwicklung. S. 346. Im folgenden Kapitel wird gezeigt,
daß es für W. Herrmann der Glaube Jesu selbst ist, der dem Leben
Jesu seine einzigartige sittliche Hoheit gibt und den Glauben bei den
Menschen hervorruft. Diese Interpretation stützt sich vornehmlich
auf folgende Stellen: Demut, 573; Sittlichkeit, 9; GA, 281 ff. 457; R,
393. 395; V, 69 - 76; E, 103 ff; I, 176. 180. 227. 229. 436.

116   R. Slenczka, Personsein Jesu Christi. S. 276.

117   C. Ullmann, Die Sündlosigkeit Jesu. Hamburg 1846[5].

118   E. Günther, Entwicklung. S. 58.

119   C. Ullmann, Sündlosigkeit. S. 16 f. 73 - 102: "Beweis aus den Wirkungen". Die folgenden Seitenangaben beziehen sich auf diese Schrift.

120   E. Hirsch, Geschichte. S. 379 f.

121   A. Mücke, Die Dogmatik des Neunzehnten Jahrhunderts in ihrem inneren Flusse und Zusammenhang mit der allgemeinen theologischen,
philosophischen und literarischen Entwicklung desselben. Gotha 1867.
S. 230.

122   F. Schleiermacher, Der christliche Glaube. Neu hrsg. v. M. Redeker.
Bd. II. Berlin 1960[7]. § 98. (S. 77). Die "Glaubenslehre" ist das Spätwerk F. Schleiermachers, das sich wie bei W. Herrmann nicht unerheblich vom Hauptwerk, den "Reden", unterscheidet. So wird das
Verständnis von Religion als Anschauung und Gefühl des Universums
in den "Reden" durch das von Religion als Gefühl der schlechthinnigen
Abhängigkeit in der "Glaubenslehre" ersetzt. Das bedeutet die Preis-
gabe des Gegenstandsbezugs, der nur noch nachträglich hergestellt
wird. Erfahrung ist nicht mehr Widerfahrnis der vorgegebenen Wirklichkeit, sondern nur Ich-Erfahrung. Gott dient zur Interpretation des

Zu S. 151 - 163 (II):
Zu S. 165 + 166 (III):

Selbstbewußtseins als schlechthinniger Abhängigkeit, ist also etwas
Sekundäres. R. Slenczka, Personsein Jesu Christi. S. 207: "Während
in den 'Reden' die Begegnung mit dem transzendenten Grund als 'Anschauung des Universums' bezeichnet wurde, spricht er in der 'Glaubenslehre' von der 'Bestimmung des frommen Selbstbewußtseins' und
dem 'Gefühl der schlechthinnigen Abhängigkeit' ". Gott als das Woher
der Abhängigkeit ist aber nicht vorgegeben, vielmehr führt das Selbstbewußtsein auf den Gedanken Gottes. Daher scheint es im Spätwerk F.
Schleiermachers fraglich, ob er in seiner Front "gegen eine Auflösung des Historischen in allgemeine Vernunftwahrheiten oder in eine
Idee der praktischen Vernunft" aufgrund dieser Bestimmung des frommen Selbstbewußtseins "die Bewahrung des Historischen" erreicht.
Immerhin stellt F. Schleiermacher zentral heraus, "daß das Erlö-
sungsbewußtsein prinzipiell, sofern es christlich sein soll, nicht von
der Person Jesu als dem Anfänger und Stifter der christlichen Gemeinschaft getrennt werden darf". Ebd. S. 208. Doch Jesus ist hier nicht
der historische Jesus, sondern der Erlöser.

123   F. Schleiermacher, Glaube. § 100, 1. (S. 90).

124   Ebd. § 93, 2 (S. 35). Jesus ist urbildlich in der Vollkommenheit sei-
       nes Gottesbewußtseins. Diese Bedeutung Jesu ist nicht als eine über-
       tragene zu verstehen, vom Glaubenden gedacht, sondern die Folge aus
       der erlebten Wirksamkeit Jesu. F. Schleiermacher geht von der er-
       fahrenen Wirkung Jesu aus.

125   Vgl. dazu jetzt bei E. Busch das Zeugnis K. Barths über seinen the-
       ologischen Lehrer: "Herrmann war einerseits Kantianer und... ande-
       rerseits ein Schüler des jüngeren Schleiermacher, nicht des älteren
       ... Die vier ersten 'Reden' waren für W. Herrmann so wichtig, daß
       er uns im Seminar gesagt hat: ...das sei die wichtigste Schrift, die
       seit dem Abschluß des Kanons des Neuen Testament an der Öffentlich-
       keit erschienen sei. Das habe ich ihm nicht ohne weiteres abgenommen".
       E. Busch, Karl Barths Lebenslauf. 1975. S. 56.

126   G. Wünsch, Wirklichkeitschristentum: Beiträge zur systematischen
       Theologie 3, 1932. Tübingen 1932. S. 15.

Zu S. 165 + 166 (III):

1   L. Ihmels, Wahrheitsgewißheit. S. 123 f.

2   G. E. Lessing, Philosophische und theologische Schriften II: Gesam-
       melte Werke Bd. VIII. Aufbau-Verlag Berlin 1965. S. 13 f. 497.

3   I. Kant, Logik: Kant's gesammelte Schriften Bd. IX. Berlin und Leip-
       zig 1923. S. 72.

4   I. Kant, Der Streit der Fakultäten: Schriften zur Anthropologie, Ge-
       schichtsphilosophie und Pädagogik. 1. Teil. Werke. Bd. IX. Darm-
       stadt 1970. S. 335. 338.

Zu S. 167 - 179 (III):

5   J.G. Fichte, Die Anweisung zum seligen Leben, oder auch die Religi-
    onslehre: Johann Gottlieb Fichte's sämmtliche Werke Bd. V. Berlin
    1845. S. 482. 485.

6   K. Barth, Prinzipienlehre. S. 246 ff. (vgl. Teil II. Anm. 27). Vgl. E.
    Busch, Lebenslauf. S. 57.

7   Auf die weitere Entwicklung K. Barths kann hier nicht eingegangen
    werden.

8   K. Barth, Moderne Theologie und Reichsgottesarbeit: ZThK 1909. S.
    321. 318 f.

9   Ebd. S. 318 f.

10 K. Barth, Ob Jesus gelebt hat?: Gemeindeblatt Genf 1910, zitiert nach
    E. Busch, Lebenslauf. S. 67.

11 K. Barth, Der christliche Glaube und die Geschichte: Schweizer Theo-
    logische Zeitschrift 1912. S. 70. 72, zitiert nach E. Busch, Lebens-
    lauf. S. 69.

12 K. Barth/E. Thurneysen, Briefwechsel Bd. 1: K. Barth. Gesamtausga-
    be V. Briefe. 1973. S. 10. 18.

13 K. Barth/H. Barth/E. Brunner, Anfänge der dialektischen Theologie
    Teil I: ThB 17, 1962. S. 200 (vgl. auch S. 4. 7: "Wo ist der Sinn in all
    dem Unsinn?" 13. 22. u.ö.). K. Barth/E. Thurneysen, Suchet Gott, so
    werdet ihr leben! 1917. S. 105. 107. K. Barth, Das Wort Gottes und
    die Theologie. München 1924. S. 7. 16. u.ö. Der Horizont der radika-
    len Sinnfrage ist bestimmend seit 1914 und läßt sich gerade auch in
    der zweiten Auflage des Römerbriefes von 1922 nachweisen.

14 K. Barth, Der Römerbrief. Unveränderter Nachdruck der ersten Auf-
    lage von 1919. Zürich 1963. S. 248. 241.

15 K. Barth/E. Thurneysen, Suchet. S. 96.

16 K. Barth, Wort Gottes. S. 24.

17 Ebd. S. 31. Vgl. Römer 1. Aufl. S. 248 ff.

18 K. Barth u.a., Anfänge. S. 11.

19 Römer 1. Aufl. S. 10. 223. 224 ff.

20 Ebd. S. V.

21 K. Barth/E. Thurneysen, Briefwechsel. S. 121. Römer 1. Aufl. S. 63.
    42.

22 Römer 1. Aufl. S. 391. 120.

23 Ebd. S. 394!

24 K. Barth, Der Römerbrief (1922). Zehnter Abdruck der neuen Bearbei-
    tung 1967. S. 140.

25 Ebd. S. 13. 25. 130.

26 Ebd. S. 5 f.

27 Ebd. S. 13.

28 Ebd. S. 16.

29 Ebd. S. 14.

30 K. Barth u.a., Anfänge. S. 207.

Zu S. 180 - 185 (III):

31 Römer 1. Aufl. S. 104.

32 Den Beginn der Kritik setzt er mit dem Aufsatz: "Das Problem des historischen Jesus": ZThK 51, 1954. S. 125-153. Im Folgenden wird zitiert aus: E. Käsemann, Exegetische Versuche und Besinnungen. Erster und zweiter Band. Göttingen 1967.

33 Ebd. I, S. 201.

34 Ebd. I, S. 202.

35 Ebd. II, S. 66 f.

36 Ebd. I, S. 201. 213.

37 Ebd. I, S. 200

38 G. Ebeling, Wort und Glaube. Tübingen 1962^2. S. 311. 208. 245. Die christologische Position der frühen Schriften G. Ebelings wird hier dargestellt. Zur differenzierten Gesamtentwicklung der christologischen Frage bei G. Ebeling vgl. W. Greive, Jesus und Glaube: KuD 3, 1976.

39 G. Ebeling, Theologie und Verkündigung. Tübingen 1963^2. S. 124.

40 G. Ebeling, Das Wesen des christlichen Glaubens: Siebenstern-Taschenbuch 8, 1964. S. 51 f.

41 G. Ebeling, Wort und Glaube. S. 311.

42 G. Ebeling, Wesen. S. 24.

43 G. Ebeling, Wort und Glaube. S. 1 ff.

44 H. Braun, Gesammelte Studien zum Neuen Testament und seiner Umwelt. Tübingen 1967^2. S. 341.

45 Ebd. S. 341

46 H. Braun, Jesus: Themen der Theologie Bd. I. 1969. S. 146 ff. 159 ff.

47 H. Braun, Studien. S. 277. Zum Folgenden S. 282.

48 H. Braun, Jesus. S. 147. 149.

49 Ebd. S. 159. 156.

50 Ebd. S. 148. 157.

51 H. Gollwitzer/H. Braun, Post Bultmann Locutum Bd. I: ThF 37, 1965. S. 25.

52 H. Braun, Jesus. S. 169. Zum Folgenden S. 171.

53 H. Braun, Studien. S. 308.

54 H. Braun, Jesus. S. 171. 168.

55 H. Gollwitzer/H. Braun, Post Bultmann. S. 15. 36.